# 4주 완성 스케줄표

| 공부한 날 | 주 | 일 | 학습 내용 |
|---|---|---|---|
| 월 일 | 1주 | 도입 | 이번 주에는 무엇을 공부할까? |
| | | 1일 | 덧셈과 뺄셈이 섞여 있는 식 |
| 월 일 | | 2일 | 곱셈과 나눗셈이 섞여 있는 식 |
| 월 일 | | 3일 | 덧셈, 뺄셈, 곱셈이 섞여 있는 식<br>덧셈, 뺄셈, 곱셈, 나눗셈이 섞여 있는 식 |
| 월 일 | | 4일 | 약수, 배수 |
| 월 일 | | 5일 | 공약수와 최대공약수 구하기, 최대공약수 구하는 방법 |
| | | 평가/특강 | 누구나 100점 맞는 테스트/창의·융합·코딩 |
| 월 일 | 2주 | 도입 | 이번 주에는 무엇을 공부할까? |
| | | 1일 | 공배수와 최소공배수 구하기, 최소공배수 구하는 방법 |
| 월 일 | | 2일 | 두 양 사이의 관계 |
| 월 일 | | 3일 | 대응 관계를 식으로 나타내기 |
| 월 일 | | 4일 | 크기가 같은 분수 만들기 |
| 월 일 | | 5일 | 분수를 간단하게 나타내기 |
| | | 평가/특강 | 누구나 100점 맞는 테스트/창의·융합·코딩 |
| 월 일 | 3주 | 도입 | 이번 주에는 무엇을 공부할까? |
| | | 1일 | 통분하기 |
| 월 일 | | 2일 | 분수의 크기, 분수와 소수의 크기 비교하기 |
| 월 일 | | 3일 | 진분수의 덧셈 |
| 월 일 | | 4일 | 대분수의 덧셈, 진분수의 뺄셈 |
| 월 일 | | 5일 | 대분수의 뺄셈 |
| | | 평가/특강 | 누구나 100점 맞는 테스트/창의·융합·코딩 |
| 월 일 | 4주 | 도입 | 이번 주에는 무엇을 공부할까? |
| | | 1일 | 정다각형, 직사각형의 둘레 |
| 월 일 | | 2일 | 평행사변형, 마름모의 둘레, 넓이의 단위 |
| 월 일 | | 3일 | 직사각형, 정사각형의 넓이 |
| 월 일 | | 4일 | 평행사변형, 삼각형의 넓이 |
| 월 일 | | 5일 | 마름모, 사다리꼴의 넓이 |
| | | 평가/특강 | 누구나 100점 맞는 테스트/창의·융합·코딩 |

공부한 날을 표시하고 하루하루 학습 내용을 살펴보세요.

Chunjae
Makes
Chunjae

기획총괄 박금옥
편집개발 윤경옥, 박초아, 김연정,
김수정, 김유림
디자인총괄 김희정
표지디자인 윤순미
내지디자인 박희춘, 이혜미
제작 황성진, 조규영

발행일 2020년 11월 15일 초판 2023년 11월 15일 4쇄
발행인 (주)천재교육
주소 서울시 금천구 가산로9길 54
신고번호 제2001-000018호
고객센터 1577-0902


※ 정답 분실 시에는 천재교육 홈페이지에서 내려받으세요.
※ KC 마크는 이 제품이 공통안전기준에 적합하였음을 의미합니다.
※ 주의
책 모서리에 다칠 수 있으니 주의하시기 바랍니다.
부주의로 인한 사고의 경우 책임지지 않습니다.
8세 미만의 어린이는 부모님의 관리가 필요합니다.

똑 똑 한

# 하루 수학

## 5·1

배우고 때로 익히면
또한 기쁘지 아니한가.
- 공자 -

## 주별 Contents

**똑똑한 하루 수학**

# 이 책의 **특징**

## 도입 이번 주에는 무엇을 공부할까?

**이번 주에 공부할 내용**을 만화로 재미있게!

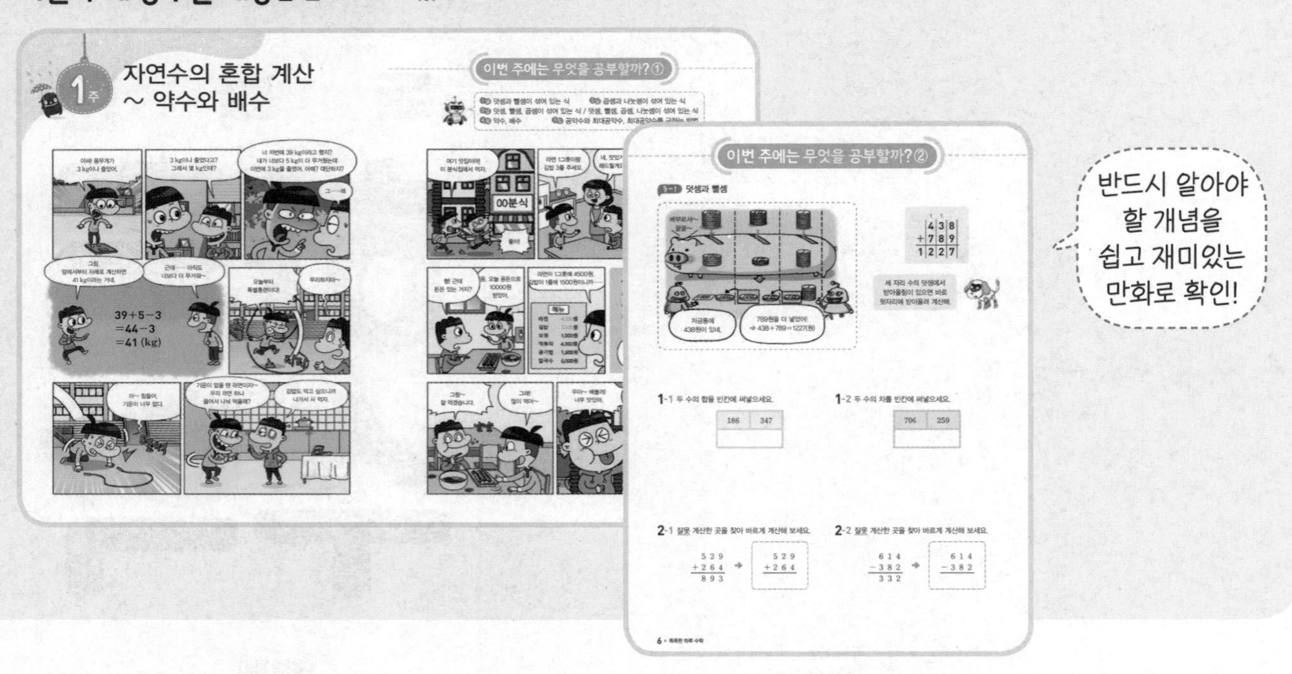


## 개념 완성 개념 • 원리 확인

**교과서 개념**을 만화로 쏙쏙!

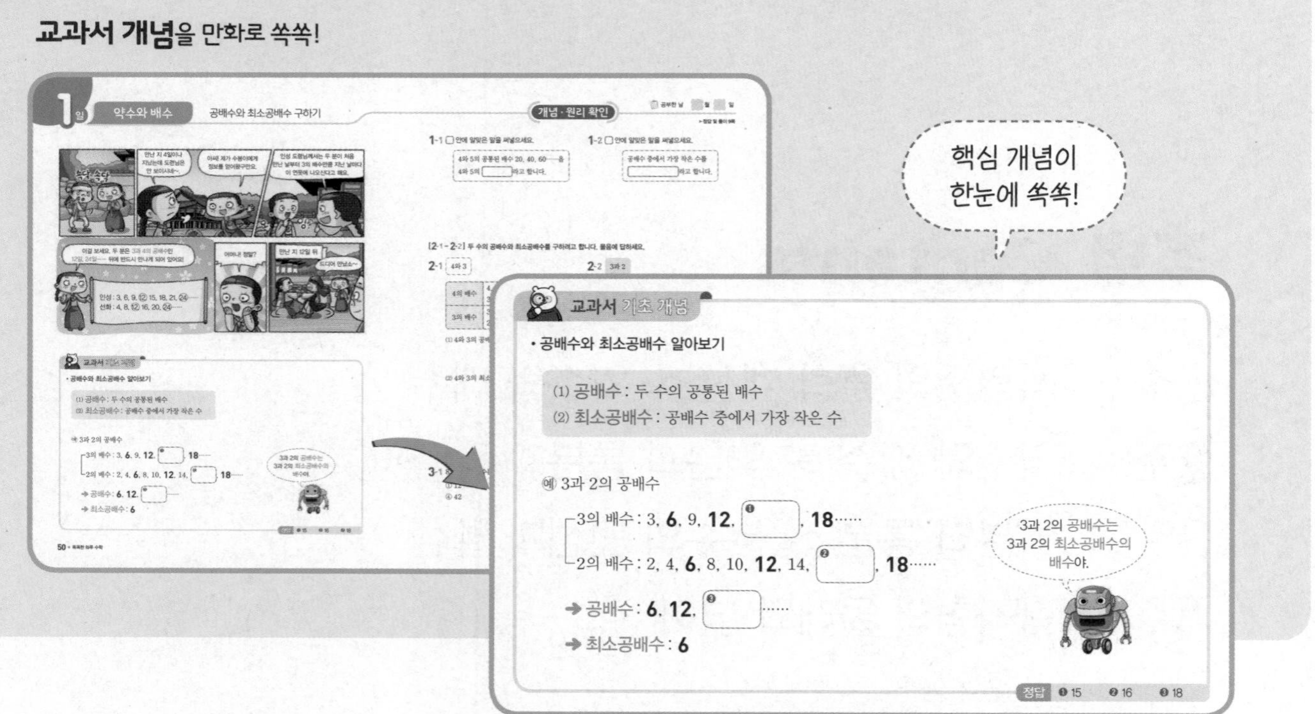

집중 학습

# 기초 집중 연습

**반드시 알아야 할 문제**를 **반복**하여 완벽하게 익히기!

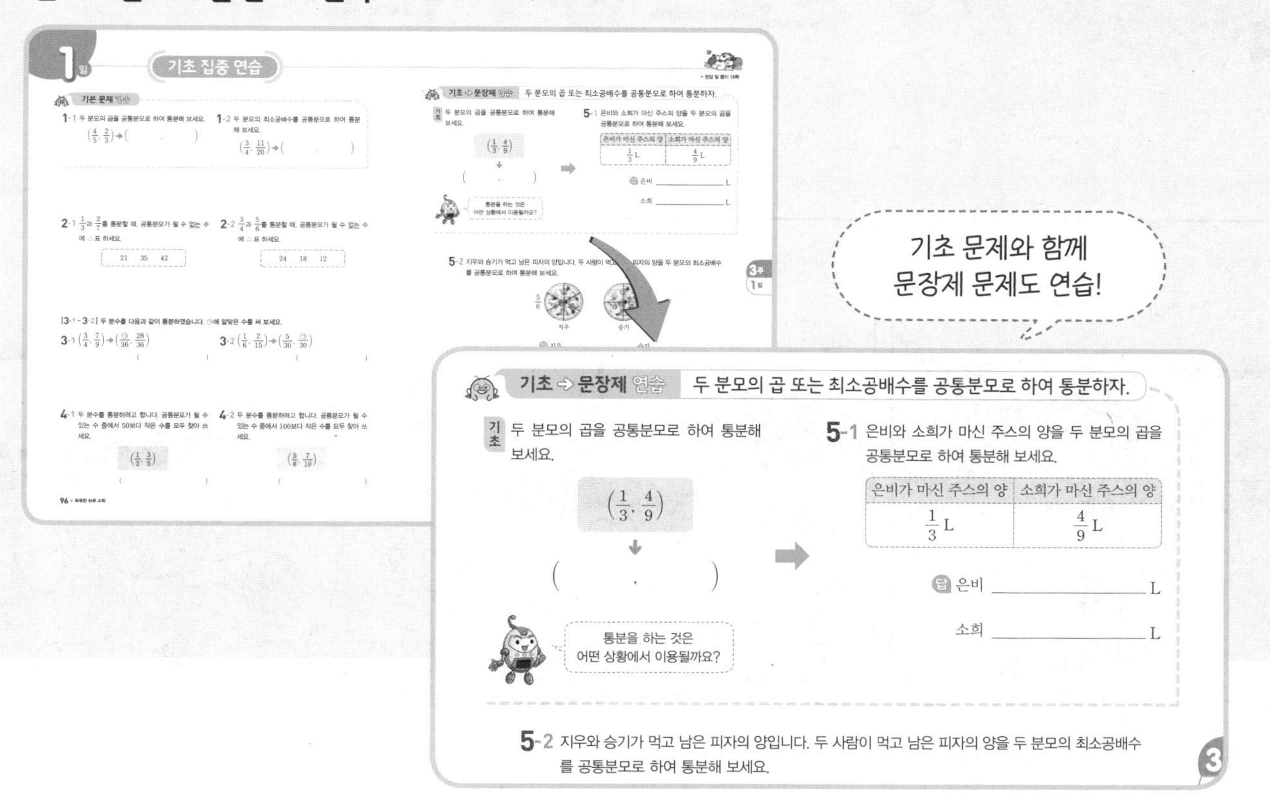

# 평가 + 창의·융합·코딩

한 주에 **배운 내용**을 **테스트**로 마무리!

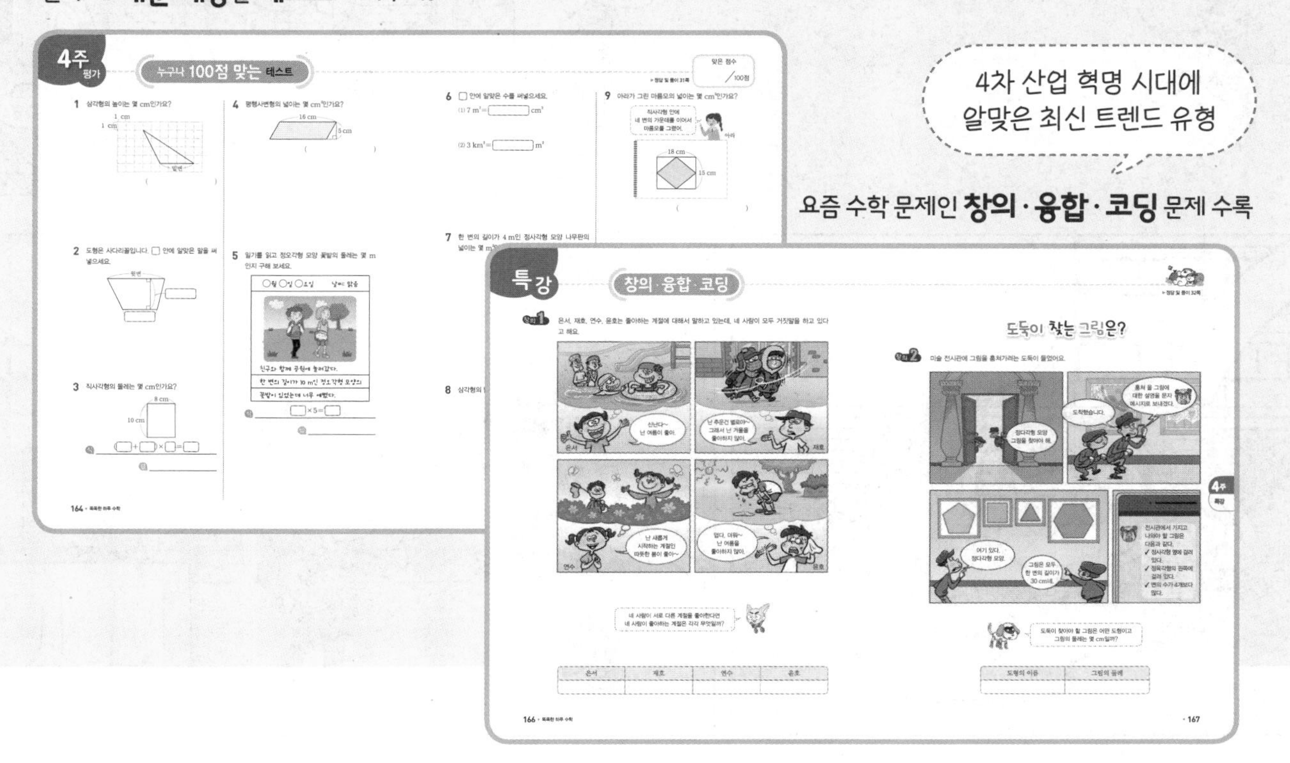

# 자연수의 혼합 계산 ~ 약수와 배수

너 저번에 39 kg이라고 했지?
내가 너보다 5 kg이 더 무거웠는데
이번에 3 kg을 줄였어. 어때? 대단하지?

그……래

# 이번 주에는 무엇을 공부할까? ①

- 1일 덧셈과 뺄셈이 섞여 있는 식
- 2일 곱셈과 나눗셈이 섞여 있는 식
- 3일 덧셈, 뺄셈, 곱셈이 섞여 있는 식 / 덧셈, 뺄셈, 곱셈, 나눗셈이 섞여 있는 식
- 4일 약수, 배수
- 5일 공약수와 최대공약수, 최대공약수를 구하는 방법

# 이번 주에는 무엇을 공부할까? ②

## 3-1 덧셈과 뺄셈

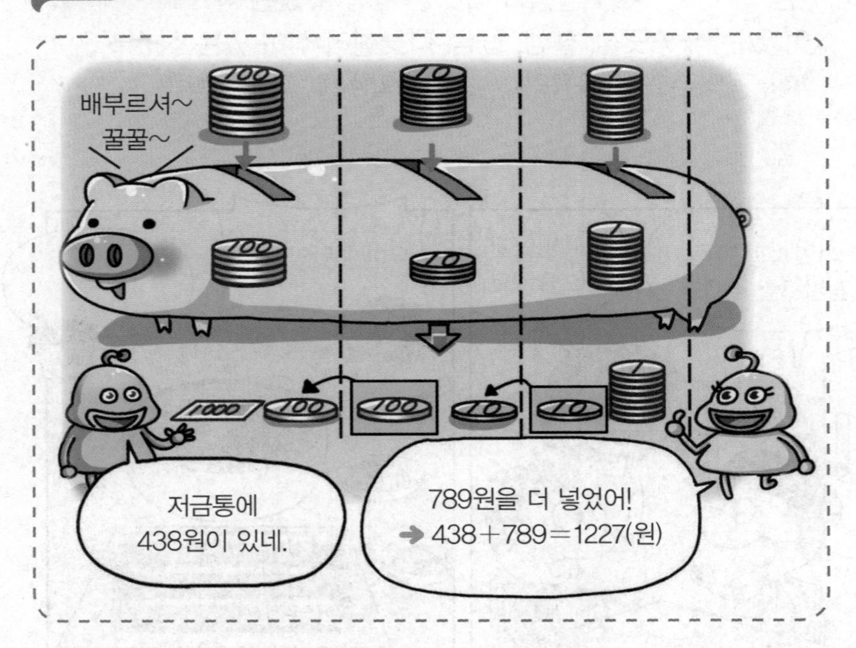


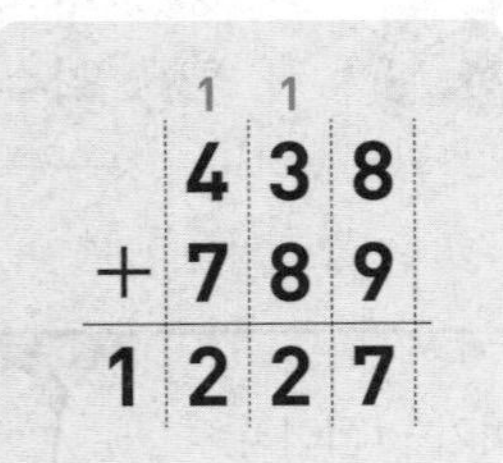


세 자리 수의 덧셈에서
받아올림이 있으면 바로
윗자리에 받아올려 계산해.

**1-1** 두 수의 합을 빈칸에 써넣으세요.

| 186 | 347 |
| --- | --- |
| | |

**1-2** 두 수의 차를 빈칸에 써넣으세요.

| 706 | 259 |
| --- | --- |
| | |

**2-1** 잘못 계산한 곳을 찾아 바르게 계산해 보세요.

$$\begin{array}{r} 5\,2\,9 \\ +\,2\,6\,4 \\ \hline 8\,9\,3 \end{array} \rightarrow \begin{array}{r} 5\,2\,9 \\ +\,2\,6\,4 \\ \hline \end{array}$$

**2-2** 잘못 계산한 곳을 찾아 바르게 계산해 보세요.

$$\begin{array}{r} 6\,1\,4 \\ -\,3\,8\,2 \\ \hline 3\,3\,2 \end{array} \rightarrow \begin{array}{r} 6\,1\,4 \\ -\,3\,8\,2 \\ \hline \end{array}$$

## 4-1 곱셈과 나눗셈

**$120 \div 40 = 3$**

$12 \div 4 = 3$

120÷40의 몫은
12÷4의 몫과 같아~

**3-1** ☐ 안에 알맞은 수를 구하세요.

$900 \times \square = 36000$

(　　　　　　　　)

**3-2** ☐ 안에 알맞은 수를 구하세요.

$600 \times \square = 30000$

(　　　　　　　　)

**4-1** 몫이 같은 것끼리 이어 보세요.

| | | | |
|---|---|---|---|
| $240 \div 30$ | • | • | $540 \div 90$ |
| $360 \div 60$ | • | • | $400 \div 50$ |

**4-2** 몫이 같은 것끼리 이어 보세요.

| | | | |
|---|---|---|---|
| $140 \div 20$ | • | • | $200 \div 40$ |
| $350 \div 70$ | • | • | $420 \div 60$ |

# 덧셈과 뺄셈이 섞여 있는 식 (1)

그럼~ 지금 버스 안에는 12명이 있겠네.

$15-8+5$
$=7+5$
$=12$(명)

## 교과서 기초 개념

• 덧셈과 뺄셈이 섞여 있는 식 계산하기

**덧셈과 뺄셈이 섞여 있는 식은 앞에서부터 차례로 계산합니다.**

예 $15-8+5$의 계산

$15-8+5=$ ❶ $\square$ $+5$ (①)
$=$ ❷ $\square$ (②)

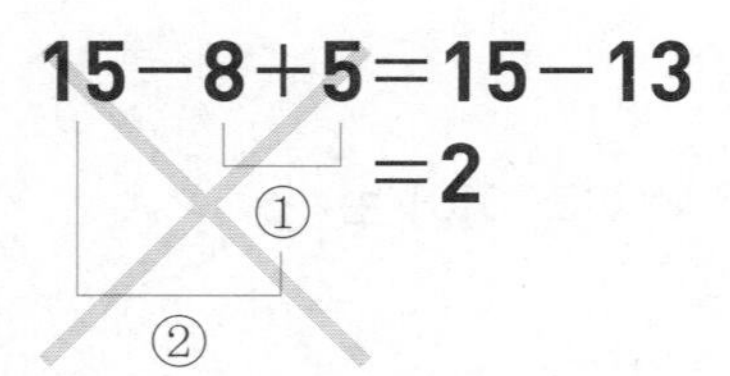

덧셈과 뺄셈이 섞여 있는 식은 꼭 앞에서부터 차례로 계산해야 돼~

계산 순서가 달라지면 계산 결과도 달라져서 오답이 나와!

정답 ❶ 7 ❷ 12

## 개념 · 원리 확인

▶정답 및 풀이 1쪽

[1-1 ~ 1-2] 식의 계산 순서를 바르게 나타낸 것에 ○표 하세요.

**1-1**

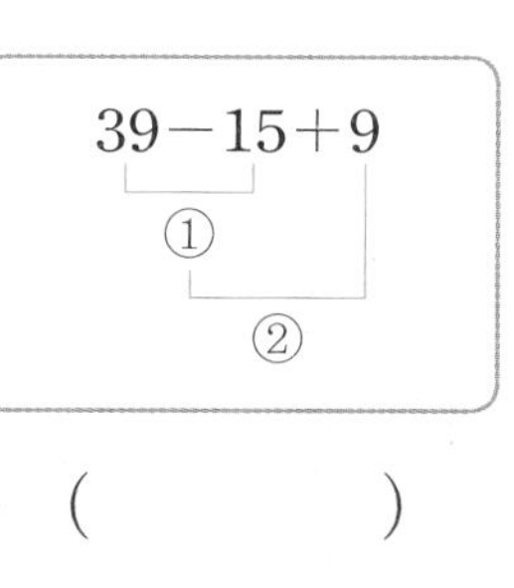


( )

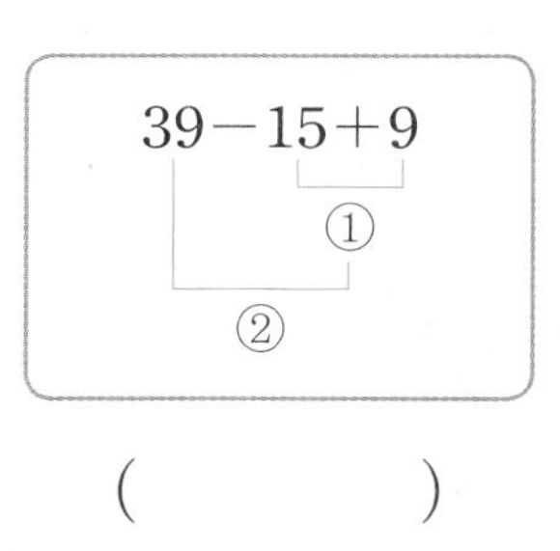


( )

**1-2**

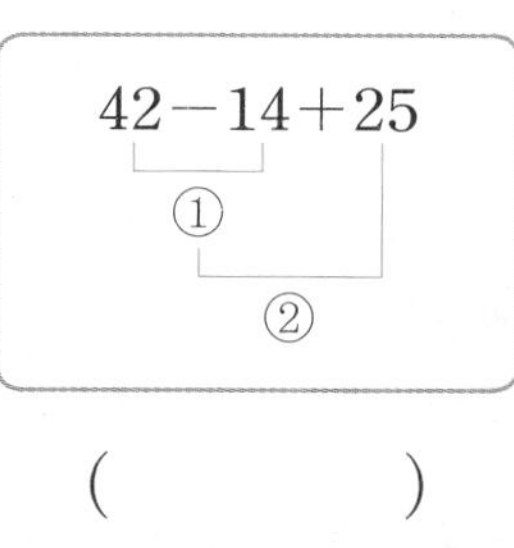


( )

42−14+25 (① 14+25, ② 42−)

( )

**2-1** □ 안에 알맞은 수를 써넣으세요.

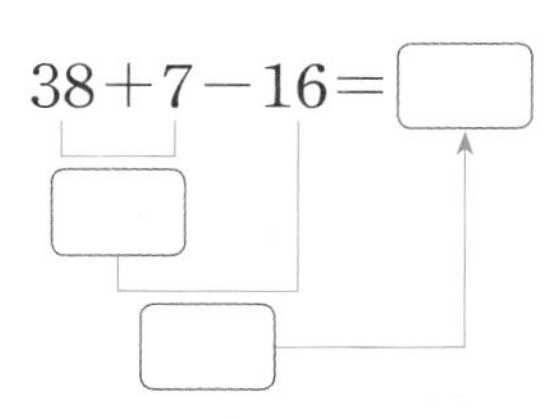


**2-2** □ 안에 알맞은 수를 써넣으세요.

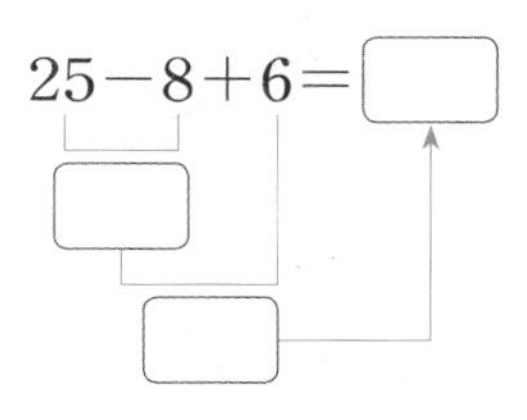


**3-1** □ 안에 알맞은 수를 써넣으세요.

$80-34+15=\square+15$

$=\square$

(① 80−34, ② +15)

**3-2** □ 안에 알맞은 수를 써넣으세요.

$56+19-27=\square-27$

$=\square$

(① 56+19, ② −27)

**4-1** 보기와 같이 계산 순서를 나타내고 계산하세요.

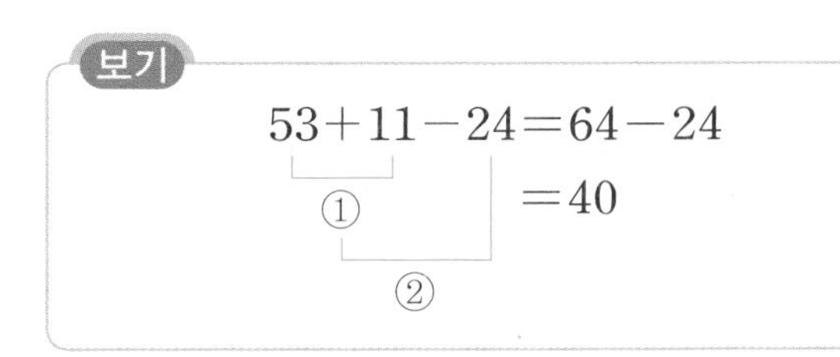


63+15−49

**4-2** 보기와 같이 계산 순서를 나타내고 계산하세요.

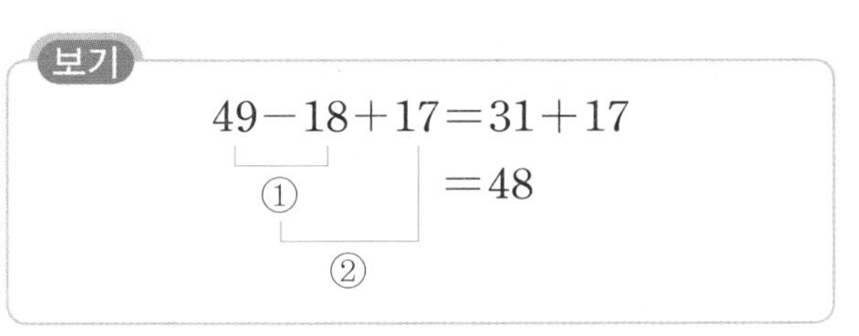


82−34+25

# 덧셈과 뺄셈이 섞여 있는 식 (2)

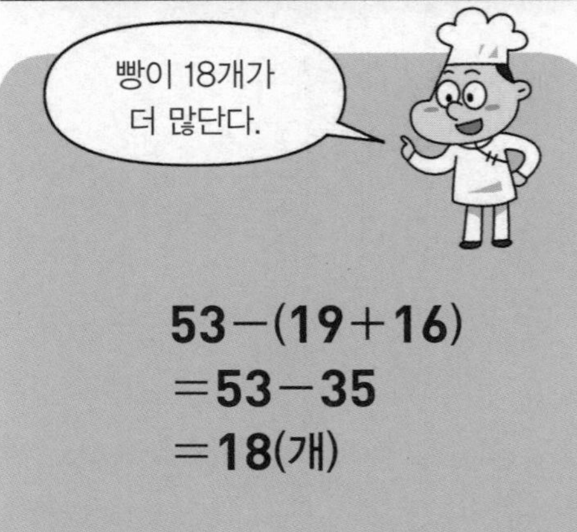


$53-(19+16)$
$=53-35$
$=18$(개)

## 교과서 기초 개념

• 덧셈과 뺄셈이 섞여 있고 (   )가 있는 식 계산하기

덧셈과 뺄셈이 섞여 있고 (   )가 있는 식은 (   ) 안을 먼저 계산합니다.

㉠ $53-(19+16)$의 계산

$53-(19+16)=53-$ ❶ ☐
$=$ ❷ ☐
①
②

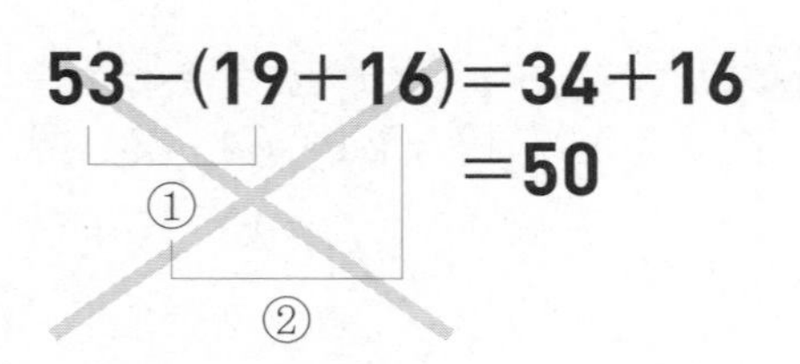

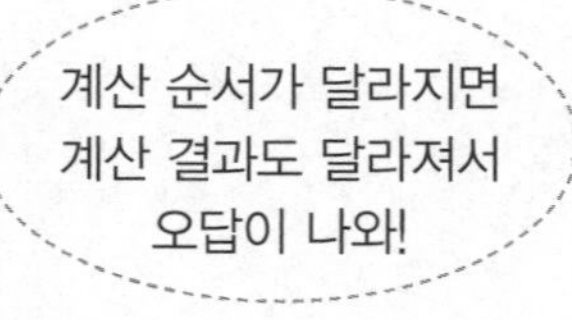

정답 ❶ 35 ❷ 18

# 개념 · 원리 확인

▶정답 및 풀이 2쪽

**1-1** 먼저 계산해야 하는 부분에 ○표 하세요.

$82-(24+13)$

**1-2** 먼저 계산해야 하는 부분에 ○표 하세요.

$51-(10+25)$

**2-1** 식의 계산 순서를 바르게 나타낸 것에 ○표 하세요.

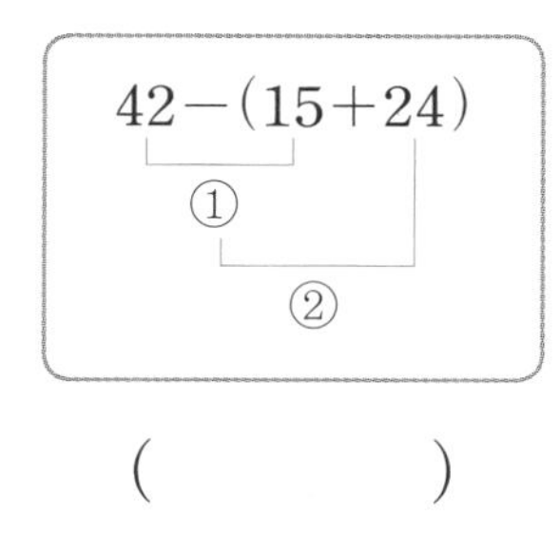


(　　　　)

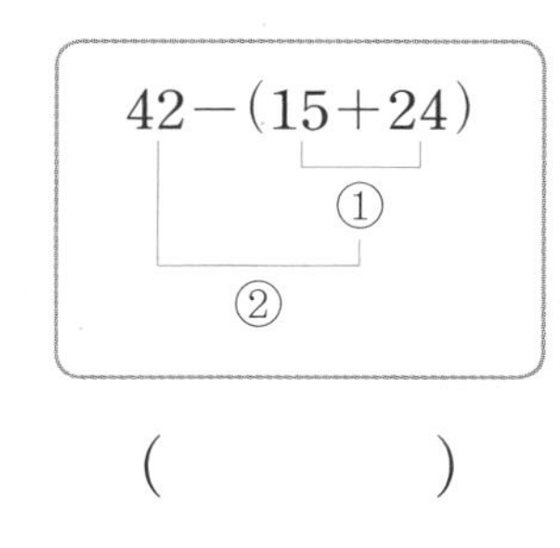


(　　　　)

**2-2** 식의 계산 순서를 바르게 나타낸 것에 ○표 하세요.

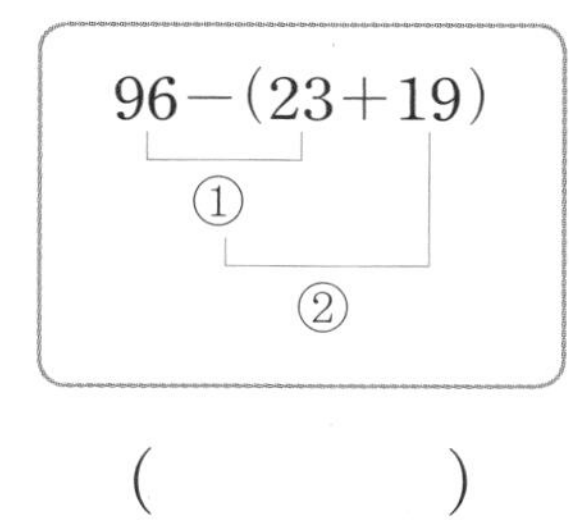


(　　　　)

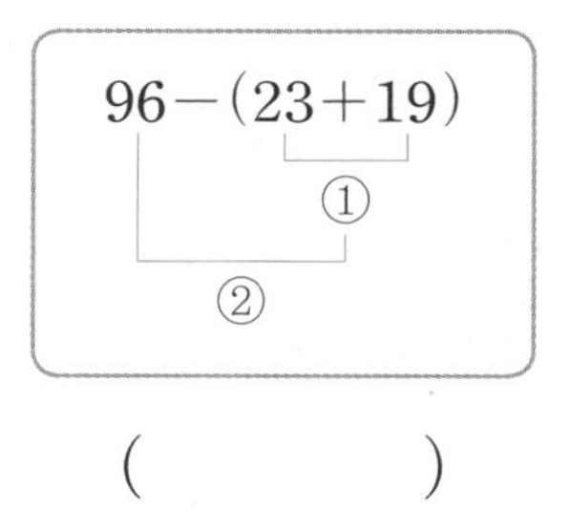


(　　　　)

**3-1** □ 안에 알맞은 수를 써넣으세요.

$73-(26+43)=\square$

**3-2** □ 안에 알맞은 수를 써넣으세요.

$82-(24+13)=82-\square$

$=\square$

①

②

**4-1** 계산 순서를 나타내고 계산해 보세요.

$60-(9+12)$

**4-2** 계산 순서를 나타내고 계산해 보세요.

$46-(17+15)$

1주 1일

# 1일 기초 집중 연습

## 기본 문제 연습

**1-1** 계산해 보세요.

(1) $46+29-37$

(2) $25-13+38$

**1-2** 계산해 보세요.

(1) $36-(8+9)$

(2) $51-(21+15)$

**2-1** 빈칸에 알맞은 수를 써넣으세요.

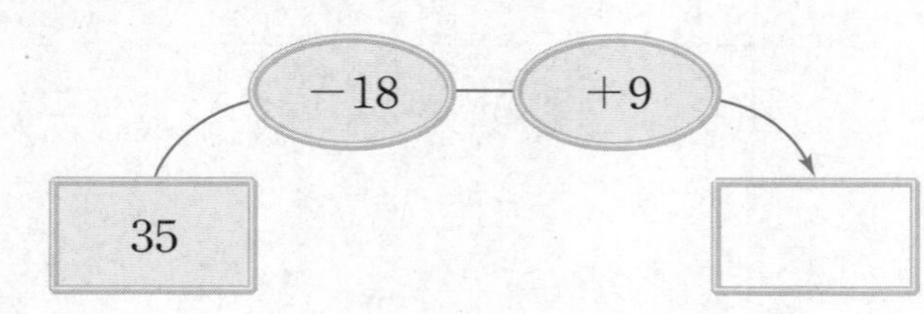


**2-2** 빈칸에 알맞은 수를 써넣으세요.

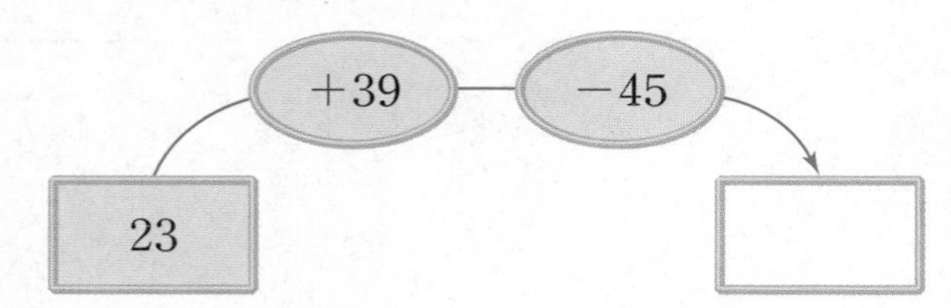


**3-1** 바르게 계산한 것의 기호를 써 보세요.

㉠ $15+18-26=7$
㉡ $31-(9+11)=33$

(　　　　　　)

**3-2** 바르게 계산한 것의 기호를 써 보세요.

㉠ $68-27+31=10$
㉡ $42-(15+7)=20$

(　　　　　　)

**4-1** 계산해 보고, 계산 결과가 같으면 ○표, 다르면 ×표 하세요.

$65-43+11=\square$

$65-(43+11)=\square$

(　　　　　　)

**4-2** 계산을 하여 계산 결과가 같으면 ○표, 다르면 ×표 하세요.

$40-17+15$　　$40-(17+15)$

(　　　　　　)

▶정답 및 풀이 2쪽

## 연산 → 문장제 연습 덧셈과 뺄셈이 섞여 있는 식으로 나타내고 계산하자.

계산해 보세요.

$19+15-26=\square$

이 혼합 계산식이 어떤 상황에서 이용될까요?

**5-1** 다희네 반은 남학생이 19명, 여학생이 15명입니다. 다희네 반 학생 중에서 안경을 끼지 않은 학생이 26명이라면 안경을 낀 학생은 몇 명인지 하나의 식으로 나타내고 구해 보세요.

식 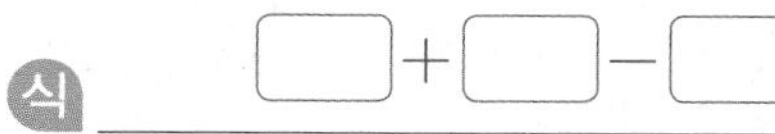

$\square+\square-\square=\square$

답 ______

**5-2** 버스에 45명이 타고 있었습니다. 이번 정거장에서 17명이 내리고 9명이 새로 탔다면 지금 버스에 타고 있는 사람은 몇 명인지 하나의 식으로 나타내고 구해 보세요.

식 ______

답 ______

**5-3** 민하는 81쪽짜리 동화책을 어제까지 23쪽을 읽었고, 오늘은 19쪽을 읽었습니다. 민하가 오늘까지 읽고 남은 동화책은 몇 쪽인지 (  )를 사용하여 하나의 식으로 나타내고 구해 보세요.

식 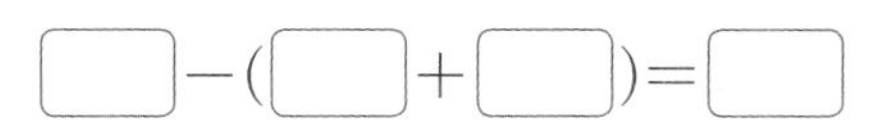

$\square-(\square+\square)=\square$

답 ______

1주 1일

# 곱셈과 나눗셈이 섞여 있는 식 (1)

## 교과서 기초 개념

• 곱셈과 나눗셈이 섞여 있는 식 계산하기

**곱셈과 나눗셈이 섞여 있는 식은 앞에서부터 차례로 계산합니다.**

예 $18 \div 3 \times 2$의 계산

$18 \div 3 \times 2 = $ ❶ □ $\times 2$ = ❷ □ (① $18 \div 3$, ② $\times 2$)

$18 \div 3 \times 2 = 18 \div 6 = 3$ (✕) (① $3 \times 2$, ② $18 \div$)

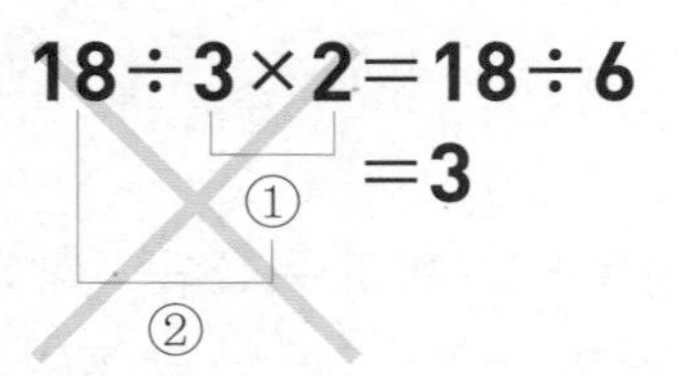

정답 ❶ 6 ❷ 12

# 개념 · 원리 확인

공부한 날 　월 　일

▶정답 및 풀이 3쪽

[1-1 ~ 1-2] 식의 계산 순서를 바르게 나타낸 것에 ○표 하세요.

**1-1**

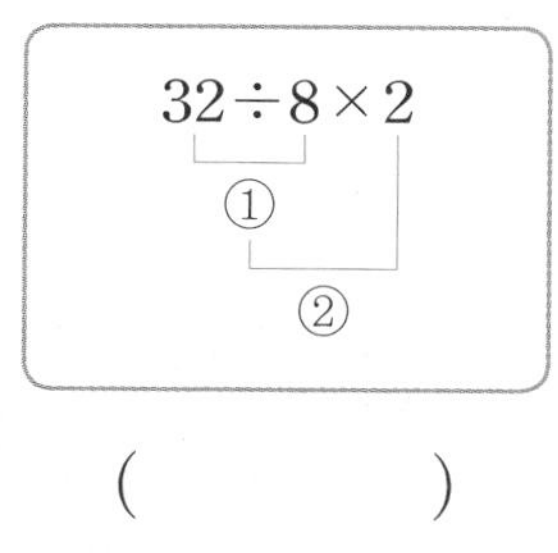

( 　　 )

$32 \div 8 \times 2$ (① $8 \times 2$, ② $32 \div$)

( 　　 )

**1-2**

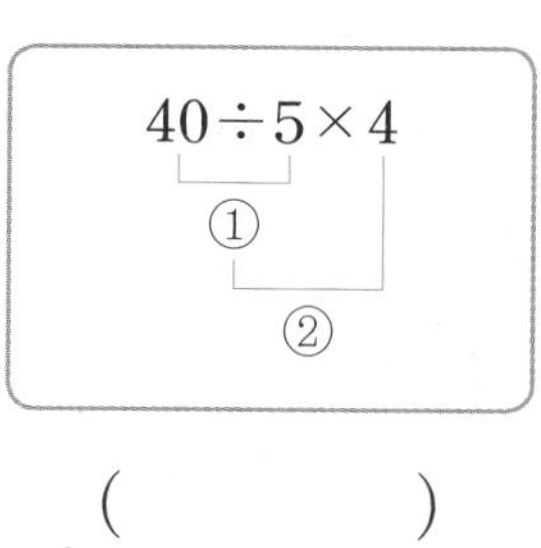

( 　　 )

$40 \div 5 \times 4$ (① $5 \times 4$, ② $40 \div$)

( 　　 )

**2-1** □ 안에 알맞은 수를 써넣으세요.

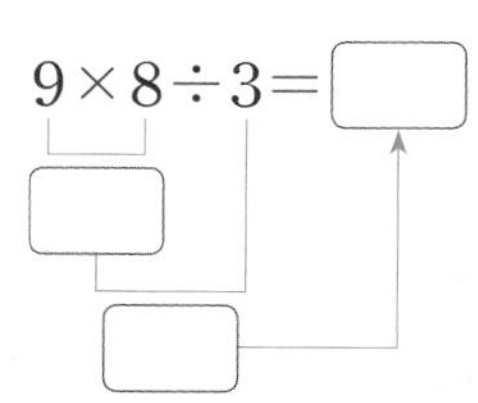

**2-2** □ 안에 알맞은 수를 써넣으세요.

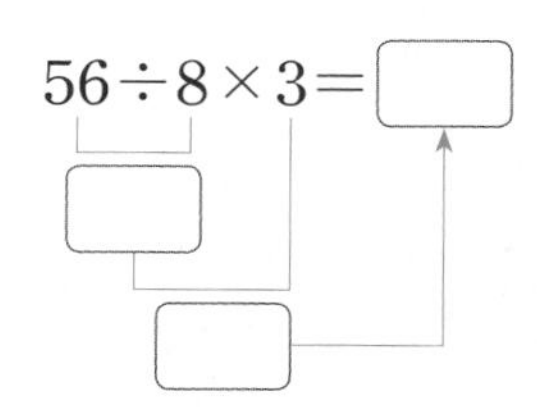

**3-1** □ 안에 알맞은 수를 써넣으세요.

$36 \div 4 \times 5 = \square \times 5$

$= \square$

(① $36 \div 4$, ② $\times 5$)

**3-2** □ 안에 알맞은 수를 써넣으세요.

$3 \times 8 \div 6 = \square \div 6$

$= \square$

(① $3 \times 8$, ② $\div 6$)

**4-1** 보기와 같이 계산 순서를 나타내고 계산하세요.

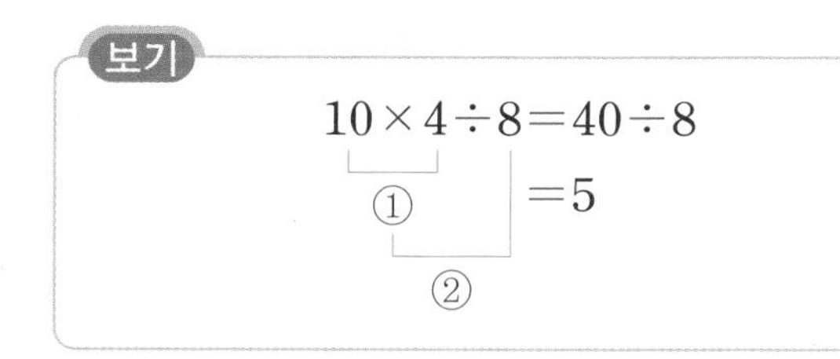

보기

$10 \times 4 \div 8 = 40 \div 8$

$= 5$

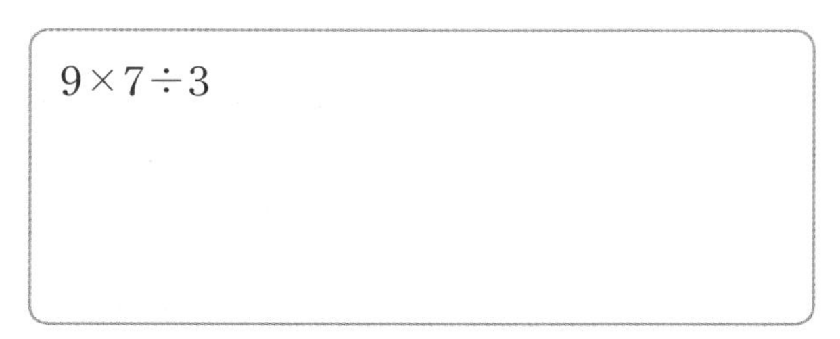

$9 \times 7 \div 3$

**4-2** 보기와 같이 계산 순서를 나타내고 계산하세요.

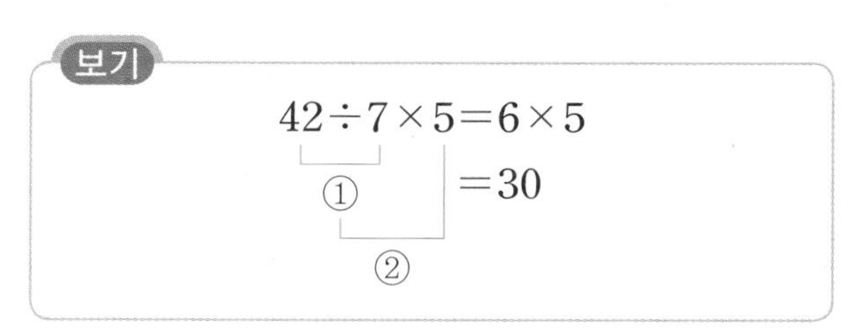

보기

$42 \div 7 \times 5 = 6 \times 5$

$= 30$

$81 \div 9 \times 6$

# 곱셈과 나눗셈이 섞여 있는 식 (2)

## 교과서 기초 개념

- 곱셈과 나눗셈이 섞여 있고 (  )가 있는 식 계산하기

> 곱셈과 나눗셈이 섞여 있고 (  )가 있는 식은 (  ) 안을 먼저 계산합니다.

예 $48\div(4\times2)$의 계산

$48\div(4\times2)=48\div$ ❶ ☐ (①, ②)

$=$ ❷ ☐

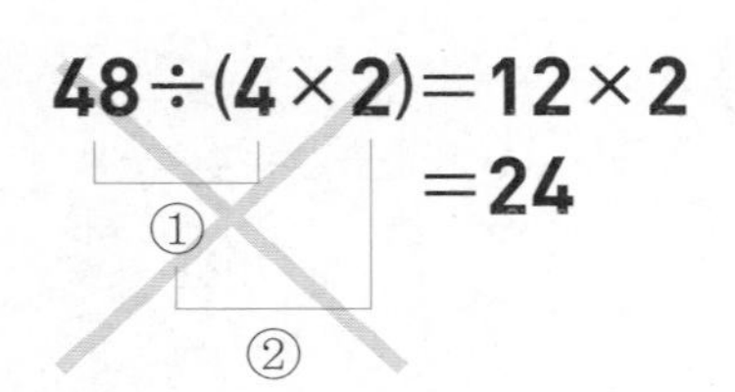


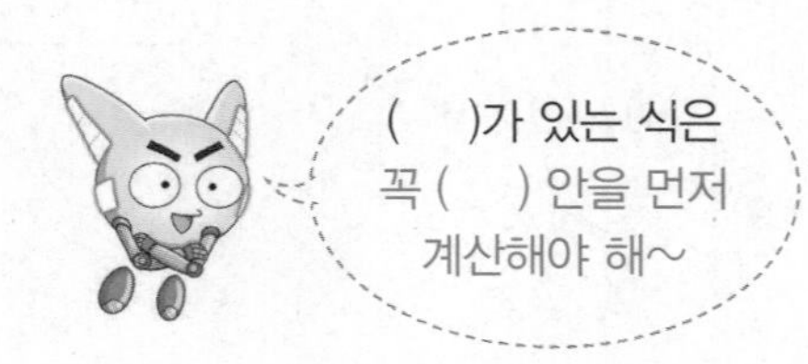


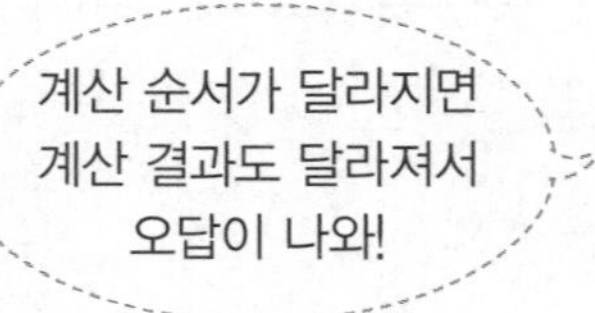

정답 ❶ 8 ❷ 6

## 개념 · 원리 확인

▶정답 및 풀이 3쪽

**1-1** 먼저 계산해야 하는 부분에 ○표 하세요.

$24 \div (2 \times 3)$

**1-2** 먼저 계산해야 하는 부분에 ○표 하세요.

$80 \div (4 \times 5)$

**2-1** 식의 계산 순서를 바르게 나타낸 것에 ○표 하세요.

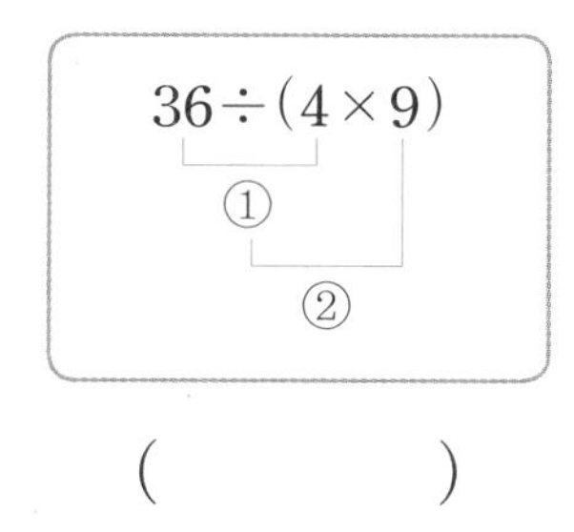


( )

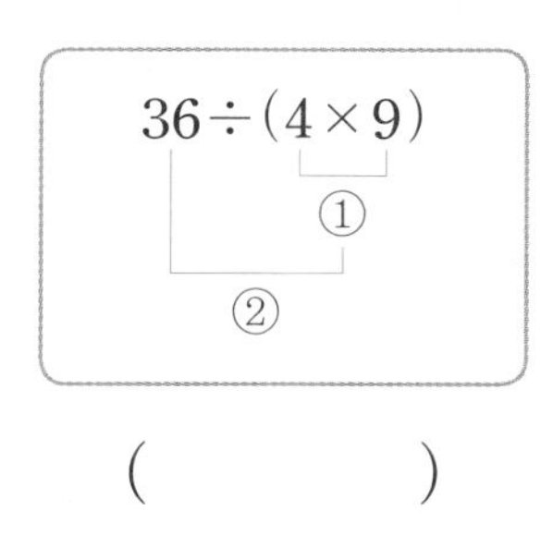


( )

**2-2** 식의 계산 순서를 바르게 나타낸 것에 ○표 하세요.

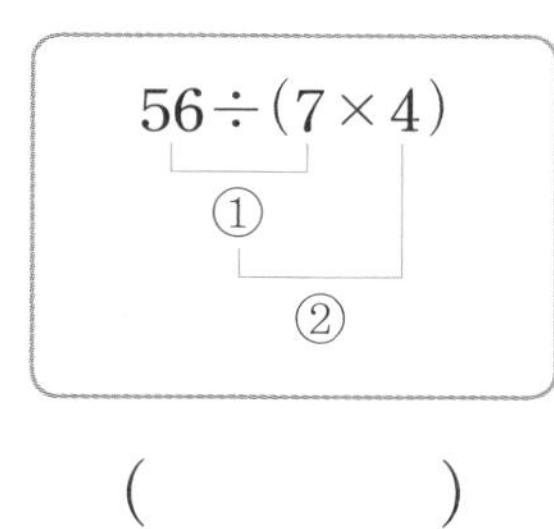


( )

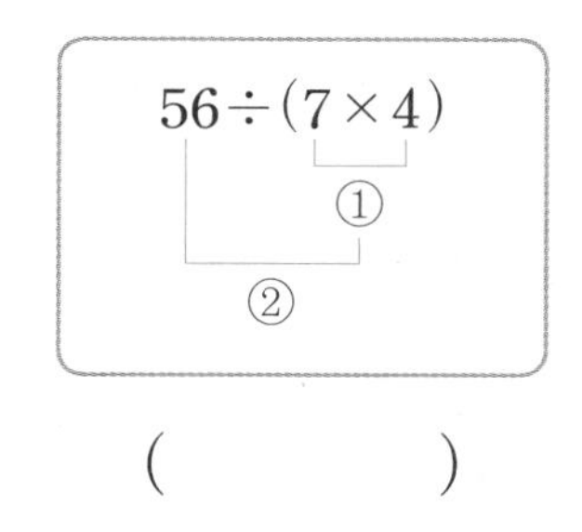


( )

**3-1** □ 안에 알맞은 수를 써넣으세요.

$75 \div (5 \times 3) = \square$

**3-2** □ 안에 알맞은 수를 써넣으세요.

$48 \div (2 \times 6) = 48 \div \square$

$= \square$

①

②

**4-1** 계산 순서를 나타내고 계산해 보세요.

$64 \div (8 \times 2)$

**4-2** 계산 순서를 나타내고 계산해 보세요.

$96 \div (4 \times 8)$

1주 2일

# 2일 기초 집중 연습

## 기본 문제 연습

**1-1** 계산해 보세요.

(1) $12\times6\div8$

(2) $96\div8\times4$

**1-2** 계산해 보세요.

(1) $48\div(3\times4)$

(2) $70\div(5\times7)$

**2-1** 빈 곳에 알맞은 수를 써넣으세요.

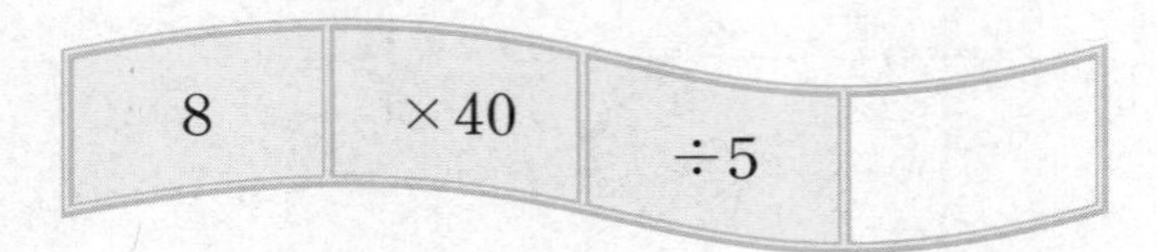


**2-2** 빈 곳에 알맞은 수를 써넣으세요.

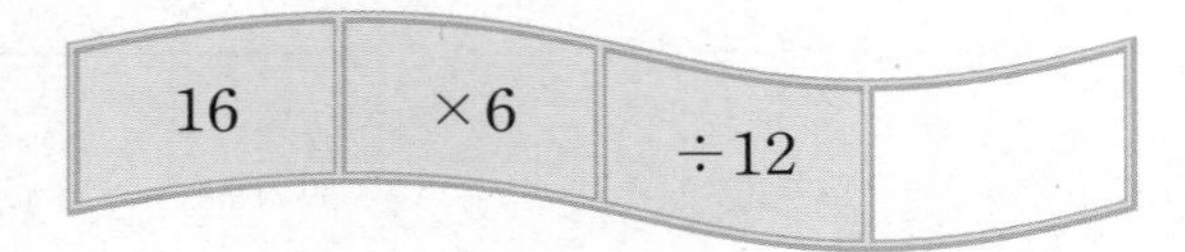


**3-1** 다음 식을 바르게 계산한 사람의 이름을 쓰세요.

$56\div7\times2$

우석: 16

준희: 4

(                    )

**3-2** 다음 식을 바르게 계산한 사람의 이름을 쓰세요.

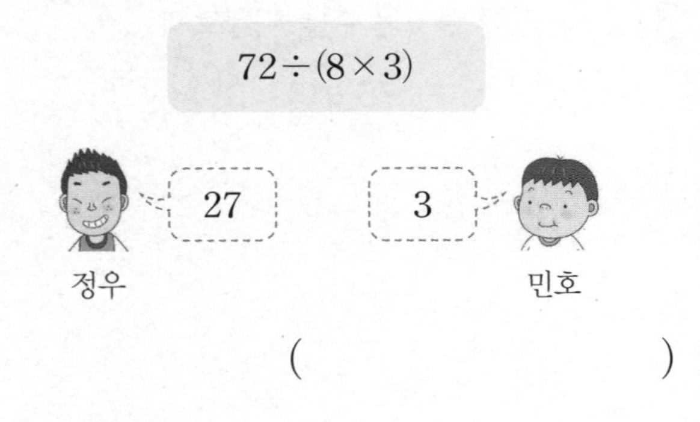


(                    )

**4-1** 계산해 보고, 계산 결과가 같으면 ○표, 다르면 ×표 하세요.

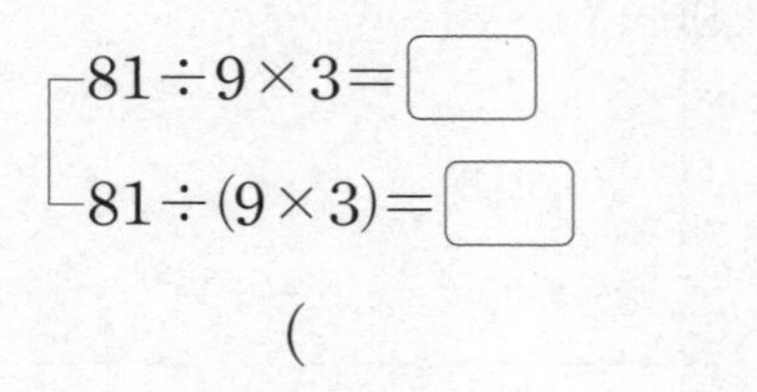


(                    )

**4-2** 계산을 하여 계산 결과가 같으면 ○표, 다르면 ×표 하세요.

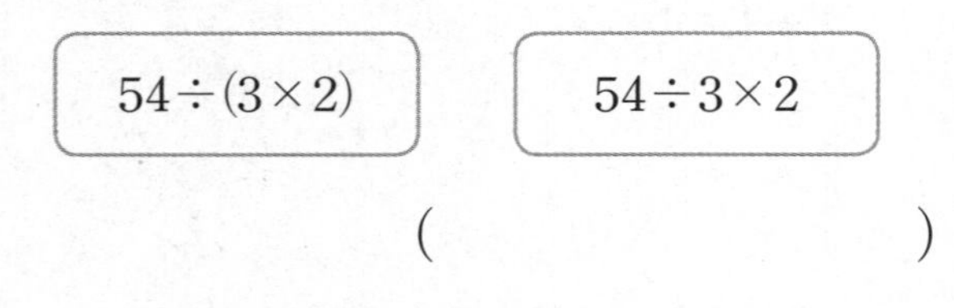


(                    )

▶ 정답 및 풀이 3쪽

## 연산 → 문장제 연습 | 곱셈과 나눗셈이 섞여 있는 식으로 나타내고 계산하자.

연산 계산해 보세요.

$90 \div 5 \times 3 = \square$

**5-1** 귤 90개를 5상자에 똑같이 나누어 담았습니다. 3상자에 담은 귤은 몇 개인지 하나의 식으로 나타내고 구해 보세요.

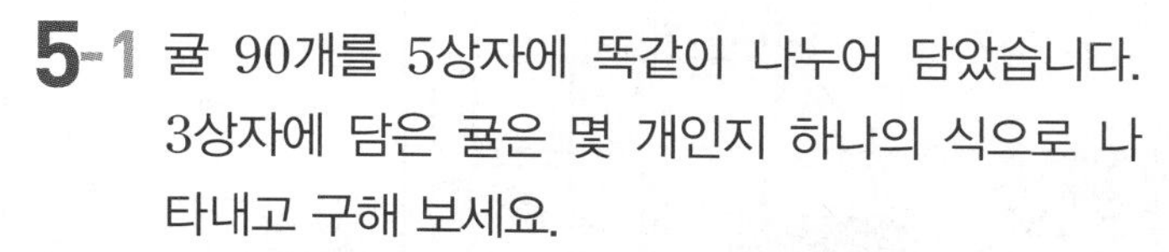

식 $\square \div \square \times \square = \square$

답 ______________________

**5-2** 호빵을 한 번에 15개씩 4번 쪄서 남김없이 접시 6개에 똑같이 나누어 담았습니다. 접시 한 개에 담은 호빵은 몇 개인지 하나의 식으로 나타내고 구해 보세요.

식 ______________________

답 ______________________

**5-3** 윤수는 과자를 54개 구우려고 합니다. 과자를 몇 판 구워야 하는지 ( )를 사용하여 하나의 식으로 나타내고 구해 보세요.

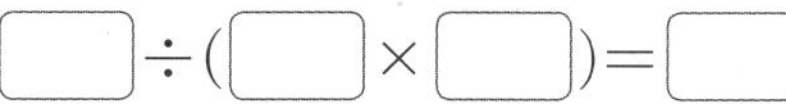

식 $\square \div (\square \times \square) = \square$

답 ______________________

# 덧셈, 뺄셈, 곱셈이 섞여 있는 식

## 교과서 기초 개념

• 덧셈, 뺄셈, 곱셈이 섞여 있는 식 계산하기

> **덧셈, 뺄셈, 곱셈이 섞여 있는 식은 곱셈을 먼저 계산하고 ( )가 있는 식은 ( ) 안을 가장 먼저 계산합니다.**

1. ( )가 없는 식

$47+8\times2-14=47+$ ❶ $\square$ $-14$

$=63-14$

$=$ ❷ $\square$

(① $8\times2$, ② $47+\square$, ③ $63-14$ 순서)

곱셈을 먼저 계산하고 앞에서부터 차례로 계산해.

2. ( )가 있는 식

$9-(1+2)\times2=9-$ ❸ $\square$ $\times2$

$=9-$ ❹ $\square$

$=3$

(① $1+2$, ② $\square\times2$, ③ $9-\square$ 순서)

가장 먼저 ( ) 안을 계산하고 나머지 식 중 곱셈을 계산해.

정답 ❶ 16 ❷ 49 ❸ 3 ❹ 6

# 개념 · 원리 확인

공부한 날 월 일

▶정답 및 풀이 3쪽

**1-1** 가장 먼저 계산해야 할 부분에 ○표 하세요.

$15+3\times7-4$

**1-2** 가장 먼저 계산해야 할 부분에 ○표 하세요.

$8\times(13-9)+12$

**2-1** 바르게 계산한 것에 ○표 하세요.

$6+3\times7-5=9\times7-5$
$=63-5$
$=58$
①, ②, ③ ( )

$6+3\times7-5=6+21-5$
$=27-5$
$=22$
①, ②, ③ ( )

**2-2** 바르게 계산한 것에 ○표 하세요.

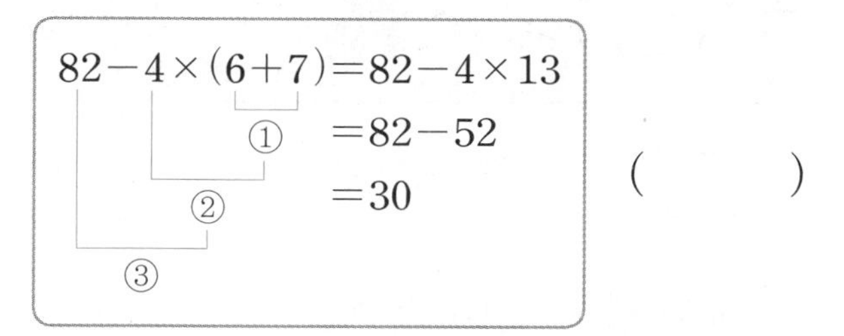


( )

$82-4\times(6+7)=82-24+7$
$=58+7$
$=65$
①, ②, ③ ( )

**3-1** □ 안에 알맞은 수를 써넣으세요.

$27+4-2\times3=\square$

□ □
□

**3-2** □ 안에 알맞은 수를 써넣으세요.

$7+(15-5)\times9=7+\square\times9$
$=7+\square$
$=\square$
①, ②, ③

**4-1** 계산 순서를 나타내고 계산해 보세요.

$63-9\times4+25$

**4-2** 계산 순서를 나타내고 계산해 보세요.

$50-(19+3)\times2$

1주 3일

## 교과서 기초 개념

• 덧셈, 뺄셈, 나눗셈이 섞여 있는 식 계산하기

**덧셈, 뺄셈, 나눗셈이 섞여 있는 식은 나눗셈을 먼저 계산하고 ( )가 있는 식은 ( ) 안을 가장 먼저 계산합니다.**

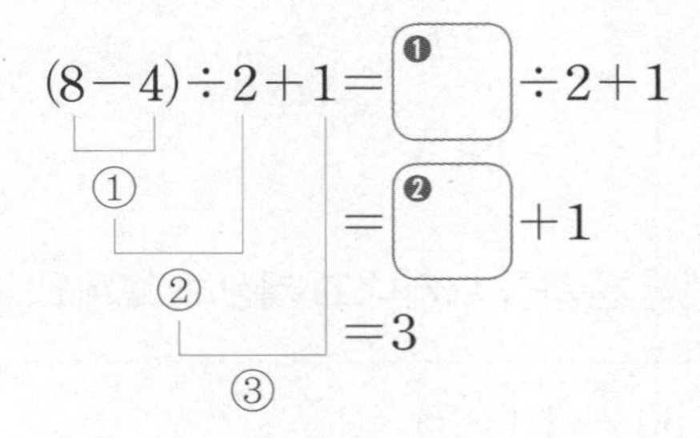

복잡해 보이지만 ( ) 안을 가장 먼저 계산하면 쉽게 풀 수 있어~

• 덧셈, 뺄셈, 곱셈, 나눗셈이 섞여 있는 식 계산하기

**덧셈, 뺄셈, 곱셈, 나눗셈이 섞여 있는 식은 곱셈과 나눗셈을 먼저 계산하고 ( )가 있는 식은 ( ) 안을 가장 먼저 계산합니다.**

$10-(9+3)\times2\div8=10-$ ❸ $\times2\div8$

$=10-$ ❹ $\div8$

$=10-3$

$=7$

①: $(9+3)$, ②: $\times2$, ③: $\div8$, ④: $10-$

정답 ❶ 4 ❷ 2 ❸ 12 ❹ 24

# 개념 · 원리 확인

▶ 정답 및 풀이 4쪽

**1-1** 가장 먼저 계산해야 할 부분에 ○표 하세요.

$66-64\div8+2$

**1-2** 가장 먼저 계산해야 할 부분에 ○표 하세요.

$9+(19-4)\div5\times3$

**2-1** 계산 순서에 맞게 □ 안에 1부터 3까지 번호를 써넣으세요.

(1) $10-54\div6+8$

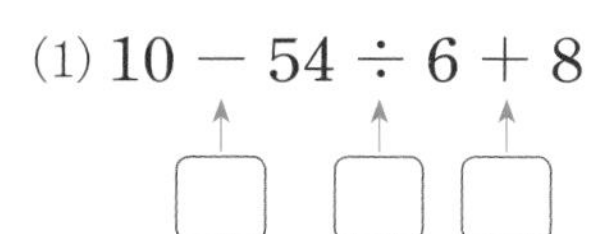

(2) $18+28\div(13-6)$

□ □ □

**2-2** 계산 순서에 맞게 □ 안에 1부터 4까지 번호를 써넣으세요.

(1) $85-81\div9\times5+2$

□ □ □ □

(2) $10+(45-35)\div5\times2$

□ □ □ □

**3-1** □ 안에 알맞은 수를 써넣으세요.

$17+45\div5-6=17+\square-6$

$=\square-6$

$=\square$

①, ②, ③

**3-2** □ 안에 알맞은 수를 써넣으세요.

$63\div(4+3)\times2=63\div\square\times2$

$=\square\times2$

$=\square$

①, ②, ③

**4-1** 계산 순서를 나타내고 계산해 보세요.

$84\div7+(9-3)$

**4-2** 계산 순서를 나타내고 계산해 보세요.

$50-42\div7\times4$

1주 3일

# 3일 기초 집중 연습

## 기본 문제 연습

**1-1** 계산해 보세요.

$36+9\times4-25$

**1-2** 계산해 보세요.

$40-16+72\div6$

**2-1** 계산 결과가 맞으면 ○표, 틀리면 ×표 하세요.

$3\times(25-17)+16=74$

(　　　　　)

**2-2** 계산 결과가 맞으면 ○표, 틀리면 ×표 하세요.

$37-(16+4)\div5\times6=30$

(　　　　　)

**3-1** 계산에서 잘못된 곳을 찾아 옳게 고쳐 계산하세요.

$$\begin{aligned}&90-25\times3+36\\&=65\times3+36\\&=195+36\\&=231\end{aligned}$$

➜ $90-25\times3+36$

**3-2** 계산에서 처음으로 잘못된 곳을 찾아 기호를 쓰고, 옳게 고쳐 계산한 값을 구하세요.

$$\begin{aligned}&6+42\div6-3\\&=48\div6-3 \quad ㉠\\&=8-3 \quad ㉡\\&=5 \quad ㉢\end{aligned}$$

기호 (　　　　　)

계산한 값 (　　　　　)

[4-1 ~ 4-2] 크기를 비교하여 ○ 안에 >, =, <를 알맞게 써넣으세요.

**4-1** $8+(27-9)\div3$ ○ $5$

**4-2** $11+43-36\div3\times4$ ○ $4$

## 연산 → 문장제 연습 　내 돈에서 물건값을 빼서 거스름돈을 구하자.

**연산** 계산해 보세요.

$4000-1200\times3=$ ☐

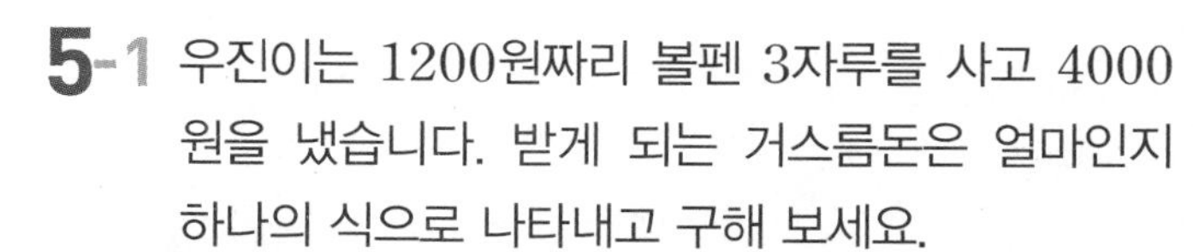

**5-1** 우진이는 1200원짜리 볼펜 3자루를 사고 4000원을 냈습니다. 받게 되는 거스름돈은 얼마인지 하나의 식으로 나타내고 구해 보세요.

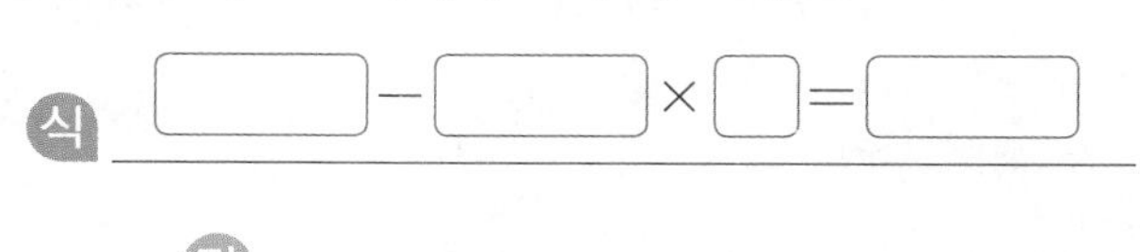

식 ☐ $-$ ☐ $\times$ ☐ $=$ ☐

답 ______________________

**5-2** 윤수는 3개에 3600원 하는 빵 한 개를 사고 2000원을 냈습니다. 받게 되는 거스름돈은 얼마인지 하나의 식으로 나타내고 구해 보세요. (단, 빵 한 개의 값은 같습니다.)

식 ______________________

답 ______________________

**5-3** 분식집에서 다음과 같이 먹고 5000원을 냈습니다. 받은 거스름돈은 얼마인지 (　　)를 사용하여 하나의 식으로 나타내고 구해 보세요.

식 ☐ $-($ ☐ $+$ ☐ $\times$ ☐ $)=$ ☐

답 ______________________

1주 3일

# 4일 약수와 배수

## 약수

### 교과서 기초 개념

• 약수 알아보기

약수 : 어떤 수를 나누어떨어지게 하는 수

예 8의 약수 구하기

| | |
|---|---|
| $8\div1=8$ | $8\div2=4$ |
| $8\div3=2\cdots2$ | $8\div4=$ ❶ |
| $8\div5=1\cdots3$ | $8\div6=1\cdots2$ |
| $8\div7=1\cdots1$ | $8\div8=$ ❷ |

8의 약수를 구할 때에는 나눗셈식을 이용하여 8을 나누어떨어지게 하는 수를 찾아~

1은 모든 수의 약수야.

8을 나누어떨어지게 하는 수를 **8의 약수**라고 합니다.

→ 8의 약수 : 1, 2, 4, 8

정답 ❶ 2 ❷ 1

공부한 날 월 일

▶정답 및 풀이 5쪽

**1-1** 다음을 보고 ▢ 안에 알맞은 수를 써넣으세요.

| | |
|---|---|
| $6\div1=6$ | $6\div2=3$ |
| $6\div3=2$ | $6\div6=1$ |

(1) 6을 나누어떨어지게 하는 수는
▢, ▢, ▢, ▢입니다.

(2) 6의 약수는 ▢, ▢, ▢, ▢입니다.

**1-2** 다음을 보고 ▢ 안에 알맞은 수를 써넣으세요.

| | |
|---|---|
| $21\div1=21$ | $21\div3=7$ |
| $21\div7=3$ | $21\div21=1$ |

(1) 21을 나누어떨어지게 하는 수는
▢, ▢, ▢, ▢입니다.

(2) 21의 약수는 ▢, ▢, ▢, ▢입니다.

**[2-1 ~ 2-2]** ▢ 안에 알맞은 수를 써넣고 약수를 모두 구하세요.

**2-1**

| | |
|---|---|
| $15\div$▢$=15$ | $15\div$▢$=5$ |
| $15\div$▢$=3$ | $15\div$▢$=1$ |

15의 약수 ➔ (  )

**2-2**

| | |
|---|---|
| $12\div$▢$=12$ | $12\div$▢$=6$ |
| $12\div$▢$=4$ | $12\div$▢$=3$ |
| $12\div$▢$=2$ | $12\div$▢$=1$ |

12의 약수 ➔ (  )

**3-1** 10의 약수를 모두 찾아 ○표 하세요.

| | | | | |
|---|---|---|---|---|
| 1 | 2 | 3 | 4 | 5 |
| 6 | 7 | 8 | 9 | 10 |

**3-2** 14의 약수를 모두 찾아 ○표 하세요.

| | | | | | | |
|---|---|---|---|---|---|---|
| 1 | 2 | 3 | 4 | 5 | 6 | 7 |
| 8 | 9 | 10 | 11 | 12 | 13 | 14 |

**[4-1 ~ 4-2]** 약수를 모두 구하세요.

**4-1**

(1) 4의 약수

➔ (  )

(2) 35의 약수

➔ (  )

**4-2**

(1) 16의 약수

➔ (  )

(2) 20의 약수

➔ (  )

## 교과서 기초 개념

• **배수 알아보기**

**배수 : 어떤 수를 1배, 2배, 3배…… 한 수**

예 3의 배수 구하기

| | |
|---|---|
| 3을 1배 한 수는 3입니다. | $3\times1=3$ |
| 3을 2배 한 수는 6입니다. | $3\times2=6$ |
| 3을 3배 한 수는 9입니다. | $3\times3=$ ❶ |
| 3을 4배 한 수는 12입니다. | $3\times4=$ ❷ |

3을 1배, 2배, 3배…… 한 수를 **3의 배수**라고 합니다.

➜ 3의 배수 : **3, 6, 9, 12……**

곱으로 나타내어 약수와 배수의 관계를 알 수 있어.

6은 2와 3의 배수

$6=2\times3$

2와 3은 6의 약수

정답 ❶ 9 ❷ 12

▶ 정답 및 풀이 5쪽

**1-1** □ 안에 알맞은 수를 써넣으세요.

5를 1배 한 수 ➔ $5\times1=$ □
5를 2배 한 수 ➔ $5\times2=$ □
5를 3배 한 수 ➔ $5\times3=$ □
5를 4배 한 수 ➔ $5\times4=$ □

➔ 5의 배수 : 5, □, □, □

**1-2** □ 안에 알맞은 수를 써넣으세요.

4를 1배 한 수 ➔ $4\times1=$ □
4를 2배 한 수 ➔ $4\times2=$ □
4를 3배 한 수 ➔ $4\times3=$ □
4를 4배 한 수 ➔ $4\times4=$ □

➔ 4의 배수 : 4, □, □, □

**[2-1 ~ 2-2]** □ 안에 알맞은 수를 써넣고 배수를 구하세요.

**2-1**

$9\times1=$ □ $9\times2=$ □
$9\times3=$ □ $9\times4=$ □……

9의 배수 ➔ 9, □, □, □……

**2-2**

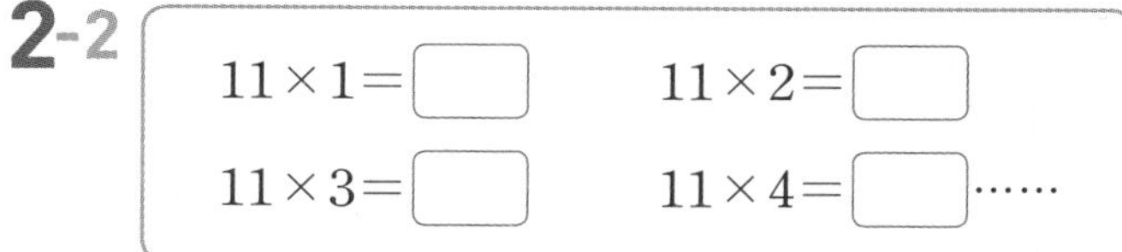
$11\times1=$ □ $11\times2=$ □
$11\times3=$ □ $11\times4=$ □……

11의 배수 ➔ 11, □, □, □……

**3-1** 빈칸에 6의 배수를 알맞게 써넣으세요.

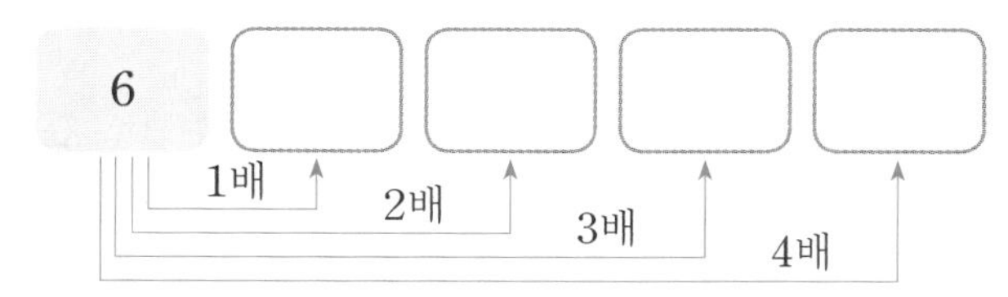


**3-2** 빈칸에 8의 배수를 알맞게 써넣으세요.

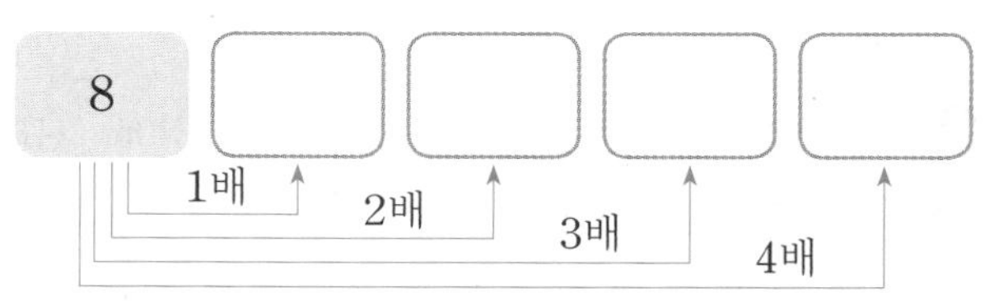


**[4-1 ~ 4-2]** 배수를 가장 작은 수부터 차례로 4개 써 보세요.

**4-1**

(1) 2의 배수

➔ □, □, □, □

(2) 12의 배수

➔ □, □, □, □

**4-2**

(1) 10의 배수

➔ □, □, □, □

(2) 15의 배수

➔ □, □, □, □

# 4일 기초 집중 연습

## 기본 문제 연습

**1-1** 약수를 모두 구해 보세요.

42의 약수

(　　　　　　　　　　　　　　　　)

**1-2** 배수를 가장 작은 수부터 차례로 5개 써 보세요.

7의 배수

(　　　　　　　　　　　　　　　　)

**2-1** 수 배열표를 보고 5의 배수에 모두 ○표 하세요.

| 1 | 2 | 3 | 4 | (5) | 6 | 7 | 8 | 9 | (10) |
|---|---|---|---|---|---|---|---|---|---|
| 11 | 12 | 13 | 14 | 15 | 16 | 17 | 18 | 19 | 20 |
| 21 | 22 | 23 | 24 | 25 | 26 | 27 | 28 | 29 | 30 |
| 31 | 32 | 33 | 34 | 35 | 36 | 37 | 38 | 39 | 40 |

**2-2** 수 배열표를 보고 9의 배수에 모두 ○표 하세요.

| 31 | 32 | 33 | 34 | 35 | (36) | 37 | 38 | 39 | 40 |
|---|---|---|---|---|---|---|---|---|---|
| 41 | 42 | 43 | 44 | 45 | 46 | 47 | 48 | 49 | 50 |
| 51 | 52 | 53 | 54 | 55 | 56 | 57 | 58 | 59 | 60 |
| 61 | 62 | 63 | 64 | 65 | 66 | 67 | 68 | 69 | 70 |

**3-1** 왼쪽의 수가 오른쪽 수의 약수인 것에 ○표, 아닌 것에 ×표 하세요.

| 7 | 21 |
|---|---|

(　　)

| 9 | 39 |
|---|---|

(　　)

**3-2** 오른쪽의 수가 왼쪽 수의 배수인 것에 ○표, 아닌 것에 ×표 하세요.

| 10 | 20 |
|---|---|

(　　)

| 11 | 31 |
|---|---|

(　　)

**4-1** 다음 중 3의 배수는 몇 개일까요?

1　10　18　25　33

(　　　　　　)

**4-2** 다음 중 6의 배수는 몇 개일까요?

28　36　42　56　60

(　　　　　　)

▶ 정답 및 풀이 5쪽

## 기초 → 문장제 연습 '나누어떨어지게 하는 수'는 약수로 구하자.

기초 24의 약수는 모두 몇 개일까요?

답 ____________

**5-1** 24를 어떤 수로 나누었더니 나누어떨어졌습니다. 어떤 수가 될 수 있는 자연수는 모두 몇 개일까요?

답 ____________

**5-2** 36을 어떤 수로 나누었더니 나누어떨어졌습니다. 어떤 수가 될 수 있는 자연수는 모두 몇 개일까요?

답 ____________

1주 4일

## 기초 → 문장제 연습 '버스의 출발 시각'은 배수를 이용하여 구하자.

기초 9의 배수를 가장 작은 수부터 차례로 3개 써 보세요.

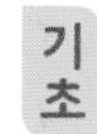

답 ____________

**6-1** 터미널에서 공항으로 가는 버스가 오전 9시부터 9분 간격으로 출발합니다. 세 번째로 출발하는 버스의 출발 시각은 오전 몇 시 몇 분일까요?

답 오전____________

**6-2** 터미널에서 동해로 가는 버스가 오전 10시부터 11분 간격으로 출발합니다. 네 번째로 출발하는 버스의 출발 시각은 오전 몇 시 몇 분일까요?

답 오전____________

## 교과서 기초 개념

• **공약수와 최대공약수 구하기**

> • **공약수 : 두 수의 공통된 약수**
> • **최대공약수 : 두 수의 공약수 중에서 가장 큰 수**

예 16과 24의 공약수와 최대공약수 구하기

- 16의 약수 → **1, 2, 4, 8,** ❶ [ ]
- 24의 약수 → **1, 2, 3, 4, 6, 8, 12,** ❷ [ ]
- 16과 24의 공약수 → **1, 2, 4, 8**
- 16과 24의 최대공약수 → **8**
- 최대공약수인 8의 약수 → **1, 2, 4, 8**

(16과 24의 공약수와 최대공약수인 8의 약수는) 같습니다.

정답 ❶ 16 ❷ 24

## 개념 · 원리 확인

▶정답 및 풀이 6쪽

**1-1** 6과 8의 공약수와 최대공약수를 구해 보세요.

| 6의 약수 | 1, 2, 3, 6 |
|---|---|
| 8의 약수 | 1, 2, 4, 8 |

(1) 공약수를 모두 찾아 ○표 하세요.

(2) 최대공약수를 써 보세요.

( )

**1-2** 12와 18의 공약수와 최대공약수를 구해 보세요.

| 12의 약수 | 1, 2, 3, 4, 6, 12 |
|---|---|
| 18의 약수 | 1, 2, 3, 6, 9, 18 |

(1) 공약수를 모두 찾아 ○표 하세요.

(2) 최대공약수를 써 보세요.

( )

**2-1** 다음을 보고 □ 안에 알맞은 수를 써넣으세요.

- 8의 약수 : 1, 2, 4, 8
- 20의 약수 : 1, 2, 4, 5, 10, 20

(1) 8과 20의 공약수 : 1, □, □

(2) 8과 20의 최대공약수 : □

(3) 8과 20의 최대공약수의 약수 : 1, □, □

(4) 8과 20의 공약수는 8과 20의 최대공약수인 □의 약수와 같습니다.

**2-2** 다음을 보고 □ 안에 알맞은 수를 써넣으세요.

- 27의 약수 : 1, 3, 9, 27
- 45의 약수 : 1, 3, 5, 9, 15, 45

(1) 27과 45의 공약수 : 1, □, □

(2) 27과 45의 최대공약수 : □

(3) 27과 45의 최대공약수의 약수 : 1, □, □

(4) 27과 45의 공약수는 27과 45의 최대공약수인 □의 약수와 같습니다.

**[3-1 ~ 3-2]** □ 안에 알맞은 수를 써넣고, 두 수의 공약수와 최대공약수를 모두 구해 보세요.

**3-1**

- 10의 약수 : 1, □, □, 10
- 25의 약수 : 1, □, □

(1) 10과 25의 공약수

➔ ( )

(2) 10과 25의 최대공약수

➔ ( )

**3-2**

- 20의 약수 : 1, □, □, □, 10, 20
- 24의 약수 : 1, 2, □, □, □, □, □, 24

(1) 20과 24의 공약수

➔ ( )

(2) 20과 24의 최대공약수

➔ ( )

1주 5일

# 최대공약수를 구하는 방법

## 교과서 기초 개념

• **최대공약수 구하는 방법 알아보기**

㉮ 12와 16의 최대공약수 구하기

**방법 1**

$12=2\times2\times3$

$16=2\times2\times4$

$2\times2=$ ❶ ☐

➔ **12와 16의 최대공약수 : 4**

**방법 2**

12와 16의 공약수 → 2) 12 16

6과 8의 공약수 → 2) 6 8

(3 4) → 더 이상 나누어지지 않음.

$2\times2=$ ❷ ☐

➔ **12와 16의 최대공약수 : 4**

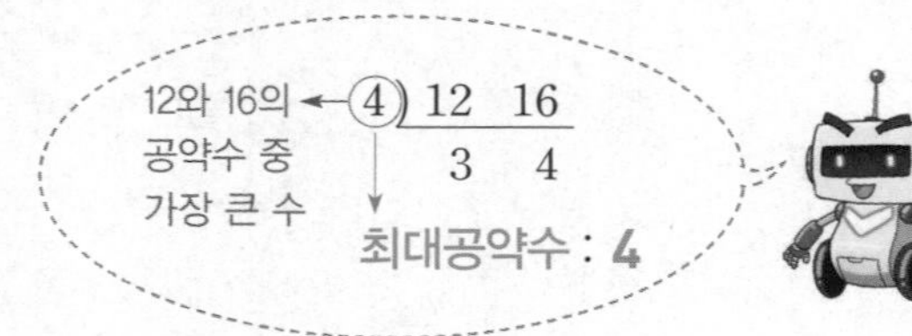


정답 ❶ 4 ❷ 4

# 개념 · 원리 확인

▶ 정답 및 풀이 6쪽

**1-1** 14와 21을 각각 두 수의 곱으로 나타낸 곱셈식을 보고 물음에 답하세요.

| $14=1\times14$ $14=2\times7$ |
|---|

| $21=1\times21$ $21=3\times7$ |
|---|

(1) 14와 21의 최대공약수를 구하기 위한 두 수의 곱셈식을 써 보세요.

$14=2\times$ □ $21=3\times$ □

(2) 14와 21의 최대공약수를 구하세요.

( )

**1-2** 16과 20을 각각 두 수의 곱으로 나타낸 곱셈식을 보고 물음에 답하세요.

| $16=1\times16$ $16=2\times8$ $16=4\times4$ |
|---|

| $20=1\times20$ $20=2\times10$ $20=4\times5$ |
|---|

(1) 16과 20의 최대공약수를 구하기 위한 두 수의 곱셈식을 써 보세요.

$16=$ □ $\times4$ $20=4\times$ □

(2) 16과 20의 최대공약수를 구하세요.

( )

**2-1** 다음을 보고 30과 40의 최대공약수를 구하세요.

$30=3\times10$
$40=4\times10$

➔ 30과 40의 최대공약수 : □

**2-2** 다음을 보고 28과 42의 최대공약수를 구하세요.

$28=2\times2\times7$
$42=2\times3\times7$

➔ 28과 42의 최대공약수 : □ × □ = □

1주 5일

**[3-1 ~ 3-2] 다음을 보고 두 수의 최대공약수를 구하세요.**

**3-1**

```
3) 6  9
   2  3
```

➔ 6과 9의 최대공약수 : □

**3-2**

```
3) 15  45
5)  5  15
    1   3
```

➔ 15와 45의 최대공약수 : $3\times5=$ □

**[4-1 ~ 4-2] 두 수의 최대공약수를 구하세요.**

**4-1**

```
□) 4  10
   □   □
```

➔ 4와 10의 최대공약수 : □

**4-2**

```
3) 36  63
□)  □   □
    □   □
```

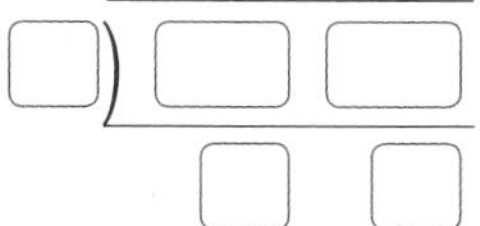

➔ 36과 63의 최대공약수 : $3\times$ □ = □

5일

# 기초 집중 연습

## 기본 문제 연습

**1-1** 두 수의 공약수와 최대공약수를 구해 보세요.

공약수 (　　　　　　　　)
최대공약수 (　　　　　　　　)

**1-2** 두 수의 공약수와 최대공약수를 구해 보세요.

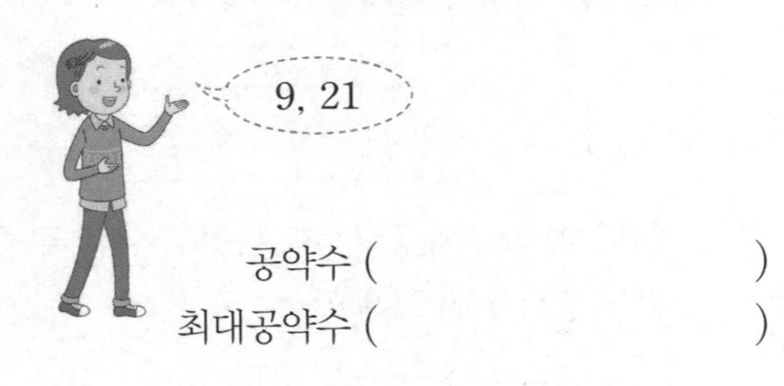


공약수 (　　　　　　　　)
최대공약수 (　　　　　　　　)

**2-1** 여러 수의 곱으로 나타낸 곱셈식을 보고 36과 60의 최대공약수를 구해 보세요.

$36=3\times3\times4$
$60=3\times4\times5$

(　　　　　　　　)

**2-2** 여러 수의 곱으로 나타낸 곱셈식을 보고 24와 30의 최대공약수를 구해 보세요.

$24=2\times3\times4$
$30=2\times3\times5$

(　　　　　　　　)

**3-1** 두 수의 최대공약수를 구해 보세요.

) 10　18

➔ 최대공약수 : □

**3-2** 두 수의 최대공약수를 구해 보세요.

) 40　70

➔ 최대공약수 : □

**[4-1 ~ 4-2]** 두 수의 최대공약수를 구하고, 최대공약수를 이용하여 두 수의 공약수를 모두 구해 보세요.

**4-1**

| 수 | 최대공약수 | 공약수 |
|---|---|---|
| 14, 28 | | |

**4-2**

| 수 | 최대공약수 | 공약수 |
|---|---|---|
| 42, 66 | | |

▶정답 및 풀이 7쪽

## 기초 → 문장제 연습 '두 수를 모두 나누어떨어지게 하는 수 중 가장 큰 수'는 최대공약수로 구하자.

**기초** 빈칸에 알맞은 수를 써넣으세요.

| 32의 약수 | |
|---|---|
| 40의 약수 | |
| 32와 40의 공약수 | |
| 32와 40의 최대공약수 | |

**5-1** 32와 40을 어떤 수로 나누면 두 수 모두 나누어떨어집니다. 어떤 수 중에서 가장 큰 수를 구해 보세요.

답 ______________

**5-2** 42와 54를 어떤 수로 나누면 두 수 모두 나누어떨어집니다. 어떤 수 중에서 가장 큰 수를 구해 보세요.

답 ______________

**5-3** 어떤 수로 21을 나누면 나누어떨어지고, 63을 나누어도 나누어떨어집니다. 어떤 수가 될 수 있는 수 중에서 가장 큰 수를 구해 보세요.

답 ______________

# 누구나 100점 맞는 테스트

**1** □ 안에 알맞은 수를 써넣으세요.

$42-16+37=\square+37$

$=\square$

**2** 다음을 보고 9의 약수를 구해 보세요.

$9\div1=9$ $9\div3=3$ $9\div9=1$

9의 약수 ➜ □, □, □

**3** 배수를 가장 작은 수부터 5개 써 보세요.

8의 배수

( )

**4** □ 안에 알맞은 수를 써넣고 12와 18의 공약수와 최대공약수를 구해 보세요.

- 12의 약수: 1, 2, □, □, □, 12
- 18의 약수: 1, 2, □, □, □, 18

12와 18의 공약수 ( )

12와 18의 최대공약수 ( )

**5** 민하와 같이 계산 순서를 나타내고 계산해 보세요.

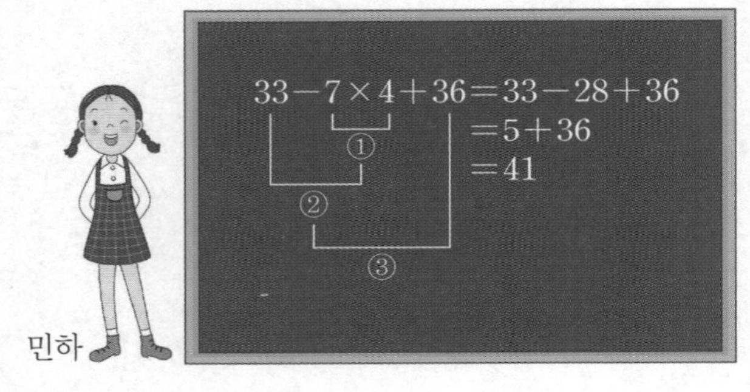


$39-3\times8+16$

맞은 점수

/100점

▶정답 및 풀이 7쪽

**6** 두 수의 최대공약수를 구해 보세요.

(　　　　　　　　　　)

[7 ~ 8] 계산해 보세요.

**7** $63 \div (5+4)$

**8** $(54-18) \div 9 \times 5$

**9** 계산 결과를 찾아 이어 보세요.

$56-72 \div 8 \times 3+11$

18　　　40　　　152

**10** 공책 한 권은 1000원, 연필 5자루는 3000원입니다. 아라가 낸 돈은 얼마인지 하나의 식으로 나타내고 구해 보세요.

식 ____________________

답 ____________

1주 평가

창의 1   민하,  지현,  수진이는 태권도, 피아노, 미술 학원 중 각자 다른 학원을 다니고 있습니다. 수진이가 다니는 학원을 구해 보세요.

누가 어떤 학원을 다니는지
빈칸에 알맞게 써넣어 봐~

|  민하 |  지현 |  수진 |
| --- | --- | --- |
| | | |

 답 ______________

▶정답 및 풀이 8쪽

# 누구의 생일이 가장 빠를까?

  예진,  유리,  호연이는 태어난 달이 4월, 6월, 10월로 서로 다릅니다. 생일이 가장 빠른 사람의 이름을 써 보세요.

| 예진 | 유리 | 호연 |
|---|---|---|
| | | |

 답 ______________



1주 특강

# 특강 창의·융합·코딩

다음은 어떤 수의 배수만큼 이동하기 위한 코드입니다. 이 코드를 실행하면 이동 방향으로 얼마만큼 움직이게 되나요?

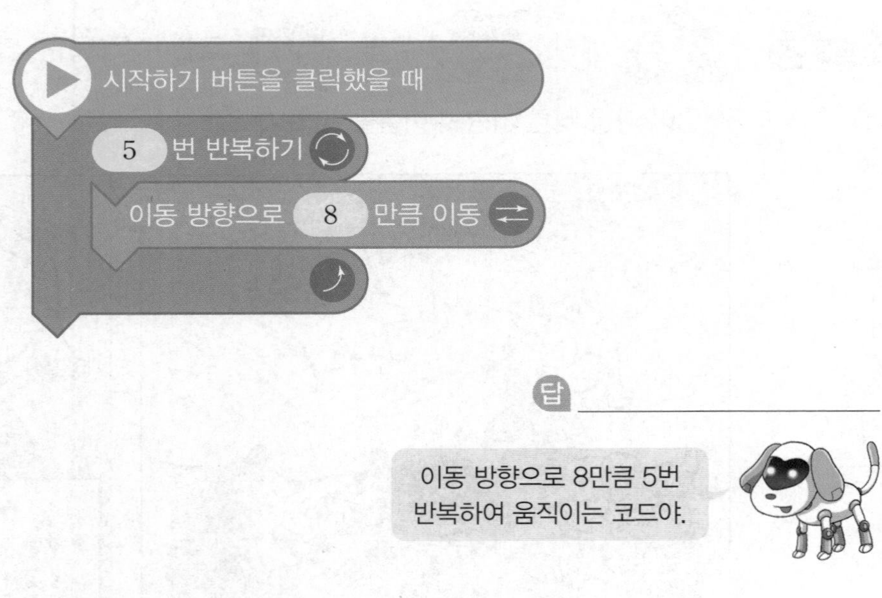


답 ________________

이동 방향으로 8만큼 5번 반복하여 움직이는 코드야.

㉠에 수를 넣어 계산 결과가 짝수이면 선물을 받을 수 있고, 짝수가 아니면 선물을 받을 수 없습니다. ㉠에 10을 넣었을 때 선물을 받을 수 있나요, 없나요?

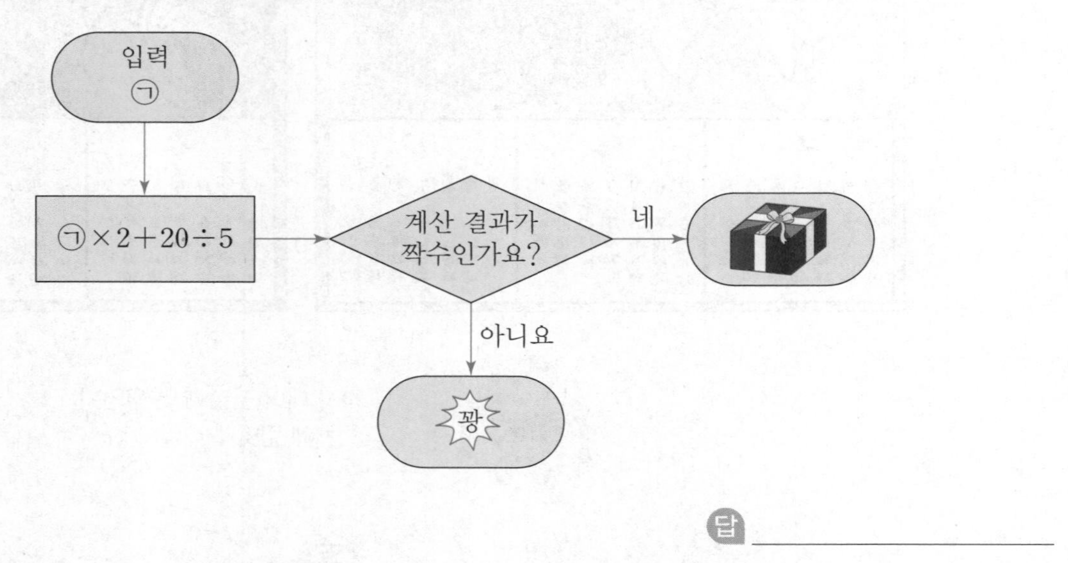


답 ________________

▶정답 및 풀이 8쪽

열량은 몸속에서 발생하는 에너지의 양입니다. 아라가 점심에 먹은 음식의 열량은 몇 킬로칼로리인지 하나의 식으로 나타내고 구해 보세요.

음식의 열량

| 떡볶이 | 수박 | 콜라 |
| --- | --- | --- |
| 1인분 | 1조각 | 1캔 |
| 304 킬로칼로리 | 31 킬로칼로리 | 136 킬로칼로리 |

식 ______________________

답 ______________________

소희는 문구점에서 지우개 1개, 공책 3권, 수정테이프 1개를 샀습니다. 소희가 산 학용품 값은 얼마인지 하나의 식으로 나타내고 구해 보세요.

식 ______________________

답 ______________________

창의 7 퀴즈네어 막대는 1 cm부터 10 cm까지 길이가 각각 다른 막대 10개로 각 길이마다 고유의 색깔이 있습니다. 다음은 퀴즈네어 막대로 8의 약수를 구하는 과정입니다. 빈칸에 알맞은 수를 써넣으세요.

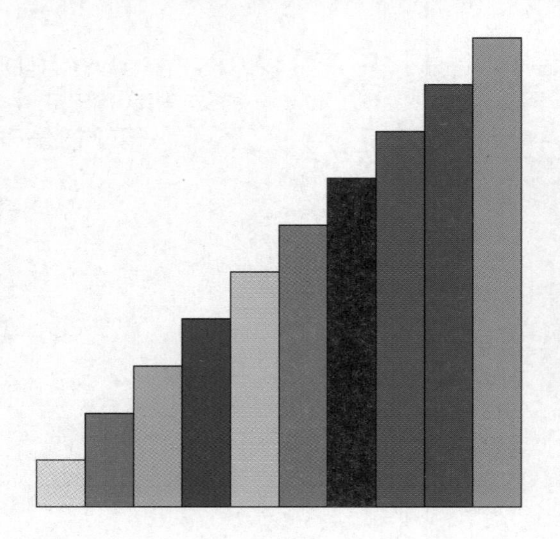

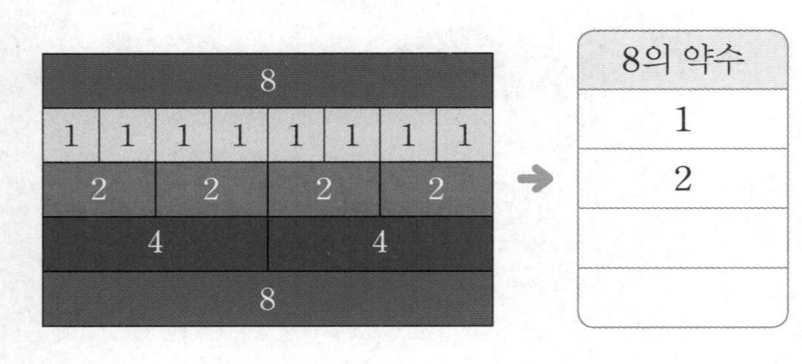


| 8의 약수 |
|---|
| 1 |
| 2 |
| |
| |

융합 8 이집트 수는 사물의 모양을 본떠 만들었습니다. 보기 에서 나타내는 수의 배수를 가장 작은 수부터 차례로 3개 써 보세요.

이집트 수

| 1 | I | 막대기 |
|---|---|---|
| 10 | ∩ | 말굽 형 멍에, 발뒤꿈치 모양 |
| 100 | ? | 나선, 돌돌 말린 밧줄 |

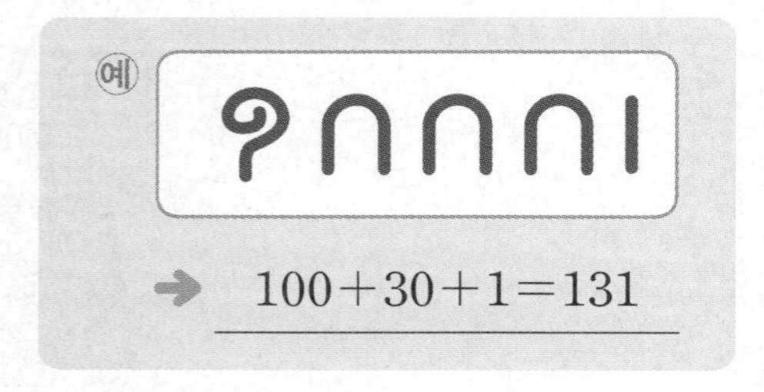

답 ______________________

▶정답 및 풀이 8쪽

융합 9

고대 그리스의 피타고라스 학파들은 어떤 자연수의 약수 중 자기 자신을 제외한 약수를 모두 더하여 자기 자신이 되는 자연수를 완전하다고 생각하여 '완전수'라고 불렀습니다. 태연이와 정우 중 완전수를 말한 사람의 이름을 써 보세요.

- 6의 약수 : 1, 2, 3, 6
- 6을 제외한 약수의 합 : $1+2+3=6$

➜ 6은 완전수입니다.

답 ______________________



창의 10

모눈종이에 점선을 따라 크기가 같은 정사각형을 겹치지 않고 남는 부분이 없게 그리려고 합니다. 그릴 수 있는 가장 큰 정사각형의 한 변의 길이는 모눈 몇 칸인가요?

답 ______________________

2주

# 약수와 배수 ~ 약분과 통분

오늘부터 열심히 수영을 해야지!
너…… 혹시 성진……?
응?
뭐야, 성진이 맞잖아!
혜지? 너도 이 수영장 다니냐?!!

1학년부터 4학년까지 계속 같은 반에 짝꿍이었는데 여기서 또 만나냐?
나도 지겨워!

난 수영장에 3일마다 오는데 넌 며칠마다 오냐?
난 4일마다 온다!

다행히 자주 볼 일은 없겠군.
그건 내가 할 소리다!
휙!

12일 후
엇, 12일째 되는 날에 만나네?
그…… 그러게.

자주 보니까 그렇게 싫지는 않네…….

# 이번 주에는 무엇을 공부할까? ①

1일 공배수와 최소공배수 구하기, 최소공배수 구하는 방법
2일 두 양 사이의 관계
3일 대응 관계를 식으로 나타내기
4일 크기가 같은 분수 만들기
5일 분수를 간단하게 나타내기

- 3의 배수 : 3, 6, 9, 12, 15, 18, 21, 24……
- 4의 배수 : 4, 8, 12, 16, 20, 24……

➜ 3과 4의 공배수 : 12, 24……

# 이번 주에는 무엇을 공부할까? ②

## 4-1 규칙 찾기

수의 규칙을 알아보려면 →, ↓, ↘ 방향으로 수가 어떻게 변하는지 살펴봐.

수가 커질 수도 있고, 작아질 수도 있어.

[1-1 ~ 1-2] 수 배열표를 보고 빈칸에 알맞은 수를 써넣으세요.

**1-1**

| 201 | 301 | 401 | |
|---|---|---|---|

**1-2**

| 3240 | 3340 | 3440 | |
|---|---|---|---|

[2-1 ~ 2-2] 계산식 배열의 규칙에 맞게 □ 안에 알맞은 식을 써넣으세요.

**2-1**

$6\times105=630$

$6\times1005=6030$

$6\times10005=60030$

□

**2-2**

$1200+900=2100$

$2200+900=3100$

□

$4200+900=5100$

## 4-1 곱셈과 나눗셈

• 328×27의 계산

328×27을
세로 계산으로 해 볼까?

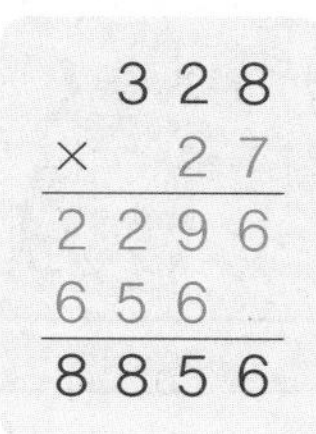

**3-1** 빈 곳에 두 수의 곱을 써넣으세요.

| 198 | 24 |
|---|---|
| | |

**3-2** 두 수의 곱을 구해 보세요.

254, 36

(　　　　　　　　)

**4-1** 잘못된 부분을 찾아 바르게 고쳐 보세요.

```
      1 9
13)2 9 9
   1 3
   1 6 9
   1 1 7
     5 2
```

→

```
13)2 9 9
```

**4-2** 잘못된 부분을 찾아 바르게 고쳐 보세요.

```
      2 9
18)5 7 6
   3 6
   2 1 6
   1 6 2
     5 4
```

→

```
18)5 7 6
```

# 공배수와 최소공배수 구하기

## 교과서 기초 개념

• 공배수와 최소공배수 알아보기

(1) **공배수** : 두 수의 공통된 배수
(2) **최소공배수** : 공배수 중에서 가장 작은 수

예 3과 2의 공배수

3의 배수 : 3, **6**, 9, **12**, ❶ □, **18**……

2의 배수 : 2, 4, **6**, 8, 10, **12**, 14, ❷ □, **18**……

➔ 공배수 : **6**, **12**, ❸ □……

➔ 최소공배수 : **6**

정답 ❶ 15 ❷ 16 ❸ 18

## 개념 · 원리 확인

▶정답 및 풀이 9쪽

**1-1** ☐ 안에 알맞은 말을 써넣으세요.

4와 5의 공통된 배수 20, 40, 60……을 4와 5의 ☐라고 합니다.

**1-2** ☐ 안에 알맞은 말을 써넣으세요.

공배수 중에서 가장 작은 수를 ☐라고 합니다.

**[2-1 ~ 2-2] 두 수의 공배수와 최소공배수를 구하려고 합니다. 물음에 답하세요.**

**2-1** 4와 3

| 4의 배수 | 4, 8, 12, 16, 20, 24, 28, 32…… |
|---|---|
| 3의 배수 | 3, 6, 9, 12, 15, 18, 21, 24…… |

(1) 4와 3의 공배수를 찾아 써 보세요.

☐, ☐……

(2) 4와 3의 최소공배수를 써 보세요.

( )

**2-2** 3과 2

| 1 | 2 | 3 | 4 | 5 | 6 | 7 | 8 | 9 | 10 |
|---|---|---|---|---|---|---|---|---|---|
| 11 | 12 | 13 | 14 | 15 | 16 | 17 | 18 | 19…… | |

(1) 3의 배수를 모두 찾아 ○표 하세요.

(2) 2의 배수를 모두 찾아 △표 하세요.

(3) 3과 2의 공배수를 찾아 써 보세요.

☐, ☐, ☐……

(4) 3과 2의 최소공배수를 써 보세요.

( )

**3-1** 8과 6의 공배수는 어느 것일까요?····· ( )

① 12 ② 16 ③ 36
④ 42 ⑤ 48

**3-2** 5의 배수도 되고 6의 배수도 되는 수는 어느 것일까요?······························ ( )

① 10 ② 20 ③ 30
④ 36 ⑤ 40

# 최소공배수 구하는 방법

## 교과서 기초 개념

• **최소공배수 구하는 방법 알아보기**

예 12와 30의 최소공배수 구하기

방법 1

$12=2\times2\times3$

$30=2\times3\times5$

$2\times2\times3\times5=$ ❶ □

➔ **12와 30의 최소공배수 : 60**

방법 2

12와 30의 공약수 → 2) 12 30

6과 15의 공약수 → 3) 6 15

2 5 → 더 이상 나누어지지 않음.

$2\times3\times2\times5=60$

➔ **12와 30의 최소공배수 :** ❷ □

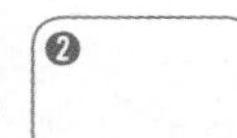

12와 30의 최대공약수로 한 번에 나눌 수도 있어.

6) 12 30

2 5 ➔ **12와 30의 최소공배수 : $6\times2\times5=60$**

↑ 12와 30의 최대공약수

정답 ❶ 60 ❷ 60

# 개념·원리 확인

▶정답 및 풀이 10쪽

**1-1** 15와 9의 최소공배수를 구해 보세요.

$15=3\times5$
$9=3\times3$

15와 9의 최소공배수 :

$\square\times5\times3=\square$

**1-2** 20과 30의 최소공배수를 구해 보세요.

$20=2\times2\times5$
$30=3\times2\times5$

20과 30의 최소공배수 :

$2\times\square\times\square\times3=\square$

**2-1** 27과 6의 최소공배수를 구해 보세요.

$\square$ ) 27　6
　　　9　$\square$

27과 6의 최소공배수 :

$\square\times9\times\square=\square$

**2-2** 8과 10의 최소공배수를 구해 보세요.

$\square$ ) 8　10
　　$\square$　5

8과 10의 최소공배수 :

$\square\times\square\times5=\square$

**3-1** 두 수의 최소공배수를 구해 보세요.

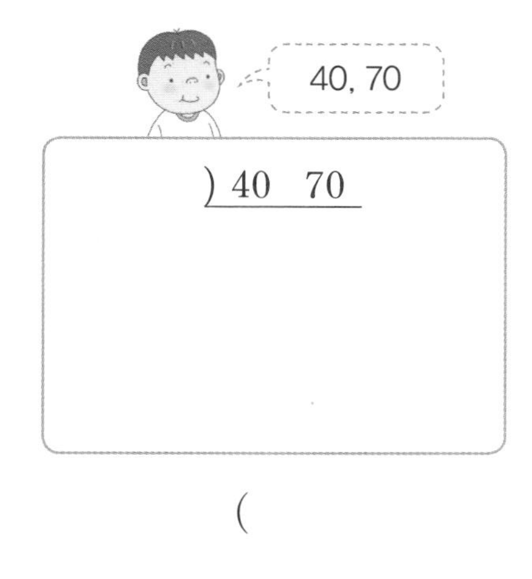


(　　　　　　　　)

**3-2** 두 수의 최소공배수를 구해 보세요.

12, 42

) 12　42

(　　　　　　　　)

2주 1일

# 1일 기초 집중 연습

## 기본 문제 연습

**1-1** 두 수의 최소공배수를 구해 보세요.

6 10

( )

**1-2** 두 수의 최소공배수를 구해 보세요.

12 28

( )

**[2-1 ~ 2-3]** 보기 와 같이 두 수 ㉠과 ㉡의 최소공배수를 곱셈식으로 구해 보세요.

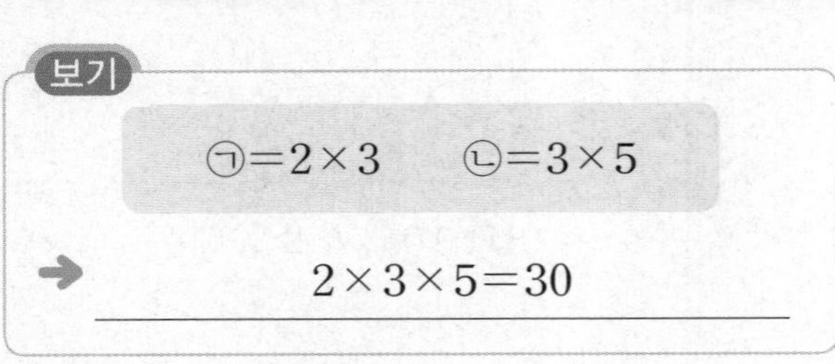

보기

㉠$=2\times3$ ㉡$=3\times5$

➔ $2\times3\times5=30$

**2-1**

㉠$=3\times4$ ㉡$=4\times5$

➔

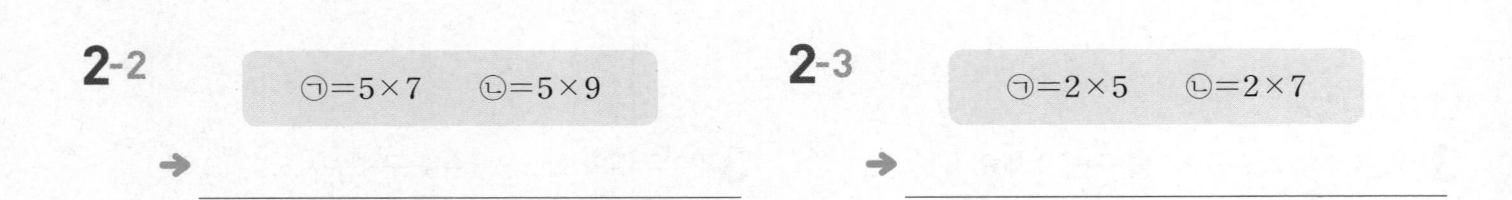

**2-2**

㉠$=5\times7$ ㉡$=5\times9$

➔

**2-3**

㉠$=2\times5$ ㉡$=2\times7$

➔

**3-1** 어떤 두 수의 최소공배수가 10일 때 두 수의 공배수를 가장 작은 수부터 3개 써 보세요.

( , , )

**3-2** 보기 를 보고 가와 나의 공배수를 가장 작은 수부터 3개 써 보세요.

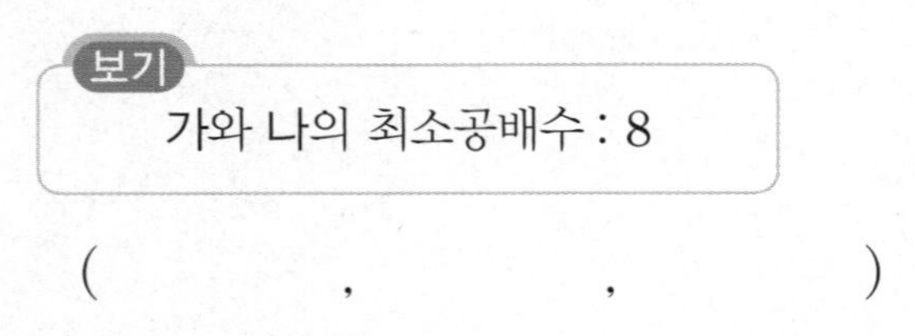

보기

가와 나의 최소공배수 : 8

( , , )

▶ 정답 및 풀이 10쪽

## 기초 → 문장제 연습  '~마다 동시에' 출발하는 문제는 최소공배수로 구하자.

기초 두 수의 최소공배수를 구해 보세요.

) 10 15

→ 최소공배수 : [ ]

**4-1** 고속버스 터미널에서 오전 7시에 대구행과 부산행 버스가 동시에 출발하였습니다. 두 버스는 몇 분마다 동시에 출발할까요?

답 ______________

**4-2** 버스 정류장에서 오후 4시에 공원으로 가는 버스와 수영장으로 가는 버스가 동시에 출발하였습니다. 공원으로 가는 버스는 20분마다, 수영장으로 가는 버스는 12분마다 출발한다면 두 버스는 몇 분마다 동시에 출발할까요?

답 ______________

**4-3** 정예는 오늘 바이올린 학원과 피아노 학원에 갔습니다. 정예는 바이올린 학원과 피아노 학원에 다음과 같이 간다면 두 학원에 며칠마다 같은 날에 가게 될까요?

답 ______________

# 두 양 사이의 관계(1)

## 교과서 기초 개념

• 규칙적인 배열에서 두 양 사이의 관계 알아보기

예 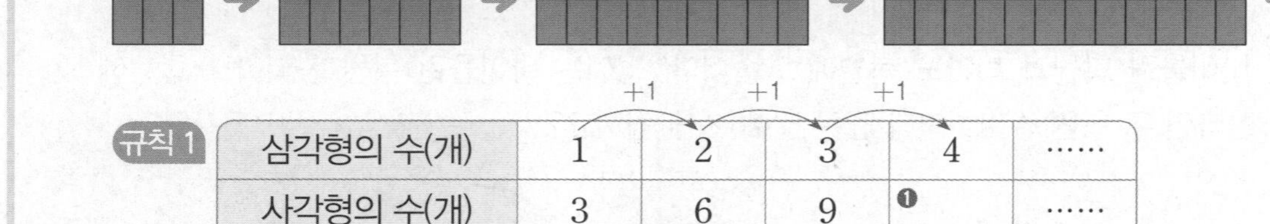

규칙 1

+1 +1 +1

| 삼각형의 수(개) | 1 | 2 | 3 | 4 | …… |
|---|---|---|---|---|---|
| 사각형의 수(개) | 3 | 6 | 9 | ❶ | …… |

+3 +3 +3

**삼각형의 수가 1개**씩 늘어날 때 **사각형의 수가 3개**씩 늘어납니다.

규칙 2

| 삼각형의 수(개) | 1 | 2 | 3 | 4 | …… |
|---|---|---|---|---|---|
| 사각형의 수(개) | 3 | 6 | 9 | ❷ | …… |

×3

**사각형의 수**는 **삼각형의 수의 3배**입니다.

정답 ❶ 12 ❷ 12

# 개념 · 원리 확인

▶정답 및 풀이 11쪽

[1-1 ~ 1-2] 도형의 배열을 보고 ☐ 안에 알맞은 수를 써넣으세요.

**1-1**

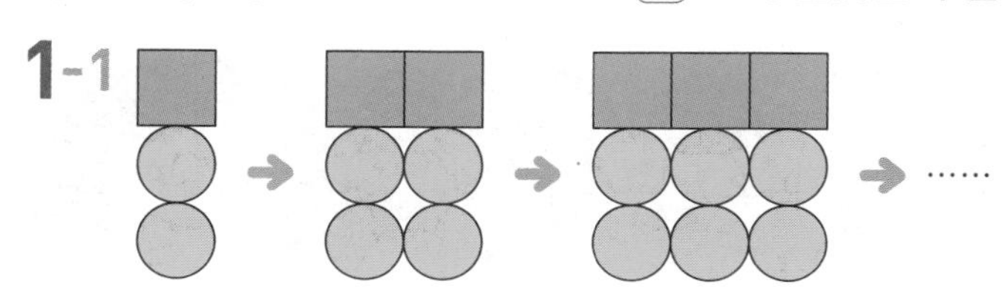

사각형의 수가 1개씩 늘어날 때 원의 수가 ☐개씩 늘어납니다.

**1-2**

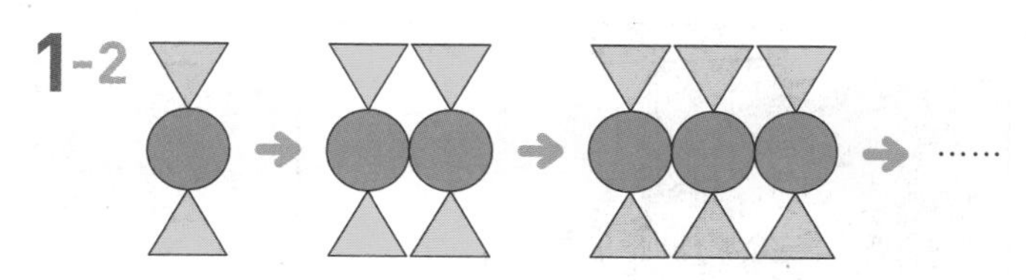

삼각형의 수가 2개씩 늘어날 때 원의 수가 ☐개씩 늘어납니다.

[2-1 ~ 2-2] 두 수 사이의 대응 관계를 표로 나타내어 보세요.

**2-1**

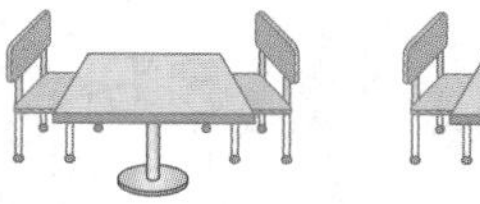
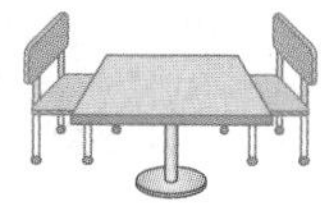

| 탁자의 수(개) | 1 | 2 | 3 | 4 | …… |
|---|---|---|---|---|---|
| 의자의 수(개) | 2 | | | | …… |

**2-2**

| 문어의 수(마리) | 1 | 2 | 3 | 4 | …… |
|---|---|---|---|---|---|
| 다리의 수(개) | 8 | | | | …… |

**3-1** 도형을 규칙적으로 놓고 있습니다. 삼각형의 수는 원의 수의 몇 배인가요?

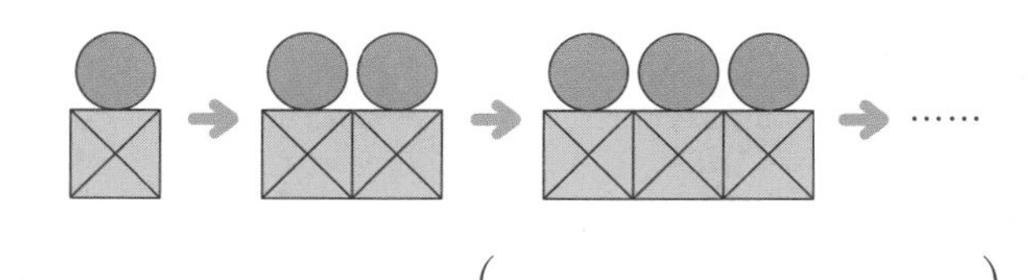

( )

**3-2** 도형을 규칙적으로 놓고 있습니다. 사각형의 수는 삼각형의 수의 몇 배인가요?

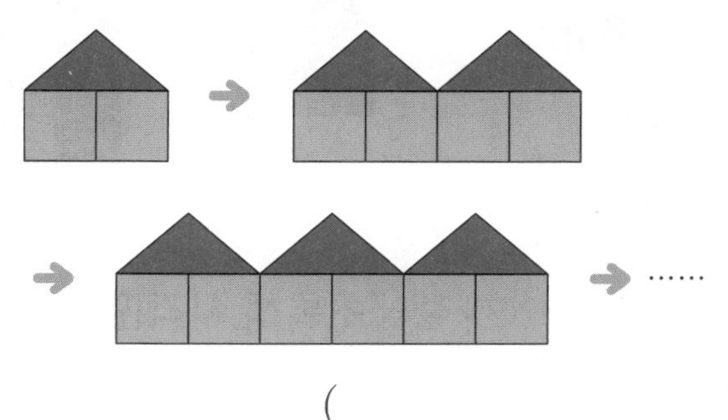

( )

# 2일 규칙과 대응

## 두 양 사이의 관계 (2)

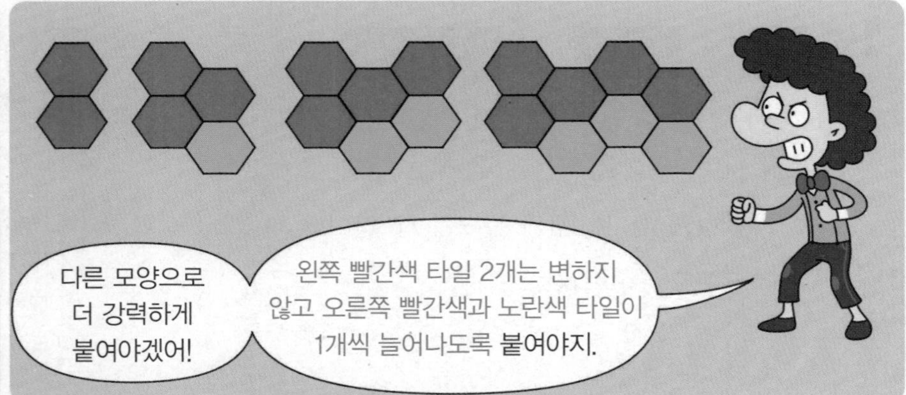

### 교과서 기초 개념

- **변하지 않는 부분이 있는 규칙적인 배열에서 두 양 사이의 관계 알아보기**

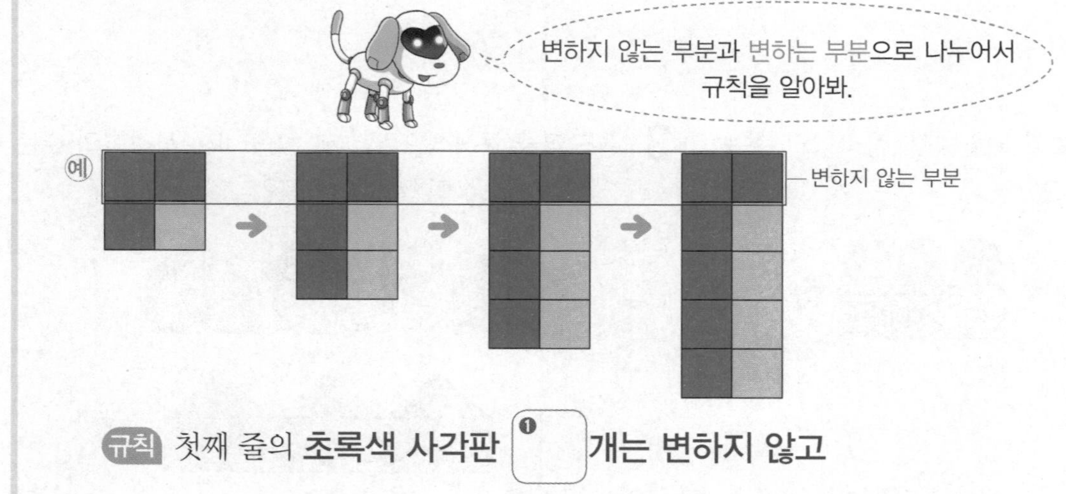


규칙 첫째 줄의 **초록색 사각판** ❶ ☐ **개는 변하지 않고**

그 아래에 있는 **초록색 사각판과 노란색 사각판의 수가 각각 1개씩 늘어납니다.**

정답 ❶ 2

# 개념·원리 확인

▶정답 및 풀이 11쪽

**1-1** 도형의 배열을 보고 ☐ 안에 알맞은 수를 써넣으세요.

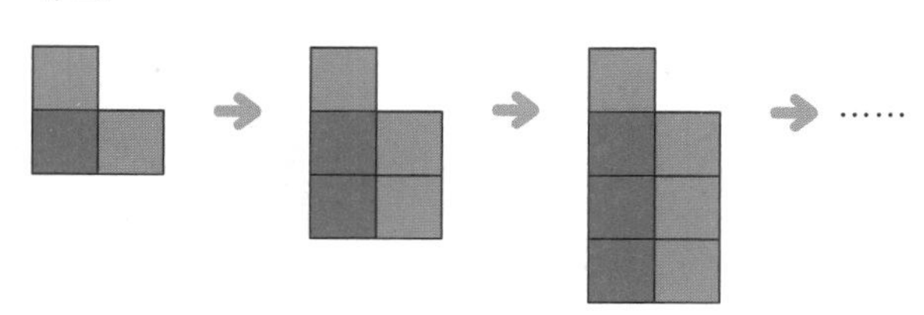

위에 있는 빨간색 사각판 1개는 변하지 않고 그 아래에 있는 초록색 사각판과 빨간색 사각판의 수가 각각 ☐개씩 늘어납니다.

**1-2** 1-1의 도형의 배열을 보고 ☐ 안에 알맞은 수를 써넣으세요.

빨간색 사각판의 수는 초록색 사각판의 수보다 ☐개 많습니다.

**2-1** 철봉 기둥의 수와 철봉 대의 수 사이의 대응 관계를 표로 나타내어 보세요.

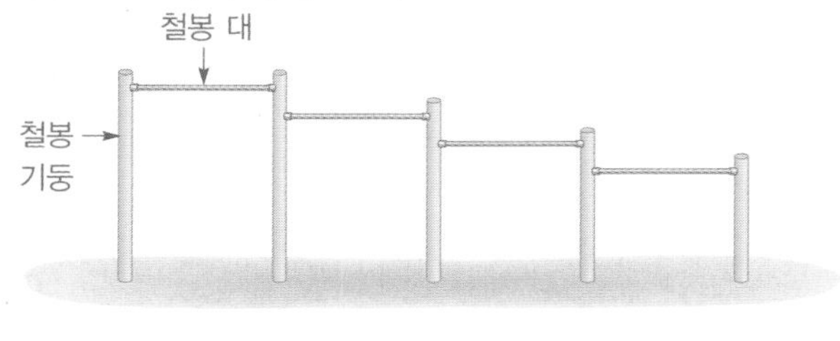


| 철봉 기둥의 수(개) | 2 | 3 | 4 | 5 | …… |
|---|---|---|---|---|---|
| 철봉 대의 수(개) | 1 | | | | …… |

**2-2** 의자의 수와 팔걸이의 수 사이의 대응 관계를 표로 나타내어 보세요.

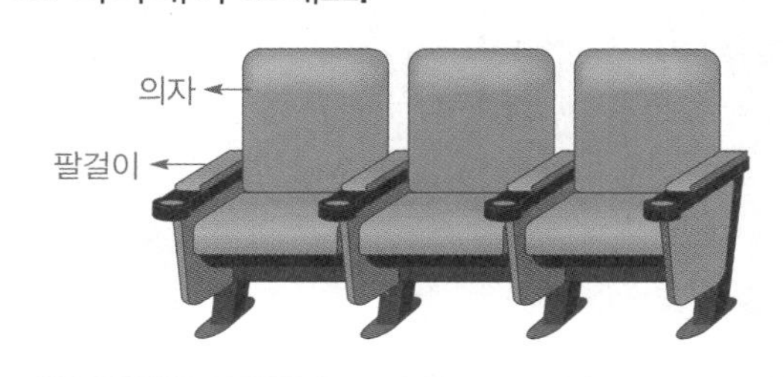


| 의자의 수(개) | 1 | 2 | 3 | 4 | …… |
|---|---|---|---|---|---|
| 팔걸이의 수(개) | 2 | | | | …… |

**3-1** 도형의 배열을 보고 규칙을 써 보세요.

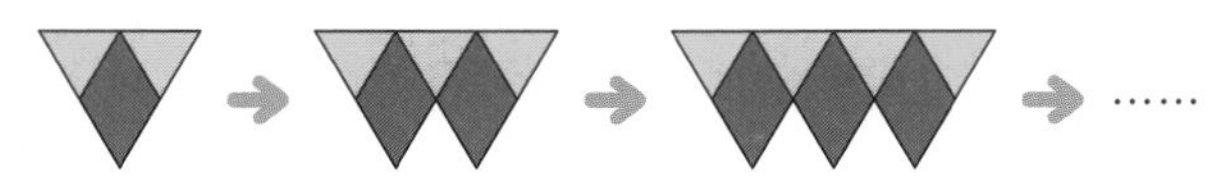

규칙 왼쪽의 노란색 삼각판 1개는 변하지 않고

**3-2** 도형의 배열을 보고 규칙을 써 보세요.

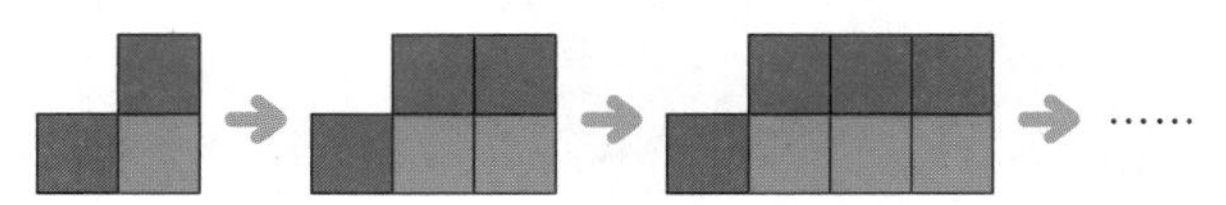

규칙 왼쪽의 파란색 사각판 1개는 변하지 않고

# 2일 기초 집중 연습

## 기본 문제 연습

**[1-1 ~ 1-2]** 두 수 사이의 대응 관계를 표로 나타내어 보세요.

**1-1**

| 자전거의 수(대) | 1 | 2 | 3 | 4 | …… |
|---|---|---|---|---|---|
| 바퀴의 수(개) | 2 | | | | …… |

**1-2**

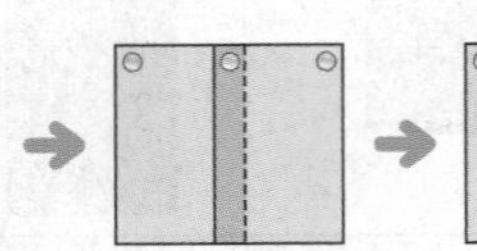 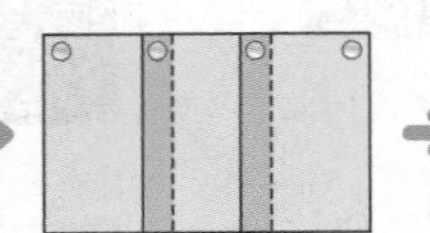

| 종이의 수(장) | 1 | 2 | 3 | 4 | …… |
|---|---|---|---|---|---|
| 누름 못의 수(개) | 2 | | | | …… |

**[2-1 ~ 2-2]** 도형의 배열을 보고 다음에 이어질 알맞은 모양을 빈칸에 그려 보세요.

**2-1**

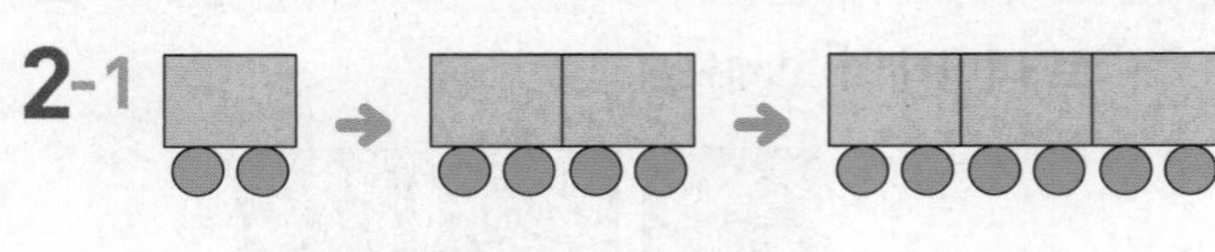

**2-2**

 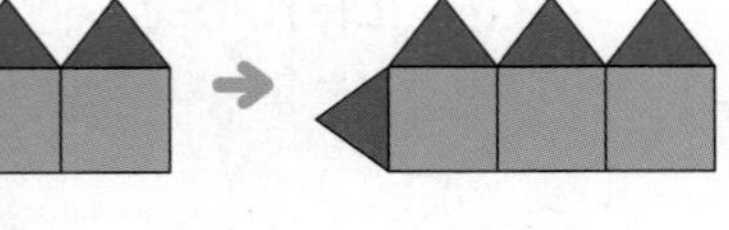

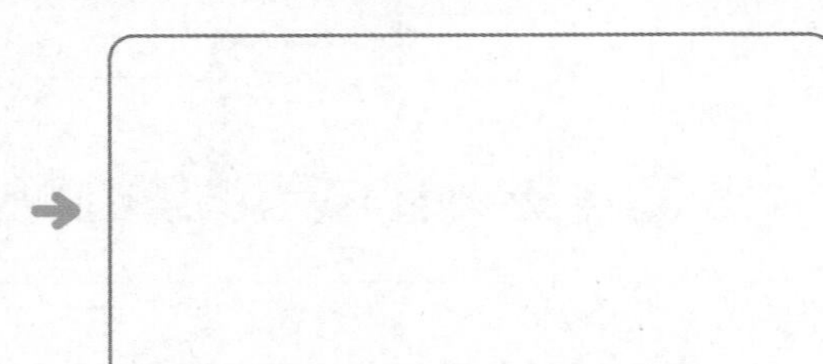

**[3-1 ~ 3-2]** 그림을 보고 규칙을 바르게 설명한 것을 찾아 기호를 써 보세요.

**3-1**

㉠ 꽃의 수가 1송이씩 늘어날 때 꽃잎의 수는 5장씩 늘어납니다.
㉡ 꽃의 수는 꽃잎의 수의 5배입니다.

(　　　　　　　　)

**3-2**

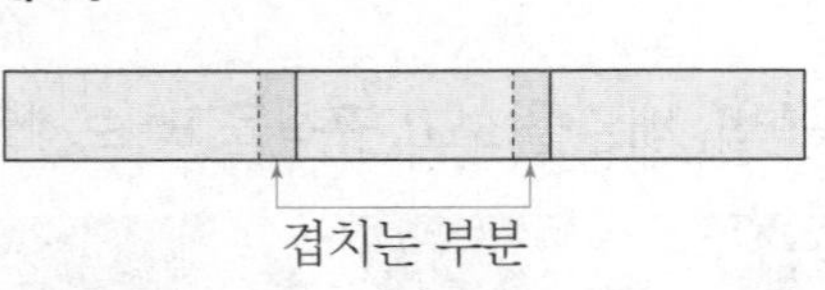


㉠ 겹치는 부분의 수는 종이테이프의 수보다 1 큽니다.
㉡ 종이테이프가 4장일 때 겹치는 부분은 3군데입니다.

(　　　　　　　　)

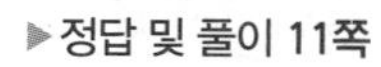
▶정답 및 풀이 11쪽

## 기초 → 기본 연습 두 양이 서로 어떻게 변하는지 살펴보자.

**기초** 두 수 ■와 ▲ 사이의 대응 관계를 생각하여 표를 완성하세요.

| ■ | 1 | 2 | 3 | 4 | …… |
|---|---|---|---|---|---|
| ▲ | 2 | 4 | 6 |  | …… |

**4-1** 사각형이 4개일 때 필요한 원은 몇 개인가요?

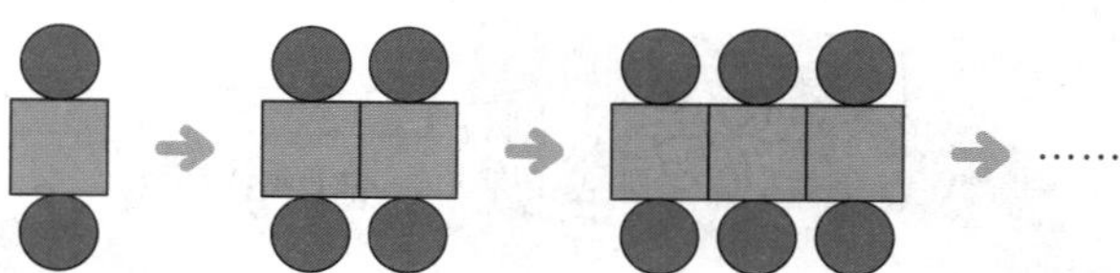

답 ____________________

**4-2** 자동차가 5대일 때 바퀴는 몇 개인가요?

답 ____________________

**4-3** 세발 자전거의 바퀴가 18개일 때 세발 자전거는 몇 대인가요?

답 ____________________

# 대응 관계를 식으로 나타내기 (1)

## 교과서 기초 개념

• **대응 관계를 단어를 사용하여 식으로 나타내기**

㉠ 피자의 수와 조각의 수 사이의 대응 관계를 식으로 나타내기

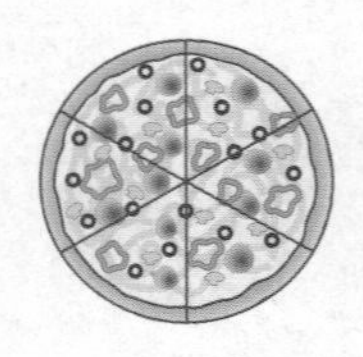
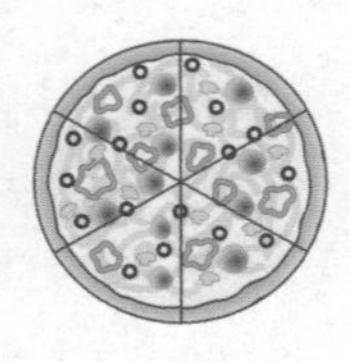
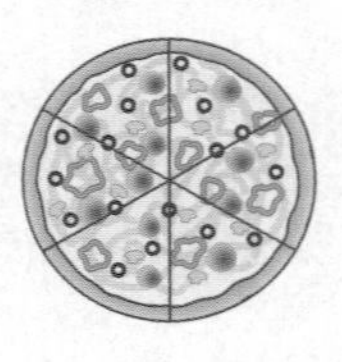

피자의 수와 조각의 수 사이의 대응 관계를 나타낼 때 +, −, ×, ÷ 중 알맞은 기호를 생각해 봐.

(1)

| 피자의 수(판) | 1 | 2 | 3 | …… |
|---|---|---|---|---|
| 조각의 수(조각) | 6 | 12 | ❶ | …… |

×6 ➔ **(피자의 수)×6=(조각의 수)**

(2)

| 피자의 수(판) | 1 | 2 | 3 | …… |
|---|---|---|---|---|
| 조각의 수(조각) | 6 | ❷ | ❸ | …… |

÷6 ➔ **(조각의 수)÷6=(피자의 수)**

정답 ❶ 18 ❷ 12 ❸ 18

## 개념 · 원리 확인

▶정답 및 풀이 12쪽

**1-1** □ 안에 알맞은 수를 써넣으세요.

달걀 한 판에 달걀이 10개씩 들어 있습니다.

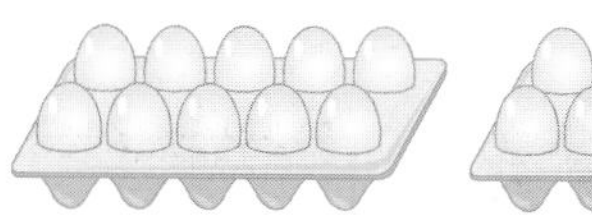
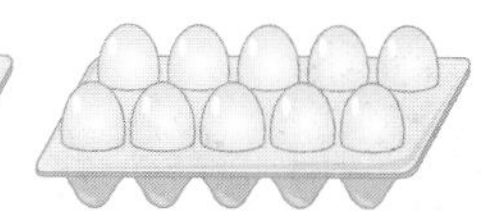

판의 수에 □을/를 곱하면 달걀의 수입니다.

➔ 식 (판의 수)×□=(달걀의 수)

**1-2** □ 안에 알맞은 수를 써넣으세요.

펭귄 한 마리의 다리는 2개입니다.

다리의 수를 □(으)로 나누면 펭귄의 수입니다.

➔ 식 (다리의 수)÷□=(펭귄의 수)

**[2-1 ~ 2-2] 표를 보고 주어진 카드를 사용하여 두 양 사이의 대응 관계를 식으로 나타내어 보세요.**

**2-1** 한 모둠의 학생 수는 3명입니다.

| 모둠의 수(개) | 1 | 2 | 3 | …… |
|---|---|---|---|---|
| 학생의 수(명) | 3 | 6 | 9 | …… |

학생의 수 | 모둠의 수 | × | = | 3

식 모둠의 수 □ □ = □

**2-2** 꽃병 한 개에 꽃이 2송이씩 꽂혀 있습니다.

| 꽃의 수(송이) | 2 | 4 | 6 | …… |
|---|---|---|---|---|
| 꽃병의 수(개) | 1 | 2 | 3 | …… |

꽃병의 수 | 꽃의 수 | = | ÷ | 2

식 □ □ □ = 꽃병의 수

**[3-1 ~ 3-2] 만화 영화를 상영하는 '시간'과 필요한 '그림의 수' 사이의 대응 관계를 식으로 나타내어 보세요.**

**3-1** 만화 영화를 1초 동안 상영하려면 그림이 30장 필요합니다.

식 =(그림의 수)

**3-2** 만화 영화를 1초 동안 상영하려면 그림이 45장 필요합니다.

식 (시간)×

# 대응 관계를 식으로 나타내기 (2)

## 교과서 기초 개념

• 대응 관계를 기호를 사용하여 식으로 나타내기

두 양 사이의 대응 관계를 식으로 간단하게 나타낼 때는
각 양을 ○, □, △, ☆ 등과 같은 기호로 표현할 수 있습니다.

㉮ 피자의 수와 조각의 수 사이의 대응 관계를 식으로 나타내기

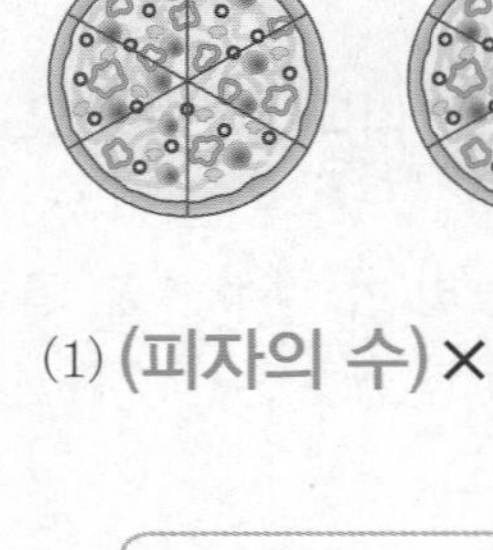
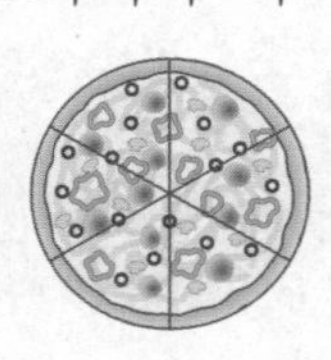
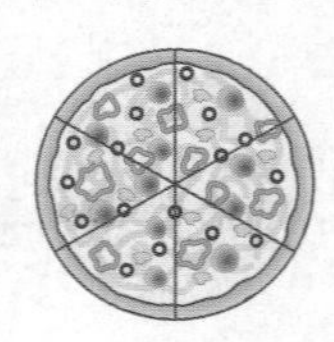
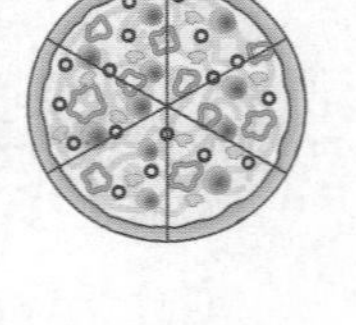

피자의 수를 ○, 조각의 수를 △라고 하여 식으로 나타내자.

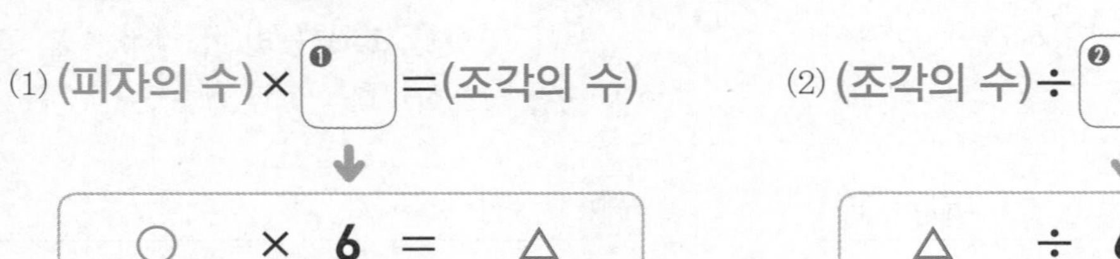

(1) (피자의 수)×❶□=(조각의 수)

↓

○ × 6 = △

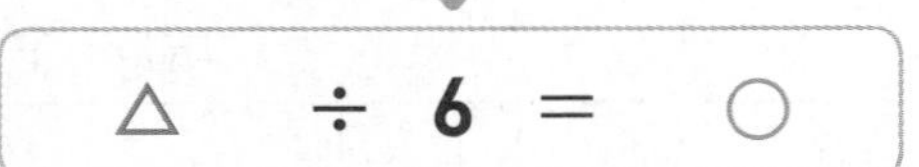

(2) (조각의 수)÷❷□=(피자의 수)

↓

△ ÷ 6 = ○

정답 ❶ 6 ❷ 6

## 개념 · 원리 확인

▶정답 및 풀이 12쪽

**1-1** 곰의 수를 □, 곰 다리의 수를 △라고 할 때, 두 양 사이의 대응 관계를 식으로 나타내어 보세요.

(곰의 수)×4=(곰 다리의 수)
➜ □×□=□

**1-2** 나비 날개의 수를 ○, 나비의 수를 ☆이라고 할 때, 두 양 사이의 대응 관계를 식으로 나타내어 보세요.

(나비 날개의 수)÷4=(나비의 수)
➜ □÷□=□

**2-1** 주희는 12살이고 동생은 9살입니다. 표를 완성하고, 주희의 나이를 △, 동생의 나이를 ○라고 할 때, 두 수 사이의 대응 관계를 기호를 사용하여 식으로 나타내어 보세요.

| 주희의 나이(살) | 12 | 13 | 14 | …… |
| --- | --- | --- | --- | --- |
| 동생의 나이(살) | 9 | | | …… |

식 ____________________ =○

**2-2** 2021년에 민수의 나이는 12살입니다. 표를 완성하고, 연도를 □, 민수의 나이를 △라고 할 때, 두 수 사이의 대응 관계를 기호를 사용하여 식으로 나타내어 보세요.

| 연도(년) | 2021 | 2022 | 2023 | …… |
| --- | --- | --- | --- | --- |
| 민수의 나이(살) | 12 | | | …… |

식 ____________________ =△

**3-1** 귤이 한 상자에 15개씩 들어 있습니다. 귤의 수를 ○, 상자의 수를 □라고 할 때, 두 수 사이의 대응 관계를 기호를 사용하여 식으로 나타내어 보세요.

식 ____________________ =○

식 ____________________ =□

**3-2** 지하철이 1초에 30 m씩 달립니다. 이동 거리를 □(m), 달린 시간을 ☆(초)이라고 할 때, 두 수 사이의 대응 관계를 기호를 사용하여 식으로 나타내어 보세요.

식 ____________________ =□

식 ____________________ =☆

3일

# 기초 집중 연습

## 기본 문제 연습

[1-1 ~ 1-2] 학교 복도 창문 한 개에 화분이 3개씩 놓여 있습니다. 물음에 답하세요.

**1-1** 창문의 수와 화분의 수 사이의 대응 관계를 보기 의 단어를 사용하여 식으로 나타내어 보세요.

보기
화분의 수, 창문의 수

식 ______________________

**1-2** 창문의 수를 ○, 화분의 수를 □라고 할 때, 두 수 사이의 대응 관계를 기호를 사용하여 식으로 나타내어 보세요.

식 ______________________

**2-1** 수지는 매달 5000원씩 저금을 하고 있습니다. 저금을 한 달수와 저금액 사이의 대응 관계를 기호를 사용하여 식으로 나타내어 보세요.

저금을 한 달수를 ☆, 저금액을 □(이)라고 할 때, 두 양 사이의 대응 관계를 기호를 사용하여 식으로 나타내면 □ 입니다.

**2-2** 색종이의 수와 누름 못의 수 사이의 대응 관계를 기호를 사용하여 식으로 나타내어 보세요.

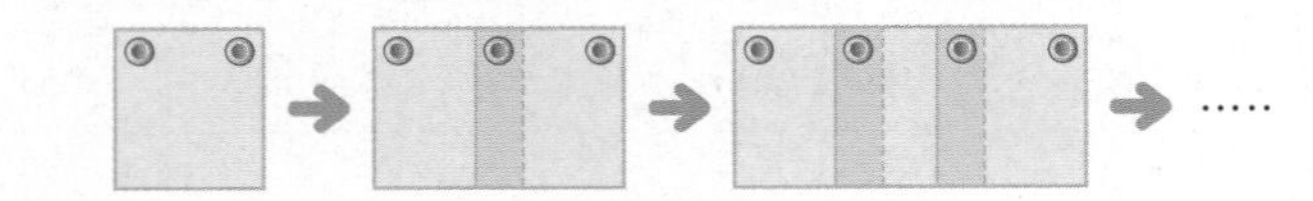

색종이의 수를 ○, 누름 못의 수를 □(이)라고 할 때, 두 양 사이의 대응 관계를 기호를 사용하여 식으로 나타내면 □ 입니다.

**3-1** 지우와 언니의 나이 사이의 대응 관계를 표로 나타낸 것입니다. 지우의 나이를 ☆, 언니의 나이를 △라고 할 때, 두 수 사이의 대응 관계를 기호를 사용하여 식으로 나타내어 보세요.

| 지우의 나이(살) | 10 | 11 | 13 | 15 | …… |
|---|---|---|---|---|---|
| 언니의 나이(살) | 14 | 15 | 17 | 19 | …… |

식 ______________________

**3-2** 의자와 탁자 수 사이의 대응 관계를 표로 나타낸 것입니다. 의자의 수를 ○, 탁자의 수를 □라고 할 때, 두 수 사이의 대응 관계를 기호를 사용하여 식으로 나타내어 보세요.

| 의자의 수(개) | 3 | 6 | 9 | 15 | …… |
|---|---|---|---|---|---|
| 탁자의 수(개) | 1 | 2 | 3 | 5 | …… |

식 ______________________

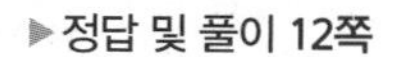

▶정답 및 풀이 12쪽

## 기초 → 기본 연습 두 사람이 말한 수 사이에 어떤 관계가 있는지 알아보자.

**기초** 두 수 ○와 □ 사이의 대응 관계를 기호를 사용하여 식으로 나타내어 보세요.

| ○ | 4 | 5 | 6 | …… |
|---|---|---|---|---|
| □ | 2 | 3 | 4 | …… |

식 ________________

**4-1** 종수가 말한 수를 ○, 혜지가 말한 수를 □라고 할 때, 종수와 혜지가 말한 두 수 사이의 대응 관계를 기호를 사용하여 식으로 나타내어 보세요.

| 종수가 말한 수 | 4 | 5 | 6 | 7 | …… |
|---|---|---|---|---|---|
| 혜지가 말한 수 | 2 | 3 | 4 | 5 | …… |

식 ________________

**4-2** 미라가 말한 수를 △, 석주가 말한 수를 ☆이라고 할 때, 미라와 석주가 말한 두 수 사이의 대응 관계를 기호를 사용하여 식으로 나타내어 보세요.

| 미라가 말한 수 | 8 | 10 | 12 | 14 | …… |
|---|---|---|---|---|---|
| 석주가 말한 수 | 4 | 5 | 6 | 7 | …… |

식 ________________

**4-3** 민호가 수를 말하면 로봇이 답하고 있습니다. 민호가 말한 수를 △, 로봇이 답한 수를 □라고 할 때, 민호와 로봇이 말한 두 수 사이의 대응 관계를 기호를 사용하여 식으로 나타내어 보세요.

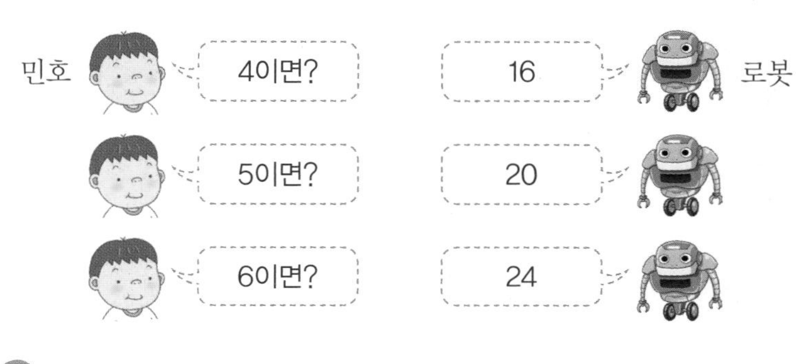


식 ________________

2주 3일

# 약분과 통분

## 크기가 같은 분수 만들기 (1)

### 교과서 기초 개념

• **곱셈을 이용하여 크기가 같은 분수 만들기**

분모와 분자에 각각 **0이 아닌 같은 수를 곱하면** 크기가 같은 분수가 됩니다.

예 $\frac{1}{4}$과 크기가 같은 분수 만들기

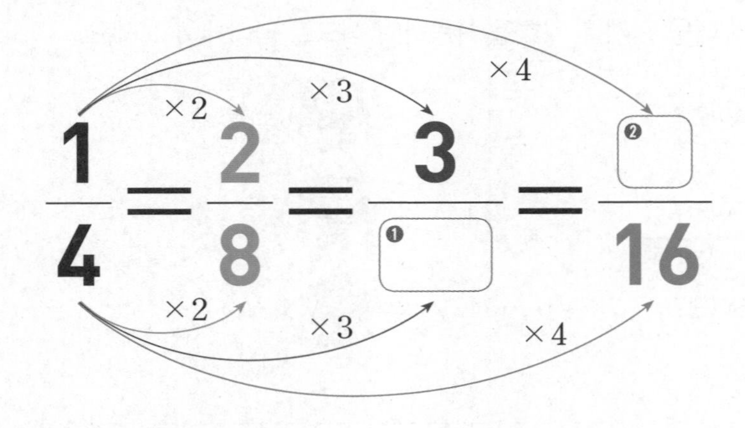

정답 ❶ 12 ❷ 4

▶정답 및 풀이 13쪽

[1-1 ~ 1-2] 그림을 보고 크기가 같은 분수가 되도록 □ 안에 알맞은 수를 써넣으세요.

**1-1**

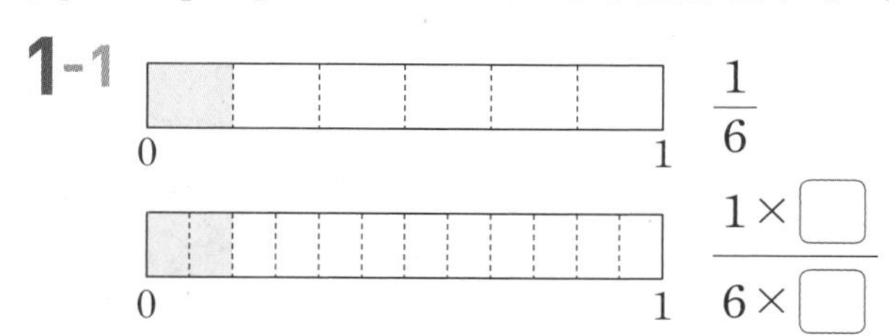


$\frac{1}{6}$

$\frac{1\times\square}{6\times\square}$

**1-2**

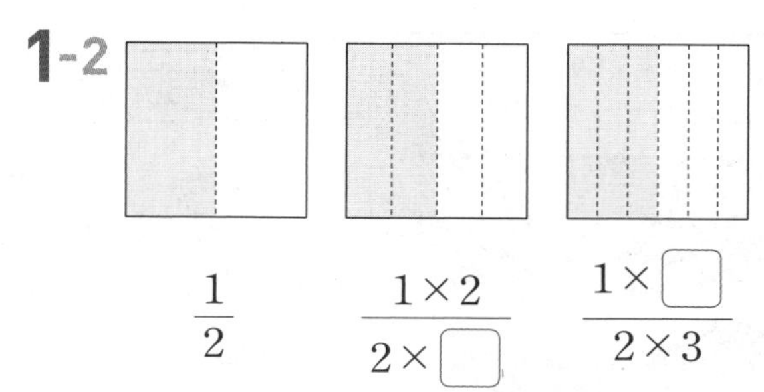

$\frac{1}{2}$ 　 $\frac{1\times2}{2\times\square}$ 　 $\frac{1\times\square}{2\times3}$

[2-1 ~ 2-2] 크기가 같은 분수를 만들려고 합니다. □ 안에 알맞은 수를 써넣으세요.

**2-1** $\frac{2}{3}=\frac{\square}{6}=\frac{\square}{\square}$ (분자: ×2, ×3 / 분모: ×2, ×3)

**2-2** $\frac{1}{5}=\frac{1\times2}{5\times\square}=\frac{1\times\square}{5\times3}$



**3-1** $\frac{5}{6}$와 크기가 같은 분수를 바르게 만든 것을 찾아 기호를 써 보세요.

| ㉠ $\frac{5\times9}{6\times9}$ | ㉡ $\frac{5\times0}{6\times0}$ |
|---|---|

(　　　　　　　　)

**3-2** $\frac{3}{4}$과 크기가 같은 분수를 바르게 만든 것을 찾아 ○표 하세요.

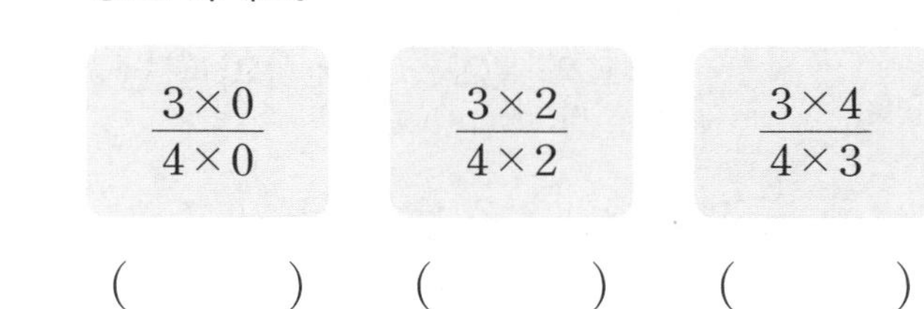


(　　) 　 (　　) 　 (　　)

[4-1 ~ 4-2] □ 안에 알맞은 수를 써넣어 크기가 같은 분수를 만들어 보세요.

**4-1** $\frac{3}{5}=\frac{\square}{10}=\frac{9}{\square}=\frac{\square}{20}$

**4-2** $\frac{2}{7}=\frac{4}{\square}=\frac{\square}{21}=\frac{\square}{28}$

# 약분과 통분 크기가 같은 분수 만들기 (2)

 교과서 기초 개념

• **나눗셈을 이용하여 크기가 같은 분수 만들기**

분모와 분자를 각각 **0이 아닌 같은 수로 나누면** 크기가 같은 분수가 됩니다.

예 $\frac{8}{32}$과 크기가 같은 분수 만들기

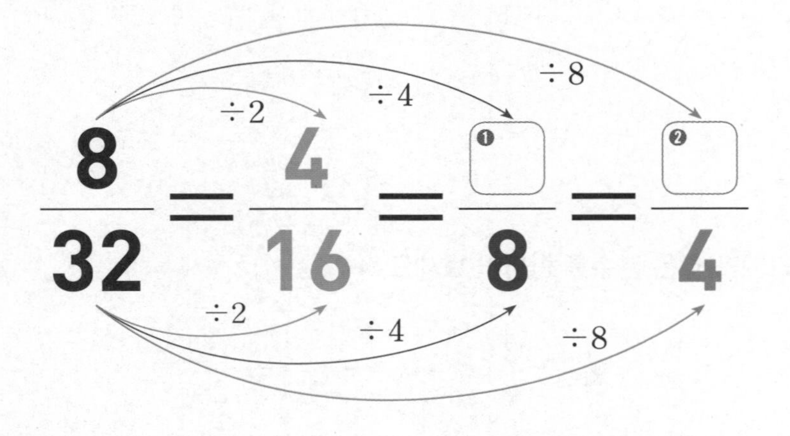


주의
수를 0으로 나눌 수 없으므로
분모와 분자를 각각 0이
아닌 수로 나누어야 해.

정답 ❶ 2 ❷ 1

▶정답 및 풀이 13쪽

[1-1 ~ 1-2] 그림을 보고 크기가 같은 분수가 되도록 □ 안에 알맞은 수를 써넣으세요.

**1-1**

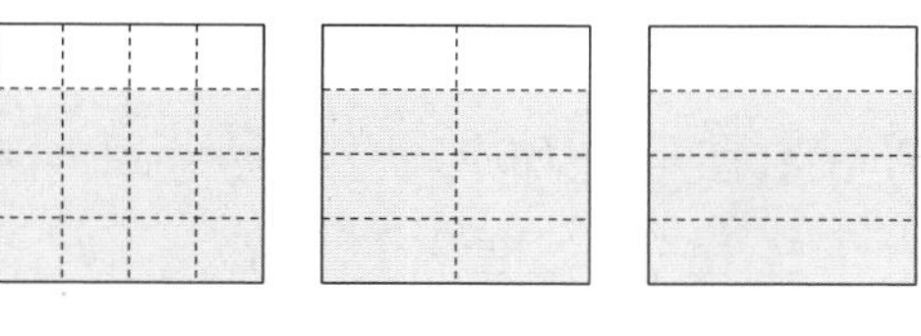

$$\frac{12}{16}=\frac{12\div 2}{16\div \square}=\frac{\square\div 4}{16\div 4}$$

**1-2**

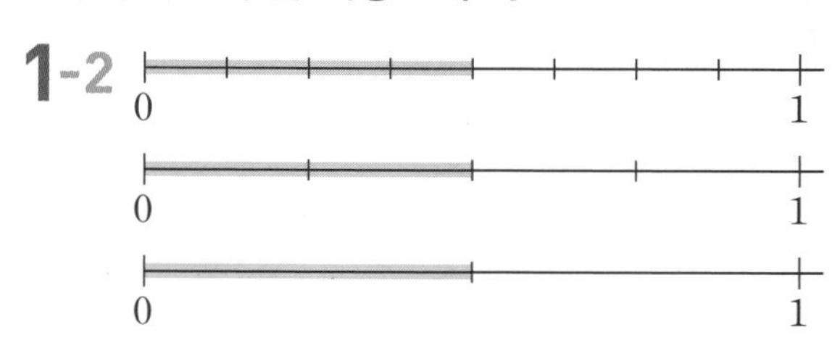


$$\frac{4}{8}=\frac{4\div \square}{8\div 2}=\frac{4\div 4}{8\div \square}$$

[2-1 ~ 2-2] 크기가 같은 분수를 만들려고 합니다. □ 안에 알맞은 수를 써넣으세요.

**2-1** $\frac{15}{30}=\frac{15\div \square}{30\div 5}=\square$

**2-2** $\frac{16}{40}=\frac{16\div 4}{40\div \square}=\square$

[3-1 ~ 3-2] 왼쪽 분수와 크기가 같은 분수를 만들려고 합니다. □ 안에 알맞은 수를 써넣으세요.

**3-1** $\frac{6}{8}$

$\frac{6}{8}=\frac{\square}{\square}$ (분자 $\div 2$, 분모 $\div 2$)

**3-2** $\frac{20}{32}$

$\frac{20}{32}=\frac{5}{\square}$ (분자 $\div \square$, 분모 $\div 4$)

**4-1** 왼쪽 분수와 크기가 같은 분수를 찾아 ○표 하세요.

| $\frac{25}{35}$ | $\frac{20}{30}$ $\frac{5}{7}$ |
|---|---|

**4-2** $\frac{12}{16}$와 크기가 같은 분수를 찾아 ○표 하세요.

$\frac{3}{4}$ $\frac{4}{8}$

4일

# 기초 집중 연습

## 기본 문제 연습

**1-1** 크기가 같은 분수를 만들어 보세요.

$\frac{3}{5}$

(　　　　　　　　)

**1-2** 분모와 분자를 각각 0이 아닌 같은 수로 나누어 크기가 같은 분수를 만들어 보세요.

$\frac{8}{10}$

(　　　　　　　　)

**2-1** 크기가 같은 분수끼리 짝 지어진 것을 찾아 ○표 하세요.

$\left(\frac{3}{6}, \frac{1}{3}\right)$　　$\left(\frac{1}{2}, \frac{5}{10}\right)$

(　　　)　　(　　　)

**2-2** 크기가 같은 분수끼리 짝 지어진 것을 찾아 기호를 써 보세요.

㉠ $\left(\frac{8}{12}, \frac{2}{3}\right)$　　㉡ $\left(\frac{4}{9}, \frac{8}{16}\right)$

(　　　　　　　　)

**3-1** 크기가 같은 분수를 찾아 이어 보세요.

$\frac{1}{2}$ •　　• $\frac{6}{18}$

$\frac{1}{3}$ •　　• $\frac{9}{18}$

　　　　• $\frac{12}{18}$

**3-2** 크기가 같은 분수를 찾아 이어 보세요.

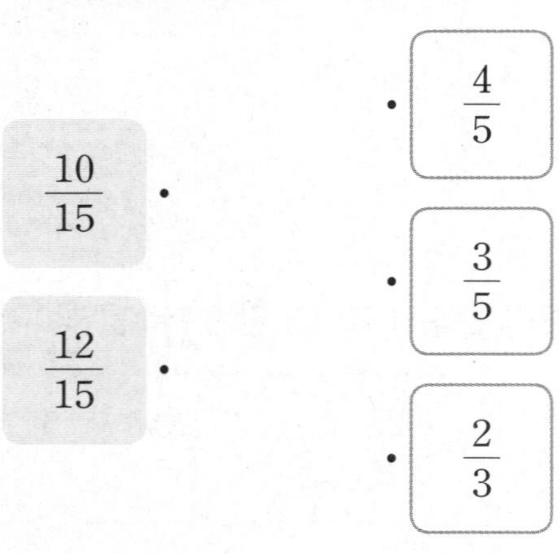

$\frac{10}{15}$ •　　• $\frac{4}{5}$

$\frac{12}{15}$ •　　• $\frac{3}{5}$

　　　　• $\frac{2}{3}$

▶정답 및 풀이 13쪽

## 기초 → 기본 연습 분모가 같도록 만들어 크기가 같은 분수를 구하자.

**기초** □ 안에 알맞은 수를 써넣으세요.

$$\frac{5}{6}=\frac{\square}{12}$$

**4-1** 설명하는 분수를 구해 보세요.

$\frac{5}{6}$와 크기가 같은 분수 중 분모가 12인 분수

답 ______________

**4-2** 설명하는 분수를 구해 보세요.

$\frac{4}{7}$와 크기가 같은 분수 중 분모가 35인 분수

답 ______________

**4-3** 수현이와 영탁이의 설명을 모두 만족하는 분수를 구해 보세요.

답 ______________

2주 4일

# 약분과 통분

## 분수를 간단하게 나타내기 (1)

헐, 열심히 했는데 아직도 $\frac{4}{8}=\frac{2}{4}$만큼 남았구나!

$$\frac{4}{8}=\frac{4\div 2}{8\div 2}=\frac{2}{4}$$

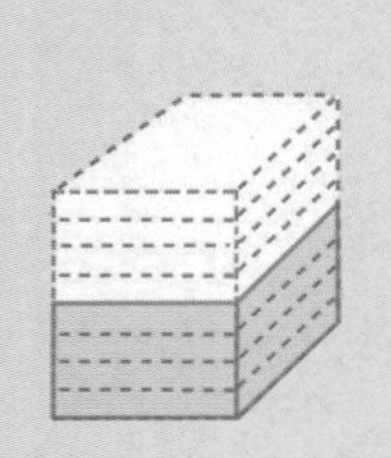

### 교과서 기초 개념

• **약분 알아보기**

**약분한다** : 분모와 분자를 공약수로 나누어 간단한 분수로 만드는 것

예 $\frac{4}{8}$ 약분하기

→ 분모와 분자의 공약수인 2로 나누기

$$\frac{4}{8}=\frac{4\div 2}{8\div 2}=\frac{2}{4}$$

→ $\frac{\overset{2}{\cancel{4}}}{\underset{4}{\cancel{8}}}=\frac{❶\square}{4}$

→ 분모와 분자의 공약수인 4로 나누기

$$\frac{4}{8}=\frac{4\div 4}{8\div 4}=\frac{1}{2}$$

→ $\frac{\overset{1}{\cancel{4}}}{\underset{2}{\cancel{8}}}=\frac{❷\square}{2}$

정답 ❶ 2 ❷ 1

## 개념 · 원리 확인

▶정답 및 풀이 14쪽

**1-1** □ 안에 알맞은 말을 써넣으세요.

분모와 분자를 공약수로 나누어 간단한 분수로 만드는 것을 □고 합니다.

**1-2** □ 안에 알맞은 말을 써넣으세요.

분모와 분자를 □로 나누어 간단한 분수로 만드는 것을 약분한다고 합니다.

**2-1** □ 안에 알맞은 수를 써넣어 약분해 보세요.

$\frac{12}{36}$

$\frac{12}{36}=\frac{12\div 6}{36\div \square}=\frac{\square}{\square}$

**2-2** □ 안에 알맞은 수를 써넣어 약분해 보세요.

$\frac{35}{42}$

$\frac{35}{42}=\frac{35\div \square}{42\div 7}=\frac{\square}{\square}$

**3-1** 약분하여 □ 안에 알맞은 수를 써넣으세요.

$\frac{12}{20}=\frac{\square}{10}$

**3-2** 약분하여 □ 안에 알맞은 수를 써넣으세요.

(1) $\frac{20}{30}=\frac{\square}{6}$  (2) $\frac{12}{18}=\frac{6}{\square}$

**4-1** 약분해 보세요.

$\frac{16}{40}$

(          )

**4-2** 약분해 보세요.

$\frac{24}{48}$

(          )

# 분수를 간단하게 나타내기 (2)

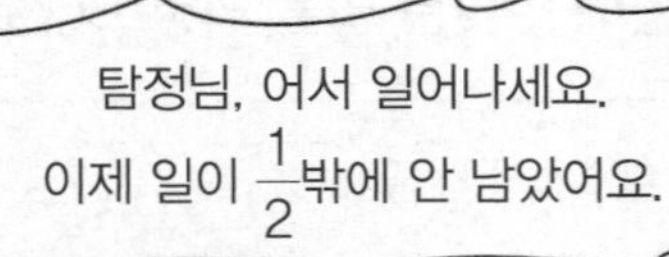

$$\frac{\overset{1}{\cancel{4}}}{\underset{2}{\cancel{8}}}=\frac{1}{2}$$

으휴~~ $\frac{4}{8}$를 기약분수로 나타내면
$\frac{1}{2}$이니 $\frac{2}{4}$나 $\frac{1}{2}$이나 같은 거지요.

## 교과서 기초 개념

• 기약분수 알아보기

기약분수 : 분모와 분자의 공약수가 1뿐인 분수

예 $\frac{10}{20}$을 기약분수로 나타내기

$$\frac{\overset{5}{\cancel{10}}}{\underset{10}{\cancel{20}}}=\frac{\overset{1}{\cancel{5}}}{\underset{2}{\cancel{10}}}=\frac{❶\square}{2} \longrightarrow \frac{\overset{1}{\cancel{10}}}{\underset{2}{\cancel{20}}}=\frac{❷\square}{2}$$

분모와 분자를
최대공약수인 10으로
한번에 나누기

기약분수로 나타낼 때
분모와 분자의 최대공약수로 나누면 편리해~

정답 ❶ 1 ❷ 1

▶정답 및 풀이 14쪽

[1-1 ~ 1-2] 기약분수로 나타내려고 합니다. ☐ 안에 알맞은 수를 써넣으세요.

**1-1** $\frac{21}{28}=\frac{21\div 7}{28\div \square}=\square$

**1-2** $\frac{24}{40}=\frac{24\div \square}{40\div 8}=\square$

[2-1 ~ 2-2] 왼쪽 분수를 기약분수로 나타내려고 합니다. ☐ 안에 알맞은 수를 써넣으세요.

**2-1** 20과 24의 최대공약수 : ☐

$\frac{20}{24}$ ➔ $\frac{20}{24}=\frac{20\div \square}{24\div \square}=\square$

**2-2** 36과 48의 최대공약수 : ☐

$\frac{36}{48}$ ➔ $\frac{36}{48}=\frac{36\div \square}{48\div \square}=\square$

**3-1** 기약분수로 나타내어 보세요.

$\frac{16}{20}=\frac{\square}{\square}$

**3-2** 기약분수로 나타내어 보세요.

$\frac{12}{30}$

(                    )

**4-1** 기약분수를 찾아 ○표 하세요.

$\frac{9}{18}$   $\frac{11}{16}$

(      )   (      )

**4-2** 기약분수를 찾아 ○표 하세요.

$\frac{6}{10}$   $\frac{7}{9}$   $\frac{8}{12}$

# 5일 기초 집중 연습

## 기본 문제 연습

**1-1** 약분한 분수를 모두 써 보세요.

$\frac{8}{12}$

(　　　　　　　　　　)

**1-2** 약분해 보세요.

$\frac{12}{38}$

(　　　　　　　　　　)

**2-1** 보기 와 같은 방법으로 기약분수로 나타내세요.

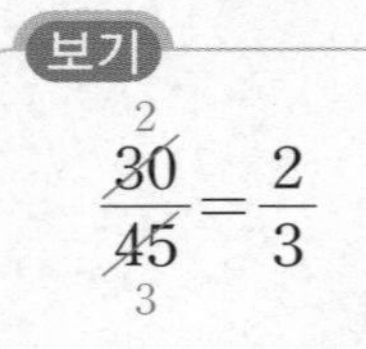

$\frac{8}{40}$

**2-2** 2-1의 보기 와 같은 방법으로 기약분수로 나타내세요.

(1) $\frac{18}{36}$　　(2) $\frac{20}{50}$

**3-1** $\frac{12}{36}$를 약분한 분수를 모두 찾아 ○표 하세요.

$\frac{5}{18}$　$\frac{4}{12}$　$\frac{3}{9}$　$\frac{3}{12}$

**3-2** $\frac{18}{24}$을 약분한 분수가 아닌 것을 모두 찾아 기호를 써 보세요.

㉠ $\frac{6}{8}$　㉡ $\frac{3}{6}$　㉢ $\frac{3}{4}$　㉣ $\frac{2}{3}$

(　　　　　　　　　　)

▶정답 및 풀이 15쪽

## 기초 → 기본 연습 기약분수로 나타낼 때에는 분모와 분자를 최대공약수로 나누자.

기초 기약분수로 나타내어 보세요.

$\frac{36}{40}$

답 ______________

기약분수로 나타내는 것은 어떤 상황에 이용될까요?

**4-1** 포도 한 송이의 무게는 몇 kg인지 기약분수로 나타내어 보세요.

$\frac{36}{40}$ kg

답 ______________

**4-2** 다람쥐의 몸무게는 몇 kg인지 기약분수로 나타내어 보세요.

내 몸무게는 $\frac{60}{64}$ kg이야.

답 ______________

**4-3** 끈의 길이는 몇 m인지 기약분수로 나타내어 보세요.

$\frac{28}{49}$ m

답 ______________

2주 5일

# 누구나 100점 맞는 테스트

**1** 크기가 같은 분수를 구하려고 합니다. □ 안에 알맞은 수를 써넣으세요.

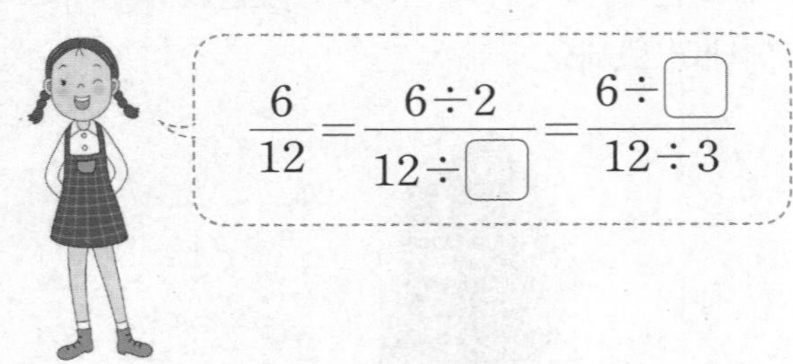

$$\frac{6}{12}=\frac{6\div 2}{12\div \square}=\frac{6\div \square}{12\div 3}$$

**2** 분수를 약분해 보세요.

$$\frac{12}{18}=\frac{\square}{9}$$

**3** 8과 10의 공배수를 찾아 ○표 하세요.

20　　30　　40

**4** 삼각형과 사각형으로 규칙적인 배열을 만들고 있습니다. 삼각형과 사각형의 수가 어떻게 변하는지 표를 완성해 보세요.

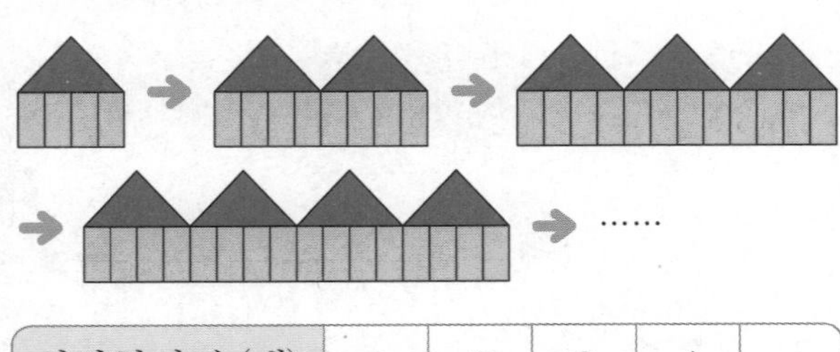

| 삼각형의 수(개) | 1 | 2 | 3 | 4 | …… |
|---|---|---|---|---|---|
| 사각형의 수(개) | 4 | | | | …… |

**5** 준수는 개미를 관찰하여 개미 1마리의 다리가 6개라는 것을 알았습니다. 개미와 개미 다리 수 사이의 대응 관계를 표로 나타내어 보세요.

| 개미의 수(마리) | 1 | 2 | 3 | 4 | …… |
|---|---|---|---|---|---|
| 다리의 수(개) | | | | | …… |

맞은 점수

/100점

▶ 정답 및 풀이 15쪽

**6** 기약분수를 모두 찾아 ○표 하세요.

$\frac{6}{9}$ $\frac{7}{10}$ $\frac{9}{12}$ $\frac{8}{15}$

**[7 ~ 8] 탁자의 수와 의자의 수 사이의 대응 관계를 알아보려고 합니다. 물음에 답하세요.**

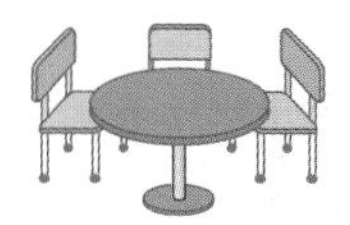 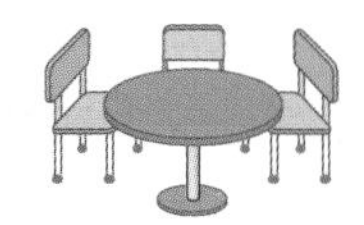 

**7** 탁자의 수와 의자의 수 사이의 대응 관계를 써 보세요.

의자의 수는 ____________________

____________________

**8** 탁자의 수를 ○, 의자의 수를 △라 할 때, 두 수 사이의 대응 관계를 기호를 사용하여 식으로 나타내어 보세요.

식 ____________________

**9** 다음 분수와 크기가 같은 분수 중에서 분모가 45인 분수를 구해 보세요.

$\frac{2}{9}$

(　　　　　　　　)

**10** 정우와 준희는 운동장 둘레를 따라 일정한 빠르기로 걷고 있습니다. 정우는 6분마다, 준희는 5분마다 운동장 둘레를 한 바퀴 돕니다. 두 사람이 출발점에서 같은 방향으로 동시에 출발할 때, 처음으로 다시 만나는 때는 몇 분 후인가요?

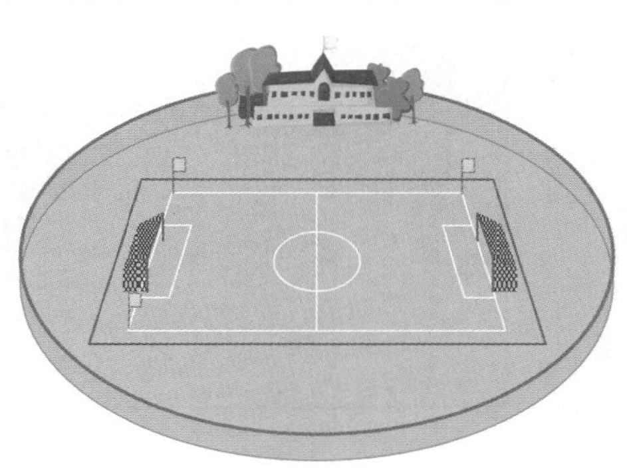

정우: 난 6분마다 운동장 둘레를 한 바퀴 돌아.

준희: 난 5분마다 한 바퀴 돌아.

(　　　　　　　　)

2주 평가

# 특강 창의·융합·코딩

 선생님께서  수희,  정아,  윤수의 자리를 바꾸려고 합니다.

수희, 정아, 윤수가 앉은 자리를 찾아
☐ 안에 이름을 써 봐~

▶정답 및 풀이 16쪽

# 반려동물과 산책은 즐거워!

  창수,  민희,  희지는 반려동물과 공원으로 산책을 나왔어요.

| 반려동물 \ 이름 | 창수 | 민희 | 희지 |
|---|---|---|---|
| 고양이 | | × | |
| 검정색 강아지 | | ○ | |
| 흰색 강아지 | | × | |

답 창수의 반려동물 : ________________

그림을 그린 종이를 빠르게 넘기면 움직이는 그림처럼 보이게 됩니다. 주희는 만화 한 장면을 만들기 위해 그림을 6장 그렸습니다. 만화 5장면을 만들려면 그림을 몇 장 그려야 하나요?

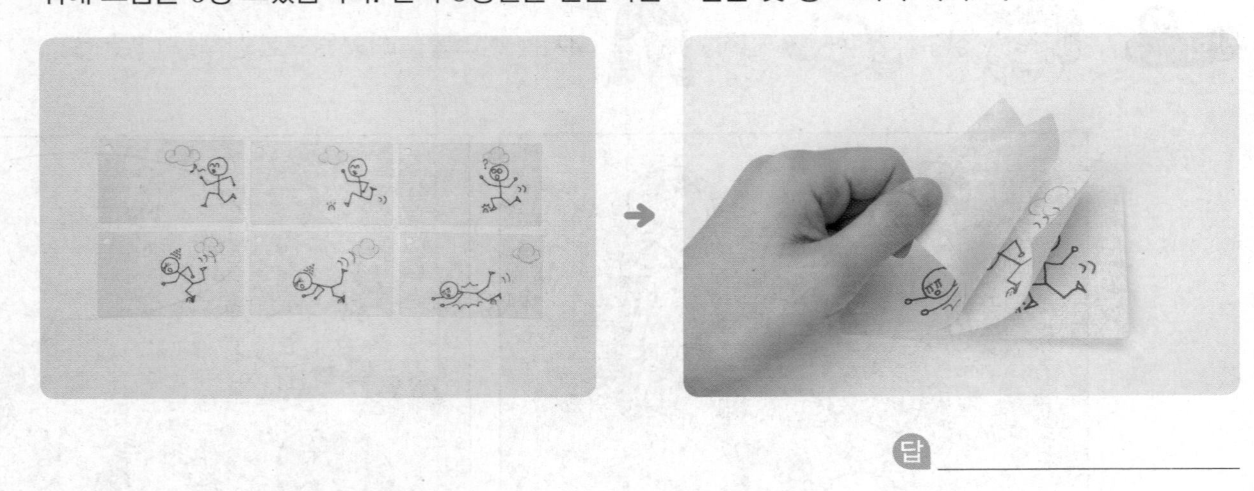

답 ______________

정우가 좋아하는 수를 구해 보세요.

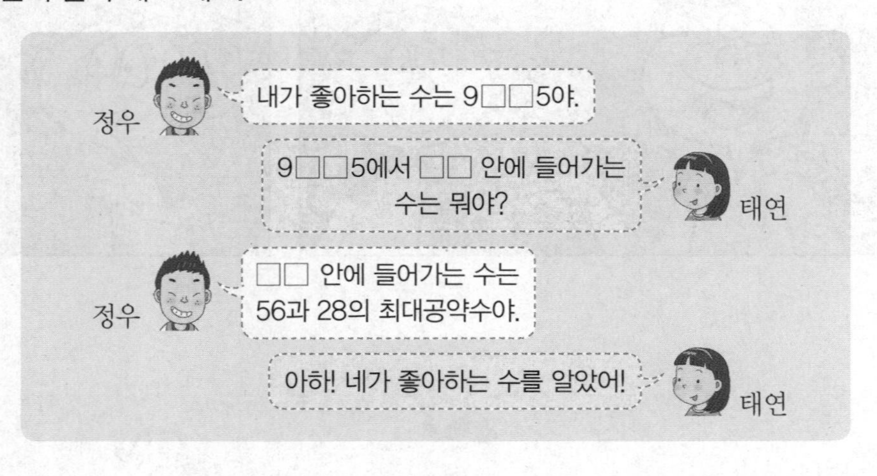


답 ______________

▶정답 및 풀이 16쪽

나팔꽃은 쌍떡잎식물입니다. 나팔꽃 씨앗의 수를 ○, 떡잎의 수를 △라고 할 때, 두 수 사이의 대응 관계를 기호를 사용하여 식으로 나타내어 보세요.

〈나팔꽃〉

 식 ______________________

로봇이 말한 규칙에 따라 선분을 그어 모양을 완성해 보세요.

1. 가로의 점과 세로의 점을 선분으로 이어요.
2. 가로의 점에 쓰인 수보다 세로의 점에 쓰인 수가 2만큼 더 큰 수를 찾아 선분으로 이어요.

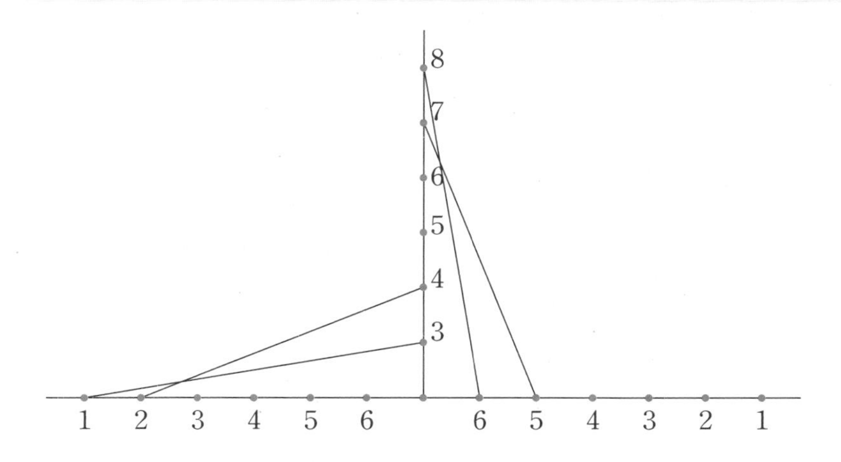


2주
특강

창의 7 로봇의 배에 초콜릿을 넣으면 다음과 같이 초콜릿의 수가 바뀌어서 나옵니다. 로봇의 배에 초콜릿을 6개 넣으면 몇 개가 나오는지 구해 보세요.

답 ____________

창의 8 사다리를 타고 내려가 빈칸에 기약분수로 나타내어 보세요.

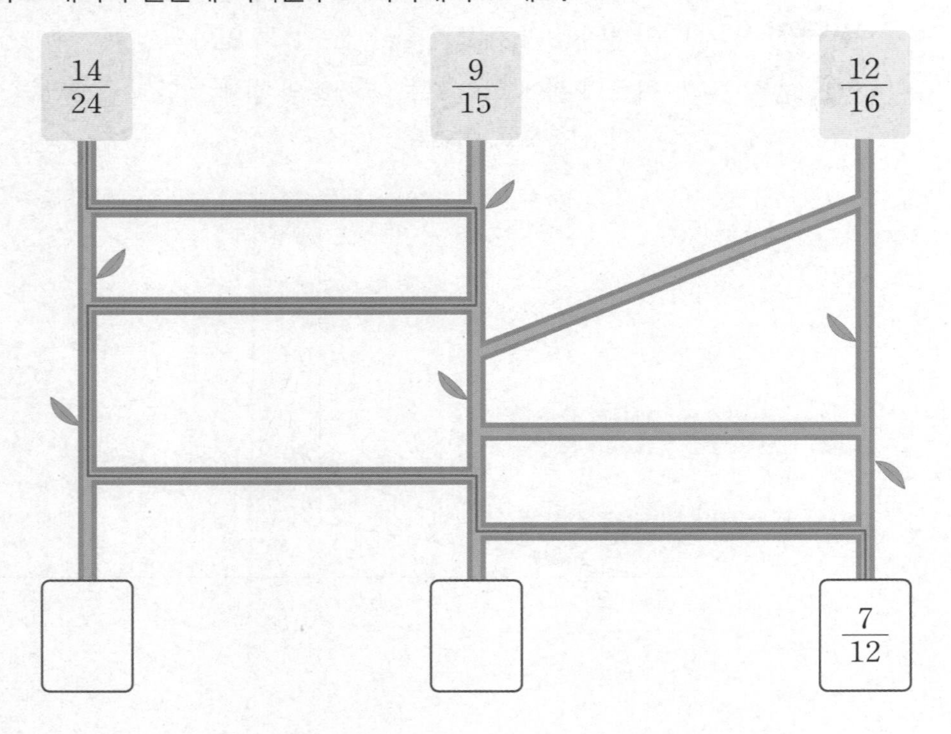

▶정답 및 풀이 16쪽

[9~10] 화살표를 따라 이동하면서 크기가 같은 분수를 만들려고 합니다. 규칙 에 따라 크기가 같은 분수를 만들어 보세요.

규칙
- → 분모와 분자에 각각 2를 곱합니다.
- ← 분모와 분자를 각각 2로 나눕니다.
- ↓ 분모와 분자에 각각 4를 곱합니다.
- ↑ 분모와 분자를 각각 4로 나눕니다.

코딩 9

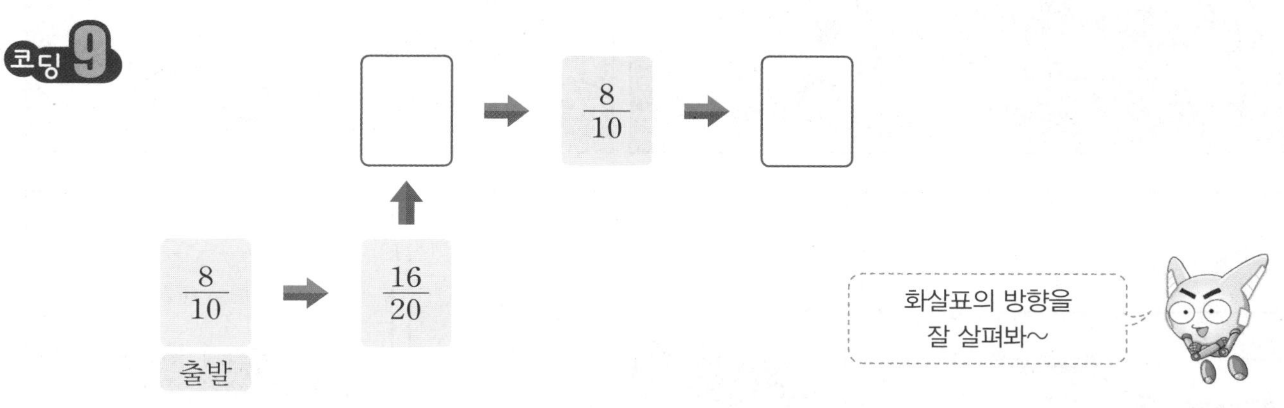


코딩 10

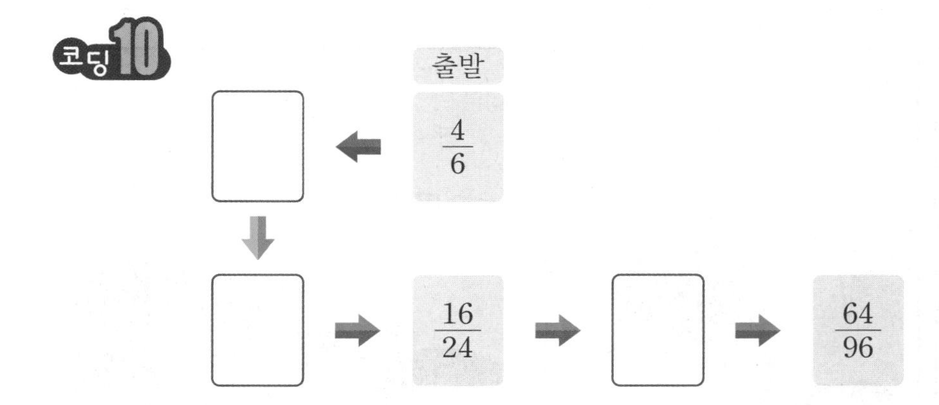

# 약분과 통분 ~분수의 덧셈과 뺄셈

# 이번 주에는 무엇을 공부할까?①

1일 통분하기
2일 분수의 크기, 분수와 소수의 크기 비교하기
3일 진분수의 덧셈
4일 대분수의 덧셈, 진분수의 뺄셈
5일 대분수의 뺄셈

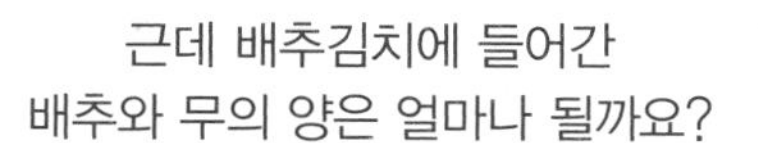

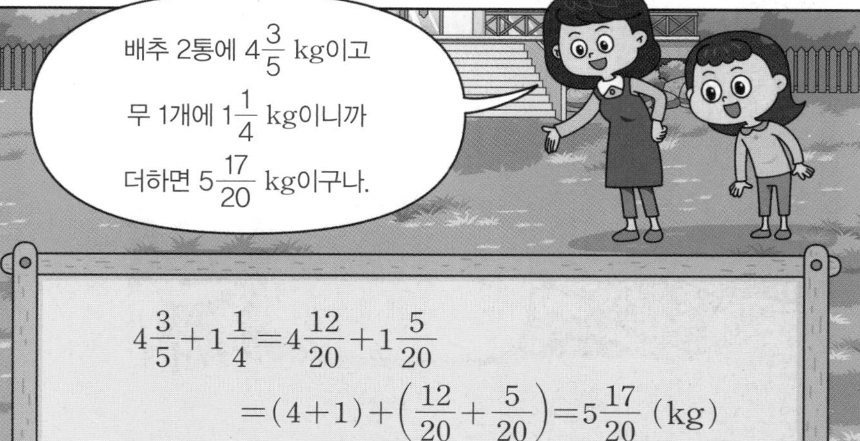

# 이번 주에는 무엇을 공부할까? ②

## 3-1 분수와 소수

분모가 같은 분수의 크기를 비교할 때에는 분자의 크기를 비교해~

분모가 같은 분수는 분자가 클수록 더 큰 분수야.

**1-1** 두 분수의 크기를 비교하여 ○ 안에 $>$, $=$, $<$를 알맞게 써넣으세요.

$$\frac{1}{7} \bigcirc \frac{3}{7}$$

**1-2** 두 분수의 크기를 비교하여 ○ 안에 $>$, $=$, $<$를 알맞게 써넣으세요.

$$\frac{7}{9} \bigcirc \frac{4}{9}$$

**2-1** 가장 큰 분수를 찾아 쓰세요.

$\frac{1}{8}$ $\frac{1}{6}$ $\frac{1}{3}$ $\frac{1}{5}$

(　　　　　　　)

**2-2** 가장 작은 분수를 찾아 쓰세요.

$\frac{1}{10}$ $\frac{1}{6}$ $\frac{1}{2}$ $\frac{1}{9}$

(　　　　　　　)

## 3-1 분수와 소수

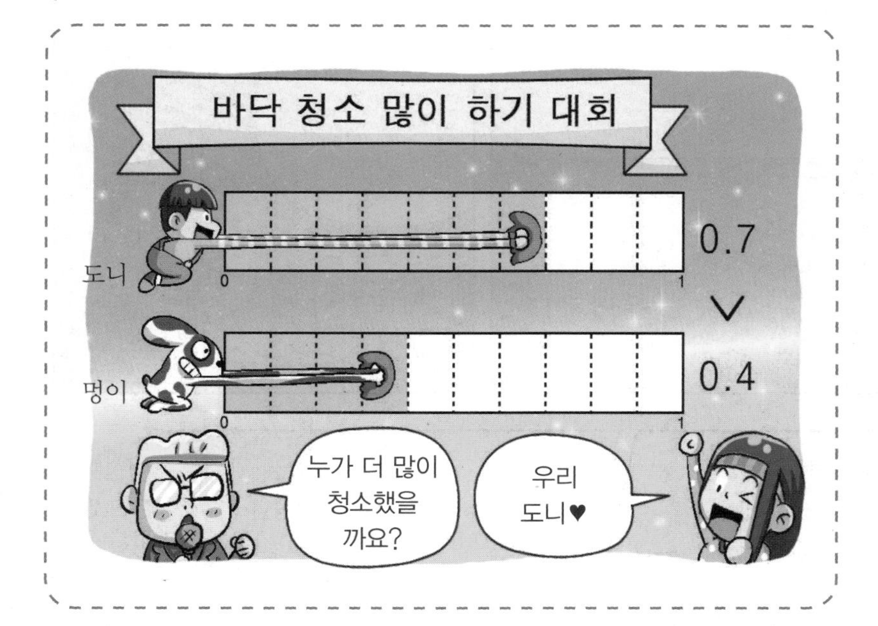


자연수 부분이 다른 소수는 자연수 부분이 클수록 더 큰 소수야.

자연수 부분이 같은 소수는 소수점 오른쪽의 수가 클수록 더 큰 소수야.



**3-1** 2.5와 3.4의 크기를 비교하려고 합니다. □ 안에 알맞은 수를 써넣으세요.

2.5는 0.1이 □개이고

3.4는 0.1이 □개이므로

2.5와 3.4 중에서 더 큰 소수는 □입니다.

**3-2** 6.3과 6.8의 크기를 비교하려고 합니다. □ 안에 알맞은 수를 써넣으세요.

6.3은 0.1이 □개이고

6.8은 0.1이 □개이므로

6.3과 6.8 중에서 더 작은 소수는 □입니다.

**4-1** 더 큰 수의 기호를 써 보세요.

㉠ $\frac{1}{10}$이 4개인 수

㉡ 0.7

(　　　　　　)

**4-2** 더 작은 수의 기호를 써 보세요.

㉠ $\frac{1}{10}$이 15개인 수

㉡ 1.2

(　　　　　　)

# 통분하기 (1)

- 용의자 1:
  $4\frac{1}{5}$시$=4\frac{12}{60}$시$=$4시 12분
- 용의자 2:
  $4\frac{5}{12}$시$=4\frac{25}{60}$시$=$4시 25분

## 교과서 기초 개념

- **두 분모의 곱을 공통분모로 통분하기**

**통분한다**: 분수의 분모를 같게 하는 것
**공통분모**: 통분한 분모

예 $\frac{2}{3}$와 $\frac{3}{4}$ 통분하기

$$\frac{2}{3}=\frac{2\times4}{3\times4}=\frac{8}{12}$$

$$\frac{3}{4}=\frac{3\times3}{4\times3}=\frac{❶\square}{12}$$

$$\rightarrow \left(\frac{8}{12}, \frac{❷\square}{12}\right)$$

정답 ❶ 9 ❷ 9

▶정답 및 풀이 17쪽

[1-1 ~ 1-2] 분수만큼 색칠해 보고 □ 안에 알맞은 수를 써넣으세요.

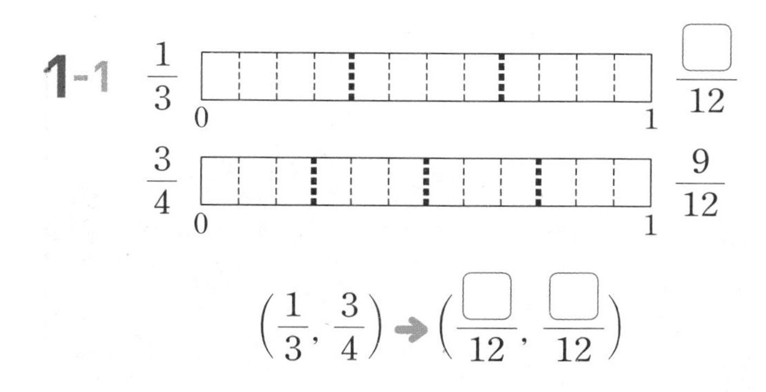

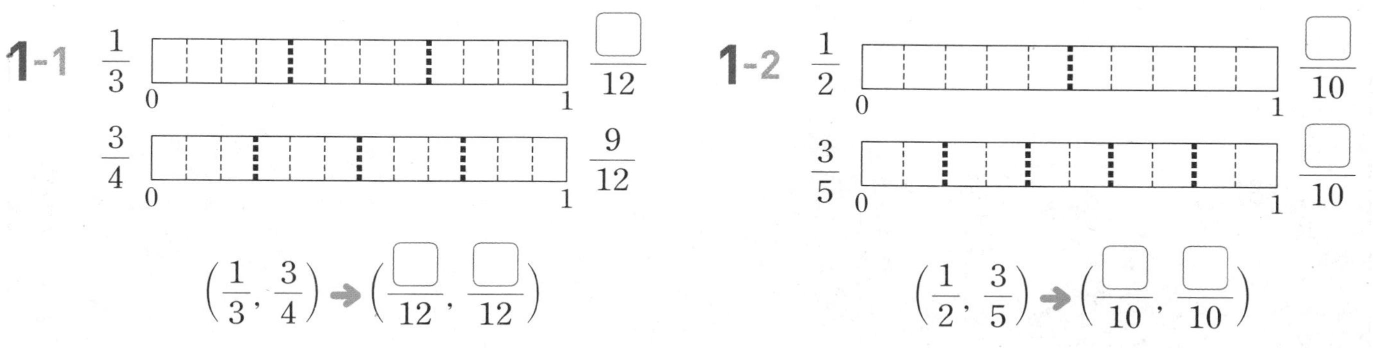

**1-1** $\frac{1}{3}$ → $\frac{\square}{12}$, $\frac{3}{4}$ → $\frac{9}{12}$

$\left(\frac{1}{3}, \frac{3}{4}\right) \rightarrow \left(\frac{\square}{12}, \frac{\square}{12}\right)$

**1-2** $\frac{1}{2}$ → $\frac{\square}{10}$, $\frac{3}{5}$ → $\frac{\square}{10}$

$\left(\frac{1}{2}, \frac{3}{5}\right) \rightarrow \left(\frac{\square}{10}, \frac{\square}{10}\right)$

[2-1 ~ 2-2] 두 분모의 곱을 공통분모로 하여 통분하려고 합니다. □ 안에 알맞은 수를 써넣으세요.

**2-1** $\frac{2}{3}, \frac{5}{6}$

$\frac{2}{3}=\frac{2\times\square}{3\times6}=\frac{\square}{18}$, $\frac{5}{6}=\frac{5\times3}{6\times3}=\frac{\square}{18}$

**2-2** $\frac{2}{5}, \frac{3}{8}$

$\frac{2}{5}=\frac{2\times8}{5\times\square}=\frac{\square}{40}$, $\frac{3}{8}=\frac{3\times\square}{8\times5}=\frac{\square}{40}$

[3-1 ~ 3-2] 두 분모의 곱을 공통분모로 하여 통분해 보세요.

**3-1** $\left(\frac{1}{4}, \frac{2}{7}\right) \rightarrow ($ , $)$

**3-2** $\left(\frac{7}{9}, \frac{5}{6}\right) \rightarrow ($ , $)$

**4-1** $\left(\frac{3}{5}, \frac{5}{8}\right)$를 두 분모의 곱을 공통분모로 하여 바르게 통분한 것에 ○표 하세요.

$\left(\frac{24}{40}, \frac{25}{40}\right)$ ( )

$\left(\frac{45}{80}, \frac{50}{80}\right)$ ( )

**4-2** $\left(\frac{1}{6}, \frac{3}{10}\right)$을 두 분모의 곱을 공통분모로 하여 바르게 통분한 것에 ○표 하세요.

$\left(\frac{5}{30}, \frac{10}{30}\right)$ ( )

$\left(\frac{10}{60}, \frac{18}{60}\right)$ ( )

# 통분하기 (2)

탐정님, 첫째 아들에게는 밭의 $\frac{4}{9}$를, 둘째 아들에게는 밭의 $\frac{8}{15}$을 주기로 했는데…….

첫째 아들은 밭의 $\frac{20}{45}$만큼, 둘째 아들은 밭의 $\frac{24}{45}$만큼을 받기로 한 것이 맞습니다.

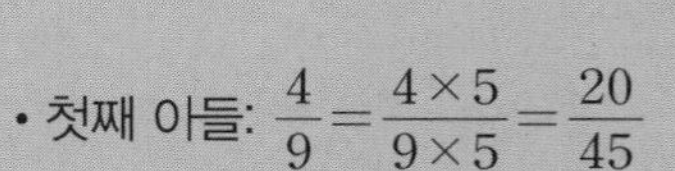

- 첫째 아들: $\frac{4}{9}=\frac{4\times5}{9\times5}=\frac{20}{45}$
- 둘째 아들: $\frac{8}{15}=\frac{8\times3}{15\times3}=\frac{24}{45}$

## 교과서 기초 개념

- **두 분모의 최소공배수를 공통분모로 통분하기**

예 $\frac{3}{4}$과 $\frac{5}{6}$ 통분하기

두 분모를 같게 하려면 **4와 6의 공배수**를 공통분모로 해야 해.

공배수 중에서 가장 작은 수인 **최소공배수**를 공통분모로 하면 편리해.

① 4와 6의 최소공배수: **12**

② $\frac{3}{4}=\frac{3\times3}{4\times3}=\frac{9}{12}$

$\frac{5}{6}=\frac{5\times2}{6\times2}=\frac{❶\square}{12}$

→ $\left(\frac{9}{12}, \frac{❷\square}{12}\right)$

정답 ❶ 10 ❷ 10

▶정답 및 풀이 17쪽

[1-1 ~ 1-2] 분수만큼 색칠해 보고 □ 안에 알맞은 수를 써넣으세요.

1-1

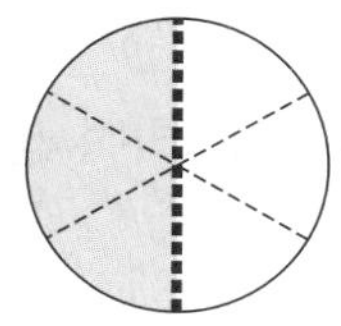

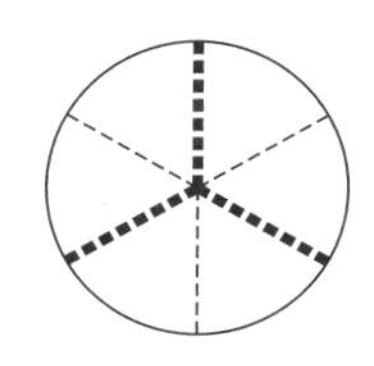

$\frac{1}{2}=\frac{3}{6}$ $\frac{2}{3}=\frac{\square}{6}$

$\left(\frac{1}{2}, \frac{2}{3}\right) \rightarrow \left(\frac{3}{6}, \frac{\square}{6}\right)$

1-2

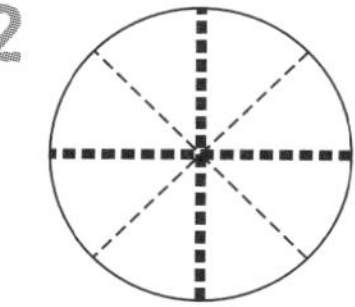

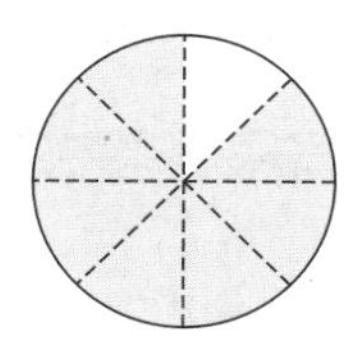

$\frac{3}{4}=\frac{\square}{8}$ $\frac{7}{8}$

$\left(\frac{3}{4}, \frac{7}{8}\right) \rightarrow \left(\frac{\square}{8}, \frac{7}{8}\right)$

[2-1 ~ 2-2] 두 분모의 최소공배수를 공통분모로 하여 통분하려고 합니다. □ 안에 알맞은 수를 써넣으세요.

2-1 $\frac{1}{6}, \frac{4}{9}$

$\frac{1}{6}=\frac{1\times 3}{6\times \square}=\frac{\square}{18}, \frac{4}{9}=\frac{4\times \square}{9\times 2}=\frac{\square}{18}$

2-2 $\frac{1}{8}, \frac{3}{20}$

$\frac{1}{8}=\frac{1\times \square}{8\times 5}=\frac{\square}{40}, \frac{3}{20}=\frac{3\times 2}{20\times \square}=\frac{\square}{40}$

3-1 $\frac{5}{6}$와 $\frac{7}{8}$을 통분하려고 합니다. 공통분모가 될 수 있는 수 중에서 가장 작은 수를 써 보세요.

( )

3-2 $\frac{1}{12}$과 $\frac{3}{16}$을 통분하려고 합니다. 공통분모가 될 수 있는 수 중에서 가장 작은 수를 써 보세요.

( )

[4-1 ~ 4-2] 두 분모의 최소공배수를 공통분모로 하여 통분해 보세요.

4-1 $\left(\frac{3}{8}, \frac{5}{12}\right) \rightarrow$ ( , )

4-2 $\left(\frac{2}{9}, \frac{4}{15}\right) \rightarrow$ ( , )

1일

# 기초 집중 연습

## 기본 문제 연습

**1-1** 두 분모의 곱을 공통분모로 하여 통분해 보세요.

$\left(\frac{4}{5}, \frac{2}{3}\right) \rightarrow \left( \qquad , \qquad \right)$

**1-2** 두 분모의 최소공배수를 공통분모로 하여 통분해 보세요.

$\left(\frac{3}{4}, \frac{11}{20}\right) \rightarrow \left( \qquad , \qquad \right)$

**2-1** $\frac{1}{3}$과 $\frac{2}{7}$를 통분할 때, 공통분모가 될 수 없는 수에 △표 하세요.

21 35 42

**2-2** $\frac{3}{4}$과 $\frac{5}{6}$를 통분할 때, 공통분모가 될 수 없는 수에 △표 하세요.

24 18 12

**[3-1 ~ 3-2]** 두 분수를 다음과 같이 통분하였습니다. ㉠에 알맞은 수를 써 보세요.

**3-1** $\left(\frac{3}{4}, \frac{7}{9}\right) \rightarrow \left(\frac{㉠}{36}, \frac{28}{36}\right)$

( )

**3-2** $\left(\frac{1}{6}, \frac{2}{15}\right) \rightarrow \left(\frac{5}{30}, \frac{㉠}{30}\right)$

( )

**4-1** 두 분수를 통분하려고 합니다. 공통분모가 될 수 있는 수 중에서 50보다 작은 수를 모두 찾아 쓰세요.

$\left(\frac{1}{2}, \frac{3}{5}\right)$

( )

**4-2** 두 분수를 통분하려고 합니다. 공통분모가 될 수 있는 수 중에서 100보다 작은 수를 모두 찾아 쓰세요.

$\left(\frac{5}{8}, \frac{7}{10}\right)$

( )

▶정답 및 풀이 18쪽

## 기초 → 문장제 연습 두 분모의 곱 또는 최소공배수를 공통분모로 하여 통분하자.

**기초** 두 분모의 곱을 공통분모로 하여 통분해 보세요.

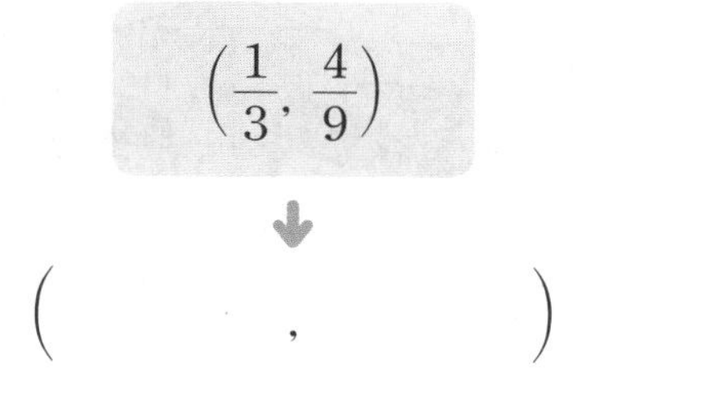

$\left(\frac{1}{3}, \frac{4}{9}\right)$

↓

( , )

**5-1** 은비와 소희가 마신 주스의 양을 두 분모의 곱을 공통분모로 하여 통분해 보세요.

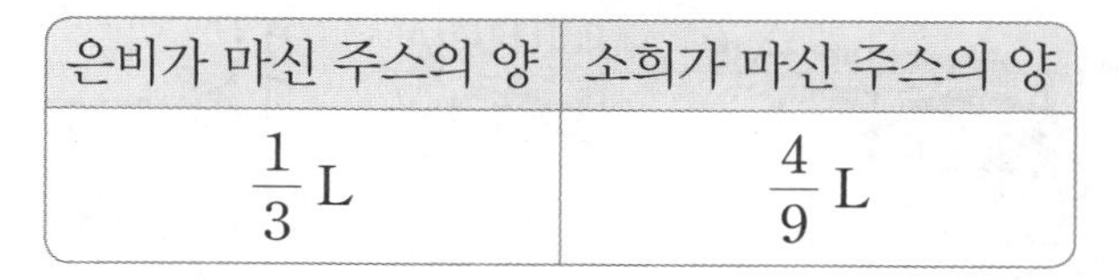

| 은비가 마신 주스의 양 | 소희가 마신 주스의 양 |
|---|---|
| $\frac{1}{3}$ L | $\frac{4}{9}$ L |

답 은비 ________ L

소희 ________ L

**5-2** 지우와 승기가 먹고 남은 피자의 양입니다. 두 사람이 먹고 남은 피자의 양을 두 분모의 최소공배수를 공통분모로 하여 통분해 보세요.

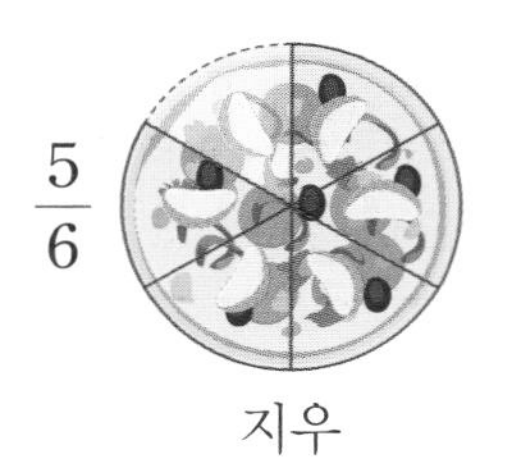

$\frac{5}{6}$

지우

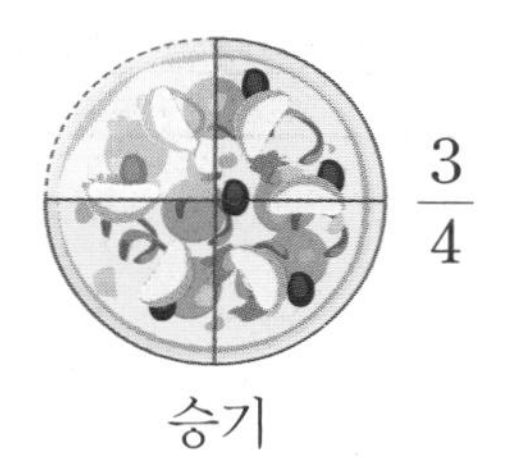

$\frac{3}{4}$

승기

답 지우 ________, 승기 ________

**5-3** 윤수와 아라는 $\frac{3}{8}$과 $\frac{7}{10}$을 통분하려고 합니다. 두 사람의 설명대로 두 분수를 통분해 보세요.

윤수

난 **두 분모의 곱**을 공통분모로 하여 통분할 거야.

아라

난 **두 분모의 최소공배수**를 공통분모로 하여 통분해야지.

답 윤수 ________, ________

아라 ________, ________

3주 1일

# 2일 약분과 통분

## 분수의 크기 비교하기

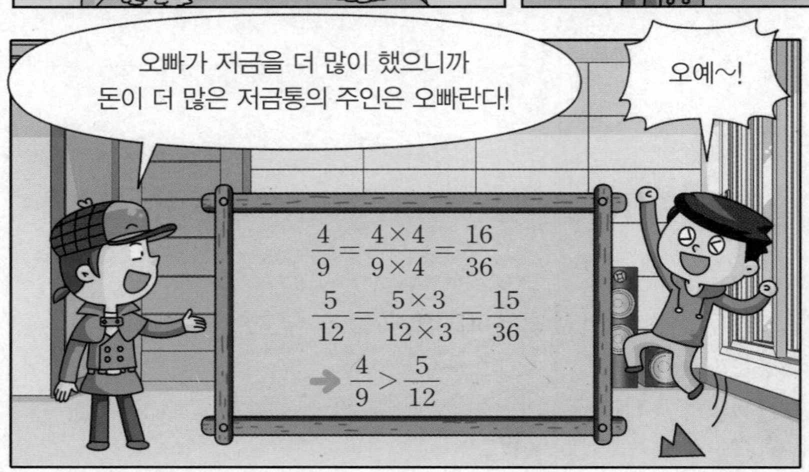

### 교과서 기초 개념

**• 분수의 크기 비교하기**

예 $\frac{1}{3}$과 $\frac{2}{5}$의 크기 비교

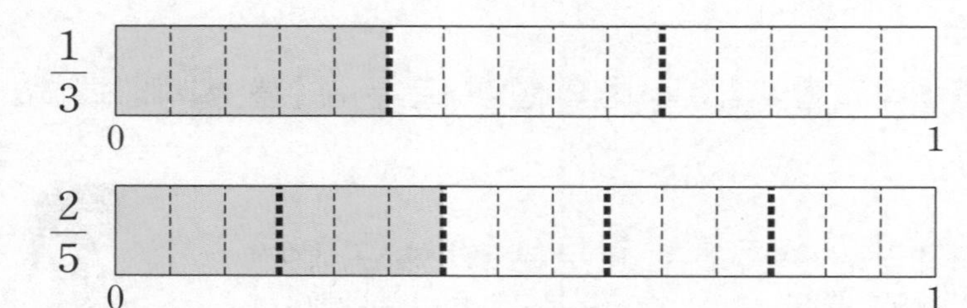


$$\frac{1}{3}=\frac{1\times5}{3\times5}=\frac{5}{15}$$

$$\frac{2}{5}=\frac{2\times3}{5\times3}=\frac{6}{15}$$

➔ $\frac{1}{3}$ ❶ ◯ $\frac{2}{5}$

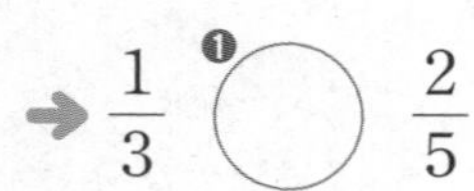

그림에서 분수 막대의 색칠한 부분의 길이가 더 긴 분수가 더 큰 분수야.

두 분수를 통분하여 분모를 같게하면 **분자의 크기만 비교**하면 돼~

정답 ❶ <

## 개념 · 원리 확인

공부한 날 월 일

▶정답 및 풀이 18쪽

[1-1 ~ 1-2] 그림을 보고 ◯ 안에 $>$, $=$, $<$를 알맞게 써넣으세요.

**1-1**

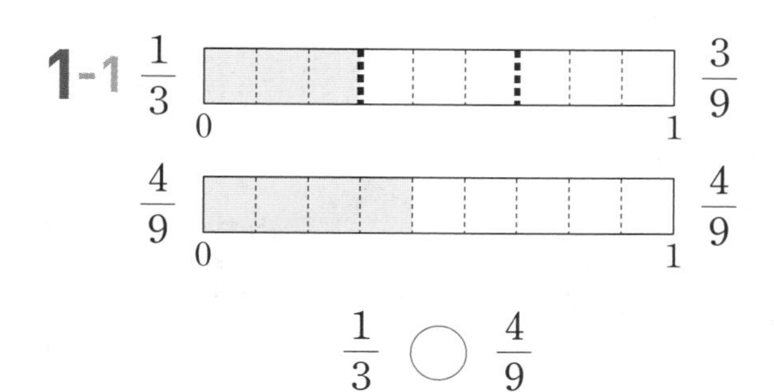


$\frac{1}{3}$ ◯ $\frac{4}{9}$

**1-2** $\frac{3}{4}$ (0 ~ 1) $\frac{6}{8}$

$\frac{5}{8}$ (0 ~ 1) $\frac{5}{8}$

$\frac{3}{4}$ ◯ $\frac{5}{8}$

[2-1 ~ 2-2] ▢ 안에 알맞은 수를 써넣고, 두 분수의 크기를 비교해 보세요.

**2-1** $\frac{2}{5}=\frac{2\times7}{5\times7}=\frac{\square}{35}$

$\frac{3}{7}=\frac{3\times\square}{7\times5}=\frac{\square}{35}$

➔ $\frac{2}{5}$ ◯ $\frac{3}{7}$

**2-2** $\frac{1}{6}=\frac{1\times\square}{6\times5}=\frac{\square}{30}$

$\frac{3}{10}=\frac{3\times\square}{10\times3}=\frac{\square}{30}$

➔ $\frac{1}{6}$ ◯ $\frac{3}{10}$

**3-1** 두 분모의 곱을 공통분모로 하여 통분한 후 두 분수의 크기를 비교해 보세요.

$\left(\frac{5}{6}, \frac{7}{9}\right)$ ➔ ( , )

$\frac{5}{6}$ ◯ $\frac{7}{9}$

**3-2** 두 분모의 최소공배수를 공통분모로 하여 통분한 후 두 분수의 크기를 비교해 보세요.

$\left(\frac{2}{5}, \frac{7}{15}\right)$ ➔ ( , )

$\frac{2}{5}$ ◯ $\frac{7}{15}$

**4-1** 더 큰 분수를 빈칸에 써넣으세요.

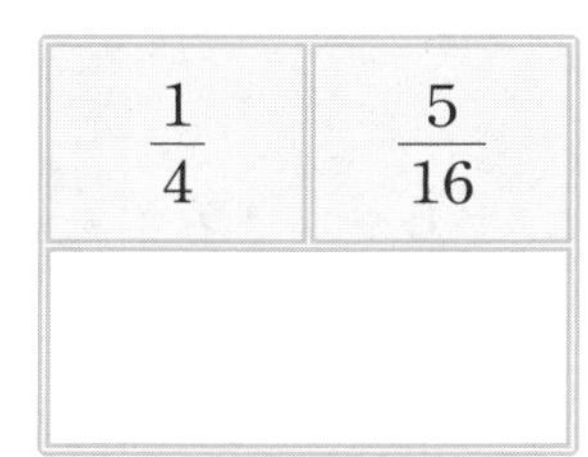

| $\frac{1}{4}$ | $\frac{5}{16}$ |
| --- | --- |
| | |

**4-2** 더 작은 분수를 빈칸에 써넣으세요.

| $\frac{5}{12}$ | $\frac{3}{8}$ |
| --- | --- |
| | |

# 2일 약분과 통분

## 분수와 소수의 크기 비교하기

 교과서 기초 개념

• 분수와 소수의 관계 알아보기

| 0 | $\frac{1}{10}$ | $\frac{2}{10}$ | $\frac{3}{10}$ | $\frac{4}{10}$ | $\frac{5}{10}$ | $\frac{6}{10}$ | $\frac{7}{10}$ | $\frac{8}{10}$ | $\frac{9}{10}$ | 1 |
|---|---|---|---|---|---|---|---|---|---|---|
| 0 | 0.1 | 0.2 | 0.3 | 0.4 | 0.5 | 0.6 | 0.7 | 0.8 | 0.9 | 1 |

**10칸 중에 한 칸** ➜ $\frac{1}{10}=$ ❶ □

• 분수와 소수의 크기 비교하기

예 $\frac{2}{5}$와 0.6의 크기 비교하기

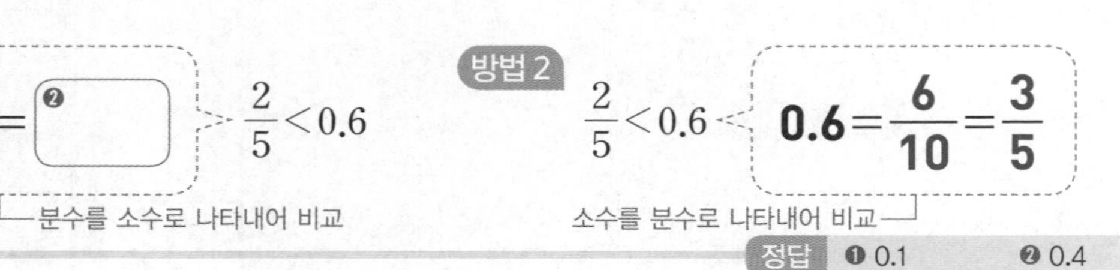

방법 1 $\frac{2}{5}=\frac{4}{10}=$ ❷ □ ➜ $\frac{2}{5}<0.6$

분수를 소수로 나타내어 비교

방법 2 $\frac{2}{5}<0.6$ ⟸ $0.6=\frac{6}{10}=\frac{3}{5}$

소수를 분수로 나타내어 비교

정답 ❶ 0.1 ❷ 0.4

▶정답 및 풀이 19쪽

**1-1** □ 안에 알맞은 분수나 소수를 써넣으세요.

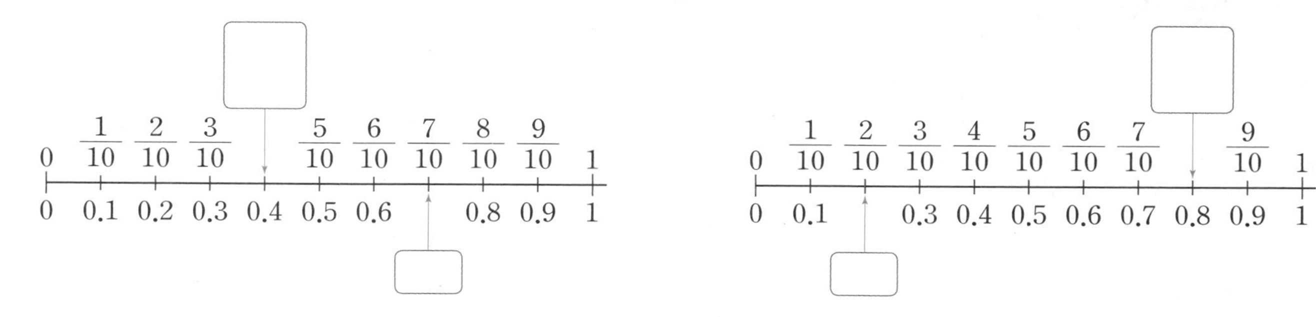


**1-2** □ 안에 알맞은 분수나 소수를 써넣으세요.

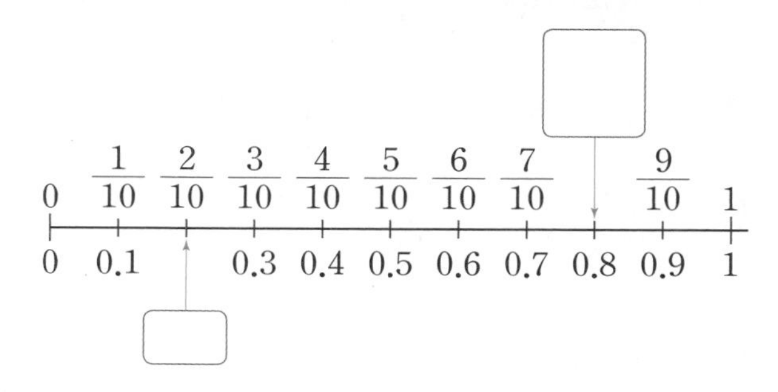


**2-1** 분수를 소수로 나타내어 $\frac{1}{5}$과 0.3의 크기를 비교해 보세요.

$\frac{1}{5}=\frac{\square}{10}=\square$이므로

$\square \bigcirc 0.3 \Rightarrow \frac{1}{5} \bigcirc 0.3$

**2-2** 분수를 소수로 나타내어 $\frac{3}{4}$과 0.6의 크기를 비교해 보세요.

$\frac{3}{4}=\frac{\square}{100}=\square$이므로

$\square \bigcirc 0.6 \Rightarrow \frac{3}{4} \bigcirc 0.6$

**3-1** 소수를 분수로 나타내어 $\frac{14}{20}$와 0.8의 크기를 비교해 보세요.

$\left(\frac{14}{20}, 0.8\right) \Rightarrow \left(\frac{7}{10}, \frac{\square}{10}\right)$

$\frac{7}{10} \bigcirc \frac{\square}{10} \Rightarrow \frac{14}{20} \bigcirc 0.8$

**3-2** 소수를 분수로 나타내어 $\frac{4}{25}$와 0.12의 크기를 비교해 보세요.

$\left(\frac{4}{25}, 0.12\right) \Rightarrow \left(\frac{16}{100}, \frac{\square}{100}\right)$

$\frac{16}{100} \bigcirc \frac{\square}{100} \Rightarrow \frac{4}{25} \bigcirc 0.12$

[4-1 ~ 4-2] 두 수의 크기를 비교하여 ○ 안에 >, =, <를 알맞게 써넣으세요.

**4-1** $0.5 \bigcirc \frac{9}{20}$

**4-2** $1\frac{3}{5} \bigcirc 1.6$

# 기초 집중 연습

## 기본 문제 연습

[1-1 ~ 1-2] 두 수의 크기를 비교하여 ◯ 안에 >, =, <를 알맞게 써넣으세요.

**1-1** (1) $\frac{5}{8}$ ◯ $\frac{7}{12}$

(2) $\frac{6}{25}$ ◯ $0.3$

**1-2** (1) $1\frac{4}{9}$ ◯ $1\frac{11}{18}$

(2) $0.85$ ◯ $\frac{3}{5}$

**2-1** 더 큰 수에 ◯표 하세요.

$\frac{8}{25}$ ( ) $0.4$ ( )

**2-2** 더 작은 수에 ◯표 하세요.

$0.7$ ( ) $\frac{13}{20}$ ( )

**3-1** 두 수의 크기를 바르게 비교한 것의 기호를 써 보세요.

㉠ $\frac{1}{4} < \frac{7}{20}$ ㉡ $1\frac{3}{4} < 1.6$

( )

**3-2** 두 수의 크기를 바르게 비교한 것의 기호를 써 보세요.

㉠ $\frac{1}{5} > 0.25$ ㉡ $3\frac{1}{6} < 3\frac{2}{9}$

( )

**4-1** 세 분수 $\frac{3}{4}$, $\frac{9}{10}$, $\frac{17}{20}$ 중에서 가장 큰 분수를 찾아 써 보세요.

( )

**4-2** 세 분수 $\frac{3}{5}$, $\frac{11}{25}$, $\frac{13}{30}$ 중에서 가장 작은 분수를 찾아 써 보세요.

( )

▶정답 및 풀이 19쪽

## 기초 → 문장제 연습 두 분수의 크기를 비교하여 더 큰 수를 찾자.

**기초** 더 큰 수에 ○표 하세요.

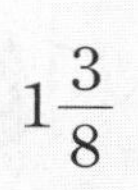

$1\frac{3}{8}$ $\qquad$ $1\frac{7}{16}$

( $\qquad$ ) $\qquad$ ( $\qquad$ )

분수의 크기 비교는
어떤 상황에서 이용될까요?

**5-1** 냉장고에 우유 $1\frac{3}{8}$ L, 콜라 $1\frac{7}{16}$ L가 있습니다. 양이 더 많은 것은 어느 것인가요?

우유 $1\frac{3}{8}$ L $\qquad$ 콜라 $1\frac{7}{16}$ L

답 ____________________

**5-2** 파인애플과 멜론 중에서 더 무거운 것은 어느 것인가요?

파인애플 $2\frac{1}{4}$ kg $\qquad$ 멜론 $2\frac{2}{7}$ kg

답 ____________________

**5-3** 민호와 우석이가 도서관에서 책을 읽었습니다. 민호와 우석이 중에서 책을 더 오래 읽은 사람은 누구인가요?

나는 책을 0.8시간 읽었어.

민호

나는 책을 $\frac{17}{20}$시간 읽었어.

우석

답 ____________________

## 교과서 기초 개념

• **받아올림이 없는 진분수의 덧셈**

예 $\frac{1}{2}+\frac{1}{4}$의 계산

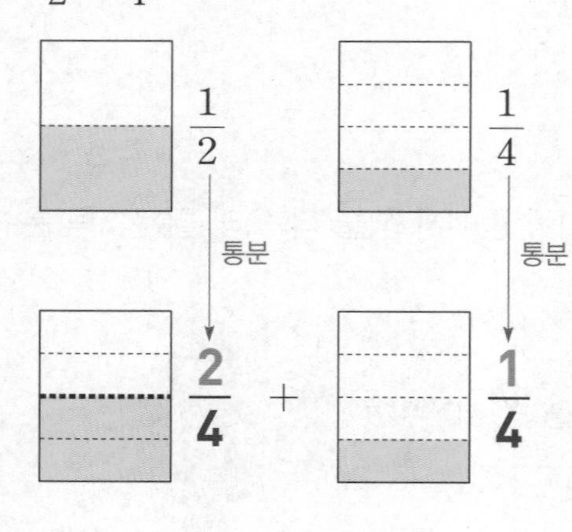


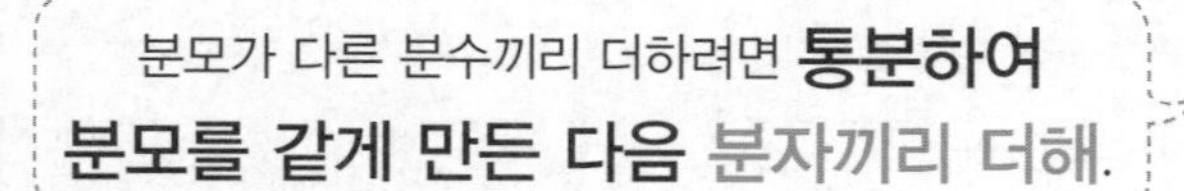

➜ $\frac{1}{2}+\frac{1}{4}=\frac{2}{4}+\frac{1}{4}=\frac{❶\square}{4}$

정답 ❶ 3

공부한 날 월 일

▶정답 및 풀이 20쪽

**1-1** 분수만큼 색칠해 보고 □ 안에 알맞은 수를 써넣으세요.

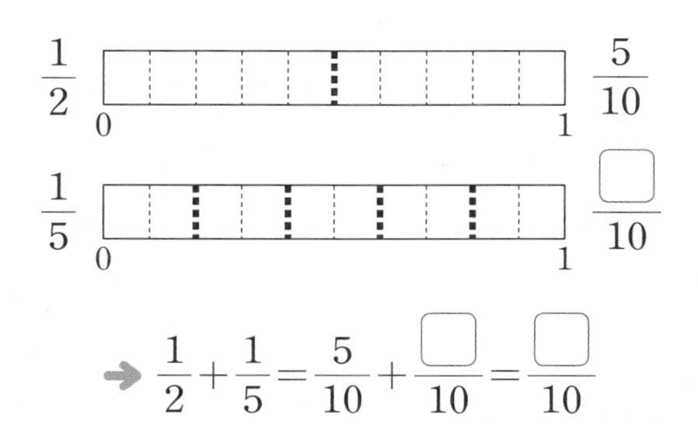

➔ $\frac{1}{2}+\frac{1}{5}=\frac{5}{10}+\frac{\square}{10}=\frac{\square}{10}$

**1-2** 분수만큼 색칠해 보고 □ 안에 알맞은 수를 써넣으세요.

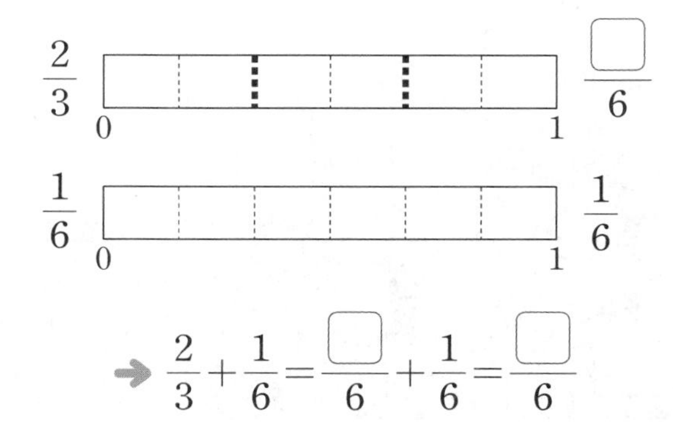

➔ $\frac{2}{3}+\frac{1}{6}=\frac{\square}{6}+\frac{1}{6}=\frac{\square}{6}$

**2-1** □ 안에 알맞은 수를 써넣으세요.

$$\frac{1}{3}+\frac{3}{5}=\frac{1\times5}{3\times5}+\frac{3\times\square}{5\times3}$$
$$=\frac{5}{15}+\frac{\square}{15}=\frac{\square}{15}$$

**2-2** □ 안에 알맞은 수를 써넣으세요.

$$\frac{1}{4}+\frac{3}{10}=\frac{1\times5}{4\times5}+\frac{3\times\square}{10\times2}$$
$$=\frac{5}{20}+\frac{\square}{20}=\frac{\square}{20}$$

**3-1** 계산해 보세요.

$\frac{2}{7}+\frac{5}{14}$

**3-2** 계산해 보세요.

$\frac{3}{8}+\frac{1}{12}$

**4-1** 빈칸에 알맞은 분수를 써넣으세요.

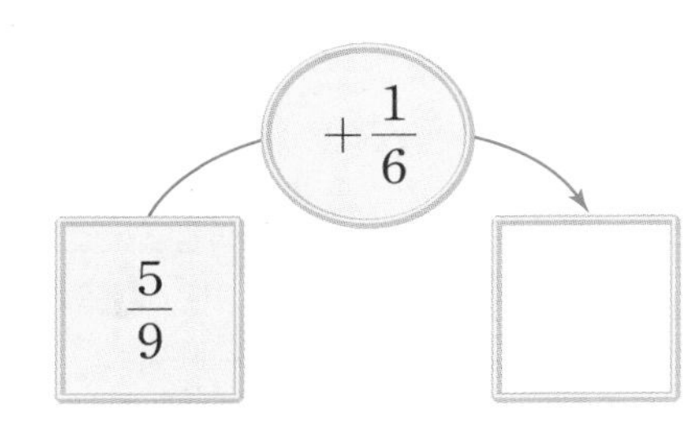


**4-2** 빈칸에 알맞은 분수를 써넣으세요.

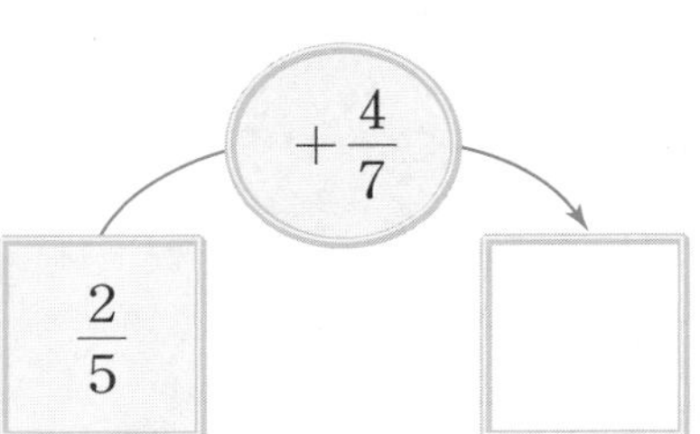

## 교과서 기초 개념

• **받아올림이 있는 진분수의 덧셈**

예 $\frac{1}{2}+\frac{2}{3}$의 계산

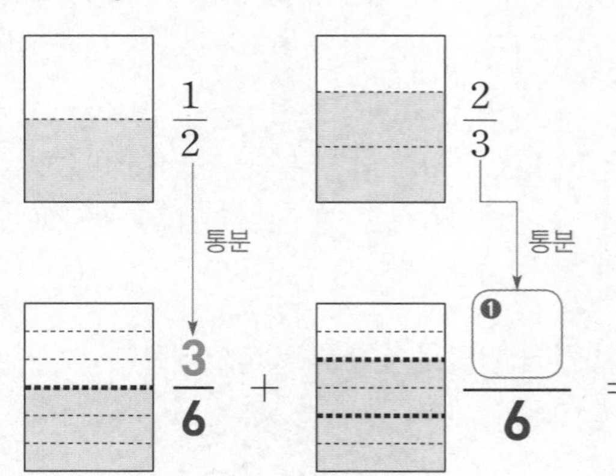

계산 결과가 **가분수인 경우** **대분수**로 고쳐서 나타내.

➔ $\frac{1}{2}+\frac{2}{3}=\frac{3}{6}+\frac{4}{6}$

$=\frac{❷}{6}=1\frac{1}{6}$

정답 ❶ 4 ❷ 7

▶정답 및 풀이 20쪽

[1-1 ~ 1-2] 두 진분수의 합만큼 그림에 색칠하고 □ 안에 알맞은 수를 써넣으세요.

**1-1**

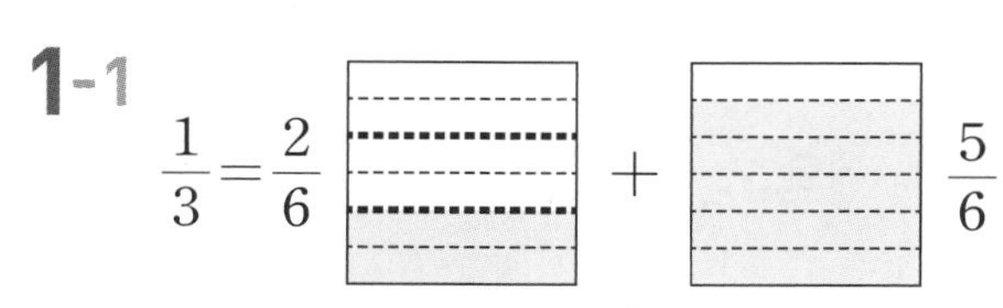


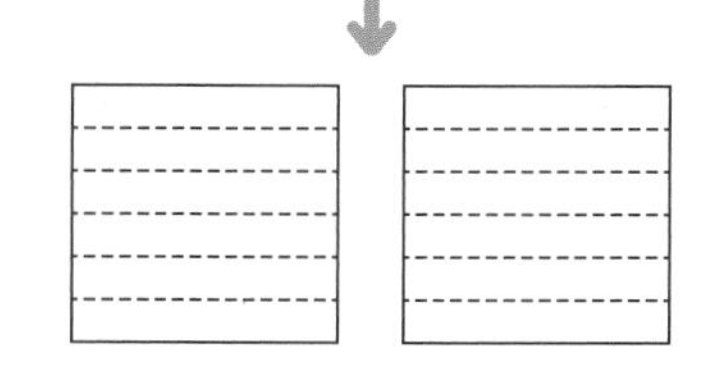

$\frac{1}{3}+\frac{5}{6}=\frac{2}{6}+\frac{5}{6}=\frac{\square}{6}=1\frac{\square}{6}$

**1-2**

$\frac{3}{5}=\frac{6}{10}$ + $\frac{7}{10}$

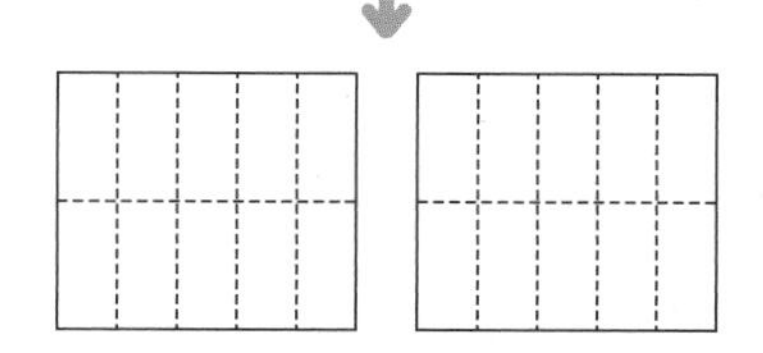

$\frac{3}{5}+\frac{7}{10}=\frac{\square}{10}+\frac{7}{10}=\frac{\square}{10}=1\frac{\square}{10}$

**2-1** □ 안에 알맞은 수를 써넣으세요.

$$\frac{5}{8}+\frac{2}{3}=\frac{5\times3}{8\times3}+\frac{2\times8}{3\times8}$$
$$=\frac{15}{24}+\frac{\square}{24}=\frac{\square}{24}=\square$$

**2-2** □ 안에 알맞은 수를 써넣으세요.

$$\frac{1}{4}+\frac{5}{6}=\frac{1\times3}{4\times3}+\frac{5\times\square}{6\times2}$$
$$=\frac{3}{12}+\frac{\square}{12}=\frac{\square}{12}=\square$$

**3-1** 계산해 보세요.

$\frac{3}{5}+\frac{8}{15}$

**3-2** 계산해 보세요.

$\frac{4}{9}+\frac{7}{12}$

**4-1** 두 분수의 합을 빈칸에 써넣으세요.

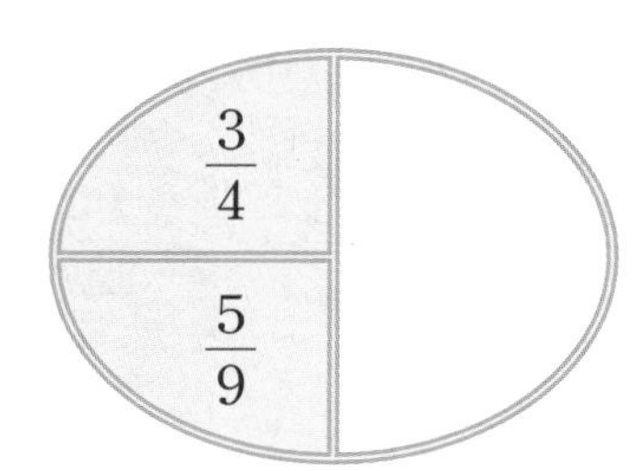


**4-2** 두 분수의 합을 빈칸에 써넣으세요.

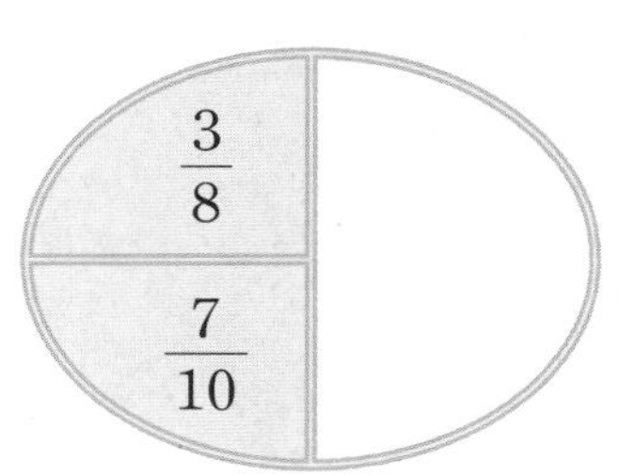


3주 3일

# 3일 기초 집중 연습

## 기본 문제 연습

**1-1** 계산해 보세요.

$\frac{1}{3}+\frac{2}{7}$

**1-2** 계산해 보세요.

$\frac{5}{12}+\frac{13}{18}$

**2-1** 다음이 나타내는 수를 구해 보세요.

$\frac{1}{2}$보다 $\frac{2}{9}$만큼 더 큰 수

(　　　　　　　)

**2-2** 준희가 말하는 수를 구해 보세요.

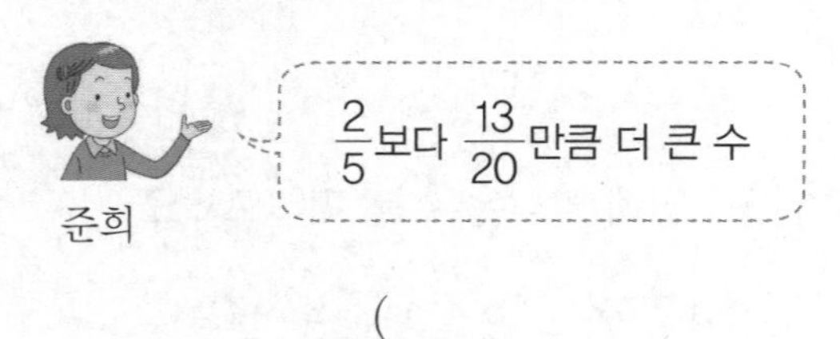


(　　　　　　　)

**3-1** □ 안에 알맞은 분수를 써넣으세요.

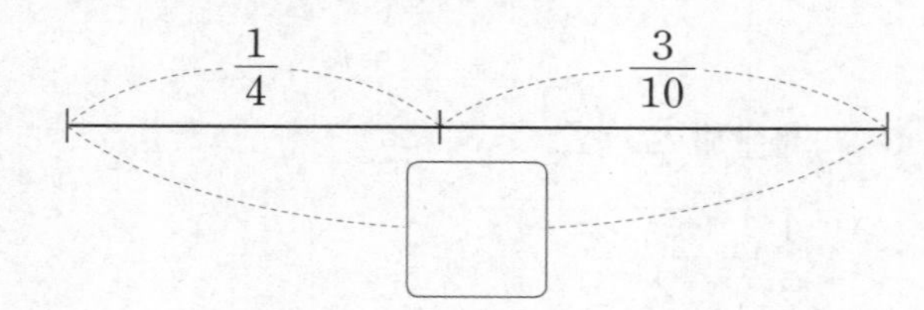


**3-2** □ 안에 알맞은 분수를 써넣으세요.

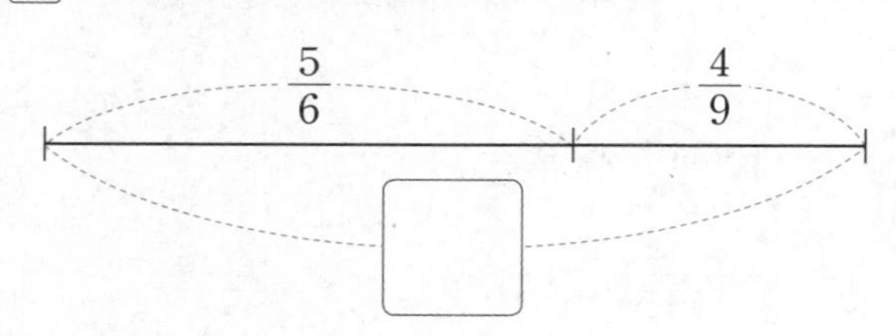


**4-1** 계산 결과가 1보다 큰 것에 ○표 하세요.

$\frac{2}{3}+\frac{5}{18}$　　　$\frac{2}{7}+\frac{3}{4}$

**4-2** 계산 결과가 1보다 작은 것에 ○표 하세요.

$\frac{3}{8}+\frac{3}{5}$　　　$\frac{1}{12}+\frac{15}{16}$

▶정답 및 풀이 20쪽

## 연산 → 문장제 연습 양을 합하거나 길이를 더 길게 할 때에는 덧셈을 하자.

연산 계산해 보세요.

$\frac{3}{4}+\frac{1}{5}$

**5-1** 물이 $\frac{3}{4}$ L 들어 있는 물통에 물 $\frac{1}{5}$ L를 더 넣었습니다. 물통에 들어 있는 물은 몇 L인가요?

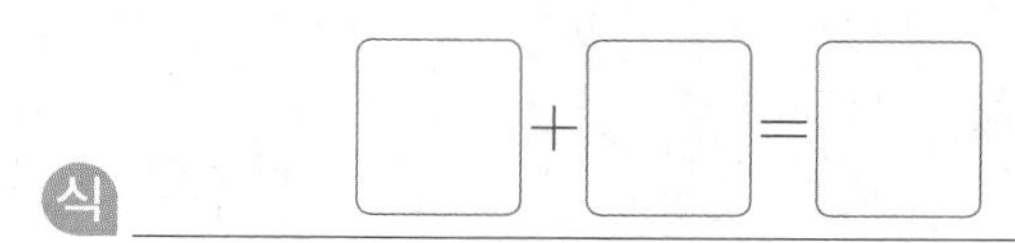

식 $\square+\square=\square$

답 ______

**5-2** 윤수가 도토리와 밤을 다음과 같이 주웠습니다. 윤수가 주운 도토리와 밤은 모두 몇 kg인가요?

도토리 $\frac{5}{8}$ kg

밤 $\frac{11}{12}$ kg

식 ______

답 ______

**5-3** 노란색 리본의 길이는 $\frac{7}{15}$ m이고, 빨간색 리본은 노란색 리본보다 $\frac{1}{6}$ m 더 깁니다. 빨간색 리본은 몇 m인가요?

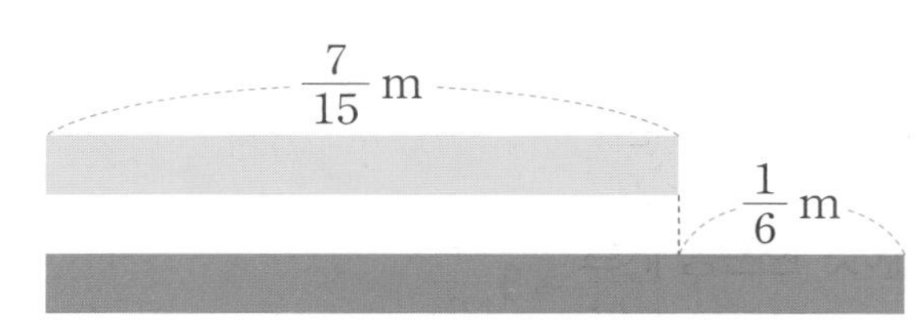


식 ______

답 ______

3주 3일

# 대분수의 덧셈

## 교과서 기초 개념

• **받아올림이 있는 대분수의 덧셈**

예 $1\frac{3}{5}+1\frac{3}{4}$의 계산

**방법 1** 자연수는 자연수끼리, 분수는 분수끼리 더하기

$$1\frac{3}{5}+1\frac{3}{4}=1\frac{12}{20}+1\frac{15}{20}$$
$$=(1+1)+\left(\frac{12}{20}+\frac{15}{20}\right)$$
$$=2+\frac{27}{20}=2+❶\square\frac{7}{20}=3\frac{7}{20}$$

가분수 → 대분수

**방법 2** 대분수를 가분수로 나타내기

$$1\frac{3}{5}+1\frac{3}{4}=\frac{8}{5}+\frac{7}{4}=\frac{32}{20}+\frac{35}{20}$$
$$=\frac{❷\square}{20}=❸\square\frac{7}{20}$$

가분수 → 대분수

정답 ❶ 1 ❷ 67 ❸ 3

## 개념 · 원리 확인



▶정답 및 풀이 21쪽

**1-1** 그림을 보고 □ 안에 알맞은 수를 써넣으세요.

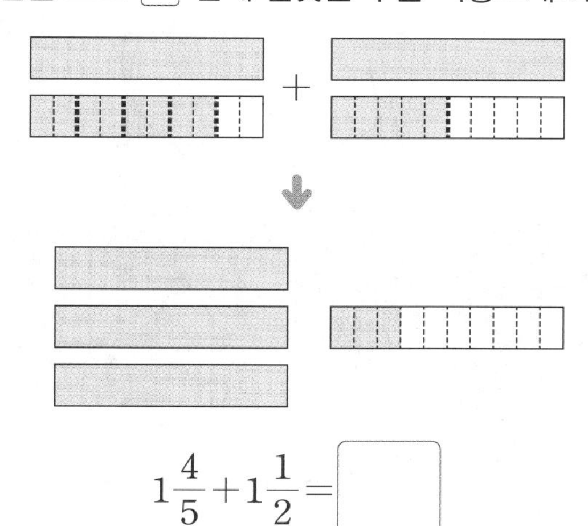

$1\frac{4}{5}+1\frac{1}{2}=\square$

**1-2** 그림을 보고 □ 안에 알맞은 수를 써넣으세요.

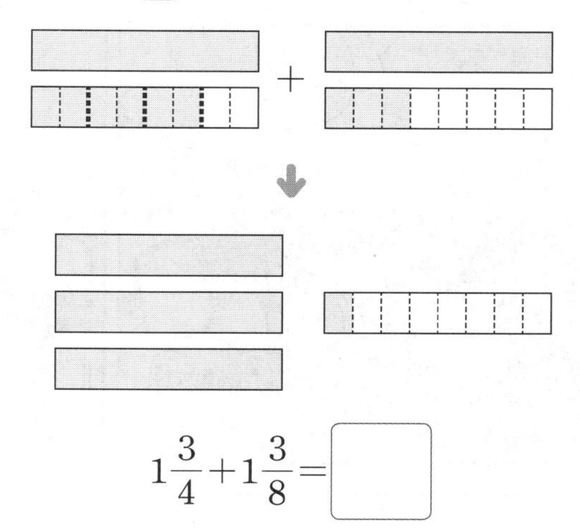

$1\frac{3}{4}+1\frac{3}{8}=\square$

**2-1** □ 안에 알맞은 수를 써넣으세요.

$1\frac{2}{3}+1\frac{7}{10}=1\frac{20}{30}+1\frac{\square}{30}$

$=(1+1)+\left(\frac{20}{30}+\frac{\square}{30}\right)$

$=2+\frac{\square}{30}=2+\square\frac{\square}{30}$

$=\square\frac{\square}{30}$

**2-2** □ 안에 알맞은 수를 써넣으세요.

$2\frac{1}{6}+1\frac{8}{9}=2\frac{3}{18}+1\frac{\square}{18}$

$=(2+1)+\left(\frac{3}{18}+\frac{\square}{18}\right)$

$=3+\frac{\square}{18}=3+\square\frac{\square}{18}$

$=\square\frac{\square}{18}$

**3-1** 보기와 같은 방법으로 계산해 보세요.

보기

$1\frac{1}{2}+1\frac{5}{7}=\frac{3}{2}+\frac{12}{7}=\frac{21}{14}+\frac{24}{14}$

$=\frac{45}{14}=3\frac{3}{14}$

$2\frac{1}{3}+1\frac{3}{4}$ ______________________

______________________

**3-2** 보기와 같은 방법으로 계산해 보세요.

보기

$1\frac{1}{2}+2\frac{3}{4}=\frac{3}{2}+\frac{11}{4}=\frac{6}{4}+\frac{11}{4}$

$=\frac{17}{4}=4\frac{1}{4}$

$2\frac{3}{5}+2\frac{7}{10}$ ______________________

______________________

• **진분수의 뺄셈**

예 $\frac{3}{5}-\frac{1}{3}$의 계산

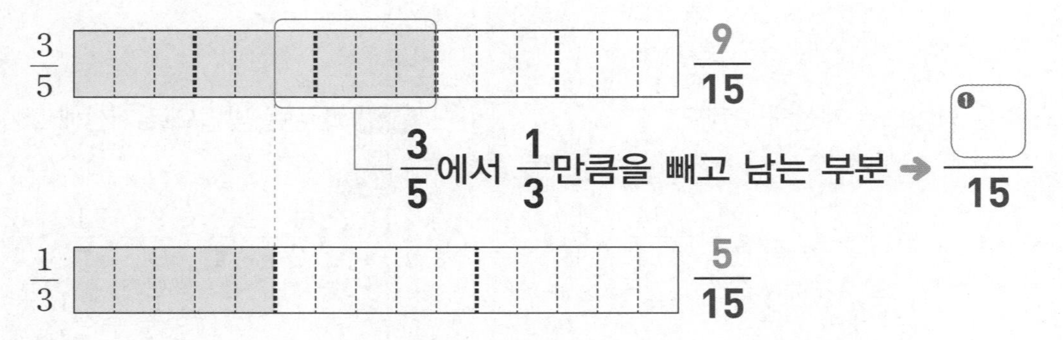


→ $\frac{3}{5}-\frac{1}{3}=\frac{9}{15}-\frac{5}{15}=\frac{❷}{15}$

두 분수를 통분하여 분모를 같게 한 후 분자끼리 빼면 돼.

정답 ❶ 4 ❷ 4

# 개념 · 원리 확인

▶정답 및 풀이 21쪽

[1-1 ~ 1-2] 두 진분수의 차만큼 그림에 색칠하고 □ 안에 알맞은 수를 써넣으세요.

**1-1** $\frac{1}{2}$

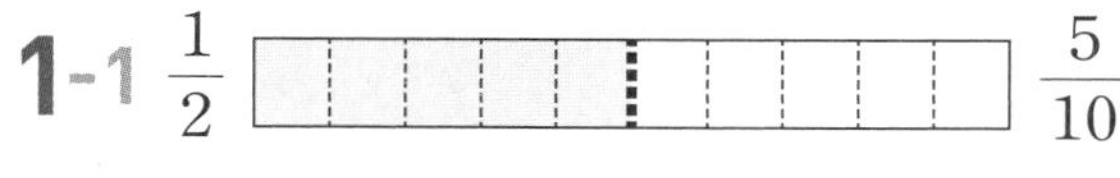

$\frac{5}{10}$

$\frac{2}{5}$ $\frac{4}{10}$

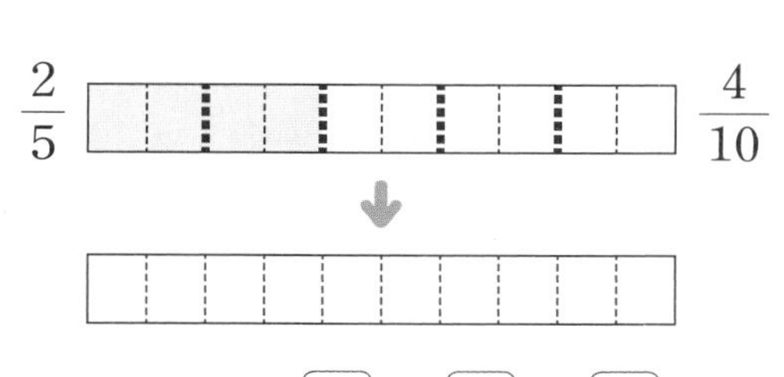

$\frac{1}{2}-\frac{2}{5}=\frac{\square}{10}-\frac{\square}{10}=\frac{\square}{10}$

**1-2** $\frac{2}{3}$ $\frac{8}{12}$

$\frac{1}{4}$ $\frac{3}{12}$

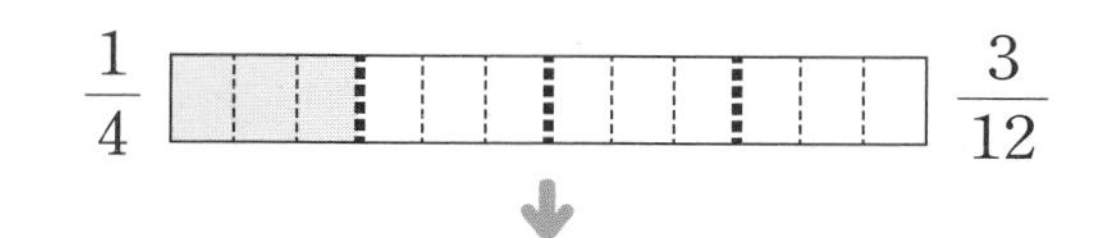

$\frac{2}{3}-\frac{1}{4}=\frac{\square}{12}-\frac{\square}{12}=\frac{\square}{12}$

**2-1** □ 안에 알맞은 수를 써넣으세요.

$\frac{3}{4}-\frac{3}{10}=\frac{3\times\square}{4\times10}-\frac{3\times\square}{10\times4}$

$=\frac{\square}{40}-\frac{\square}{40}=\frac{\square}{40}=\frac{\square}{20}$

**2-2** □ 안에 알맞은 수를 써넣으세요.

$\frac{11}{15}-\frac{1}{6}=\frac{11\times\square}{15\times2}-\frac{1\times\square}{6\times5}$

$=\frac{\square}{30}-\frac{\square}{30}=\frac{\square}{30}$

**3-1** 빈칸에 알맞은 분수를 써넣으세요.

$\frac{13}{20}$ → $-\frac{1}{5}$ → □

**3-2** 빈칸에 알맞은 분수를 써넣으세요.

$\frac{7}{9}$ → $-\frac{5}{12}$ → □

**4-1** 수현이가 말한 방법으로 계산해 보세요.

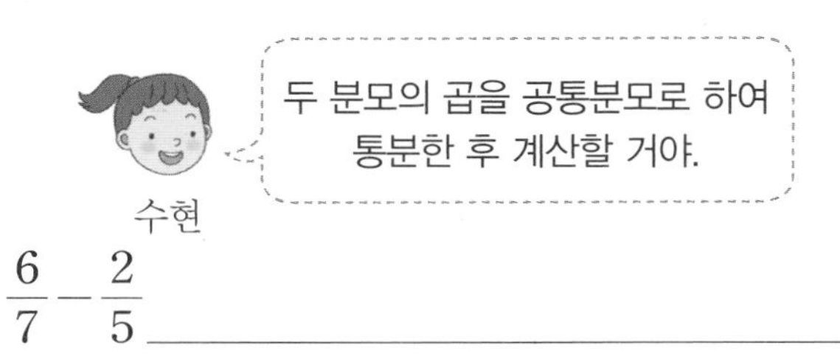


$\frac{6}{7}-\frac{2}{5}$ ____________________

**4-2** 태연이가 말한 방법으로 계산해 보세요.

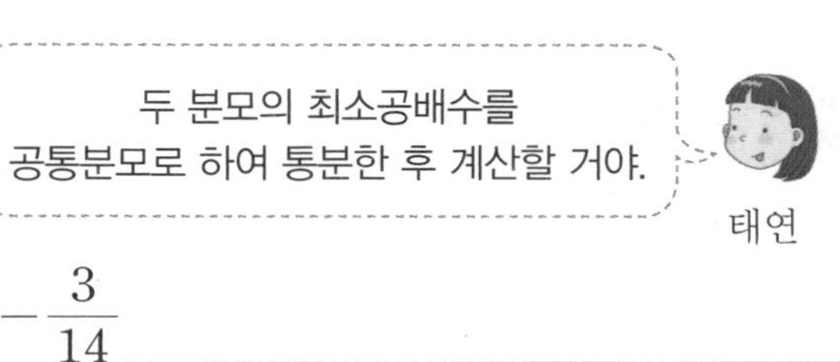


$\frac{1}{4}-\frac{3}{14}$ ____________________

3주 4일

4일

# 기초 집중 연습

## 기본 문제 연습

**1-1** 계산해 보세요.

(1) $1\frac{2}{3}+1\frac{5}{9}$

(2) $2\frac{3}{10}+1\frac{3}{4}$

**1-2** 계산해 보세요.

(1) $\frac{1}{2}-\frac{3}{7}$

(2) $\frac{3}{8}-\frac{1}{6}$

**2-1** 빈칸에 알맞은 수를 써넣으세요.

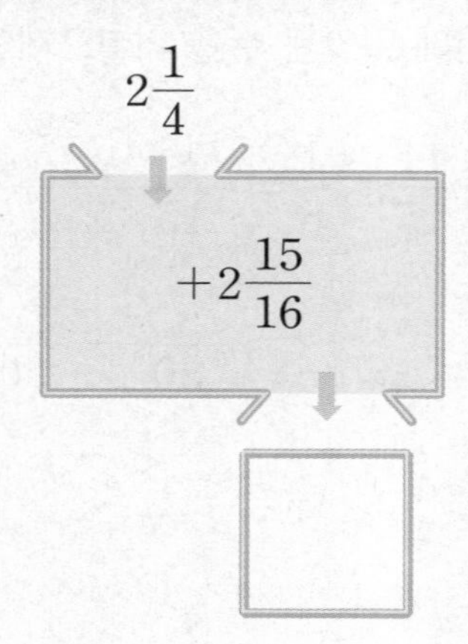


**2-2** 빈칸에 알맞은 수를 써넣으세요.

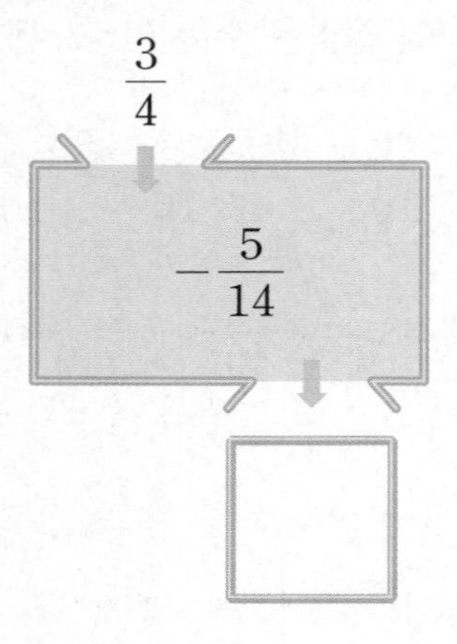


**3-1** 다음이 나타내는 수를 구해 보세요.

$1\frac{4}{5}$보다 $2\frac{3}{8}$만큼 더 큰 수

(　　　　　　　　)

**3-2** 다음이 나타내는 수를 구해 보세요.

$\frac{2}{15}$보다 $\frac{1}{20}$만큼 더 작은 수

(　　　　　　　　)

**4-1** 크기를 비교하여 ○ 안에 >, =, <를 알맞게 써넣으세요.

$3\frac{7}{12}+1\frac{4}{9}$ ○ $4\frac{1}{36}$

**4-2** 크기를 비교하여 ○ 안에 >, =, <를 알맞게 써넣으세요.

$\frac{5}{6}-\frac{2}{15}$ ○ $\frac{9}{10}$

▶정답 및 풀이 21쪽

## 연산 → 문장제 연습 '~하고 남은 양'은 뺄셈으로 구하자.

연산 계산해 보세요.

$\frac{2}{3}-\frac{1}{5}$

**5-1** 색 테이프 $\frac{2}{3}$ m 중에서 $\frac{1}{5}$ m를 사용했습니다. 사용하고 남은 색 테이프는 몇 m인가요?

식 $\square - \square = \square$

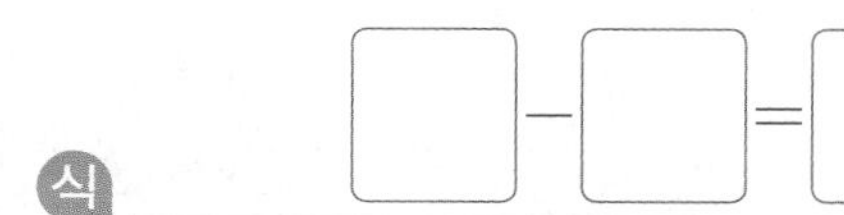

답 ______

**5-2** 밀가루 $\frac{5}{6}$ kg 중에서 빵을 만드는 데 $\frac{2}{9}$ kg을 사용했습니다. 사용하고 남은 밀가루는 몇 kg인가요?

 식 ______

 답 ______

**5-3** 냉장고에 있던 우유 $\frac{9}{10}$ L 중에서 아라가 $\frac{1}{4}$ L를 마셨습니다. 마시고 남은 우유는 몇 L인가요?

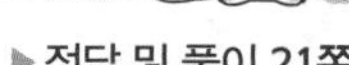

식 ______

답 ______

# 분수의 덧셈과 뺄셈

## 대분수의 뺄셈 (1)

### 교과서 기초 개념

- **받아내림이 없는 대분수의 뺄셈**

예 $2\frac{1}{4}-1\frac{1}{8}$의 계산

 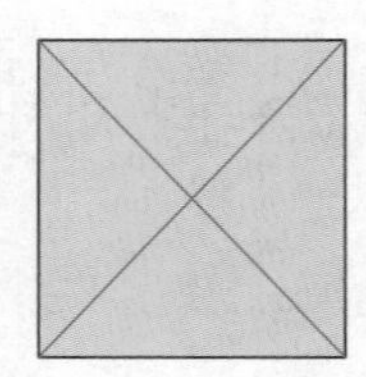 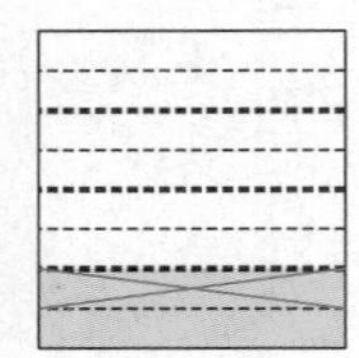

$2\frac{1}{4}-1\frac{1}{8}=1\frac{❶\square}{8}$

$2\frac{1}{4}-1\frac{1}{8}=2\frac{❷\square}{8}-1\frac{1}{8}$

$=(2-1)+\left(\frac{2}{8}-\frac{1}{8}\right)=1\frac{1}{8}$

자연수는 자연수끼리, 분수는 분수끼리 빼서 계산

대분수를 가분수로 나타내어 계산할 수도 있어.
$2\frac{1}{4}-1\frac{1}{8}=\frac{9}{4}-\frac{9}{8}=\frac{18}{8}-\frac{9}{8}=\frac{9}{8}=1\frac{1}{8}$

정답 ❶ 1 ❷ 2

**1-1** $1\frac{1}{2}$에서 $\frac{3}{8}$만큼 ×로 지운 그림입니다. □ 안에 알맞은 분수를 써넣으세요.

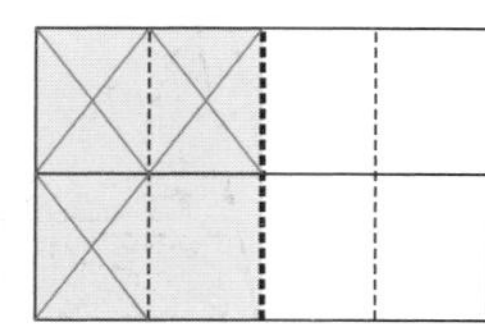

$$1\frac{1}{2}-\frac{3}{8}=\square$$

**1-2** $2\frac{2}{3}$에서 $1\frac{1}{4}$만큼 ×로 지운 그림입니다. □ 안에 알맞은 분수를 써넣으세요.

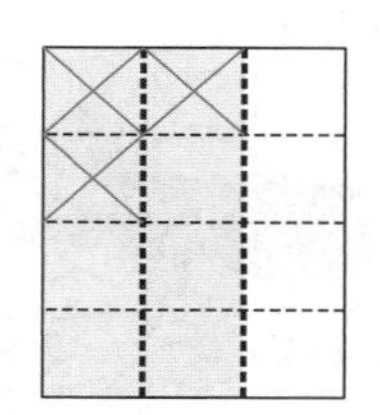

$$2\frac{2}{3}-1\frac{1}{4}=\square$$

**2-1** □ 안에 알맞은 수를 써넣으세요.

$$2\frac{2}{3}-1\frac{1}{5}=2\frac{10}{15}-1\frac{\square}{15}$$
$$=(2-1)+\left(\frac{10}{15}-\frac{\square}{15}\right)$$
$$=1\frac{\square}{15}$$

**2-2** □ 안에 알맞은 수를 써넣으세요.

$$3\frac{3}{4}-2\frac{1}{2}=\frac{15}{4}-\frac{\square}{2}$$
$$=\frac{15}{4}-\frac{\square}{4}$$
$$=\frac{\square}{4}=\square$$

**3-1** $2\frac{11}{12}-2\frac{4}{9}$의 계산 결과를 바르게 나타낸 것에 ○표 하세요.

$\frac{13}{36}$ $\frac{17}{36}$

**3-2** $4\frac{7}{10}-1\frac{3}{8}$의 계산 결과를 바르게 나타낸 것에 ○표 하세요.

$3\frac{11}{40}$ $3\frac{13}{40}$

**4-1** 빈칸에 알맞은 수를 써넣으세요.

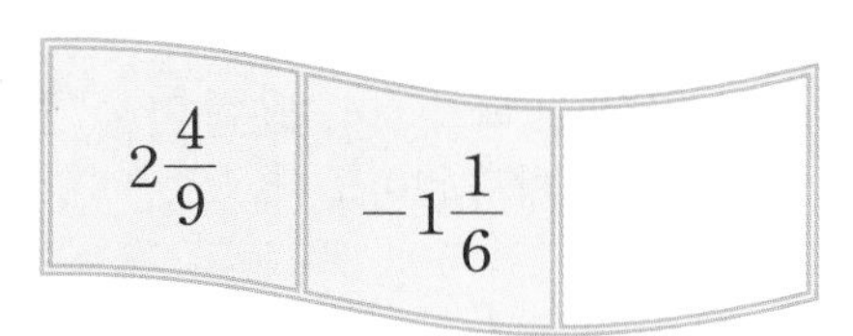


**4-2** 빈칸에 알맞은 수를 써넣으세요.

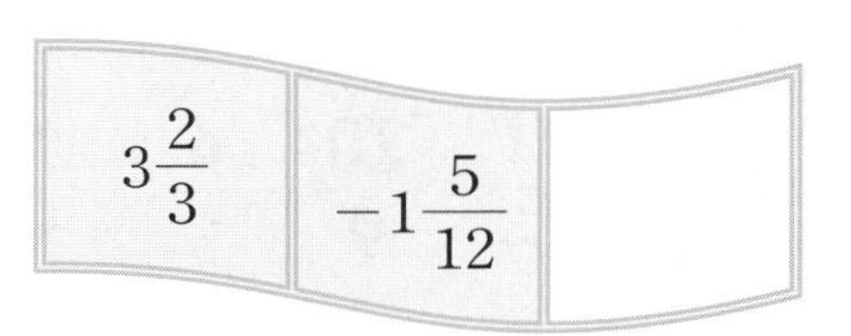

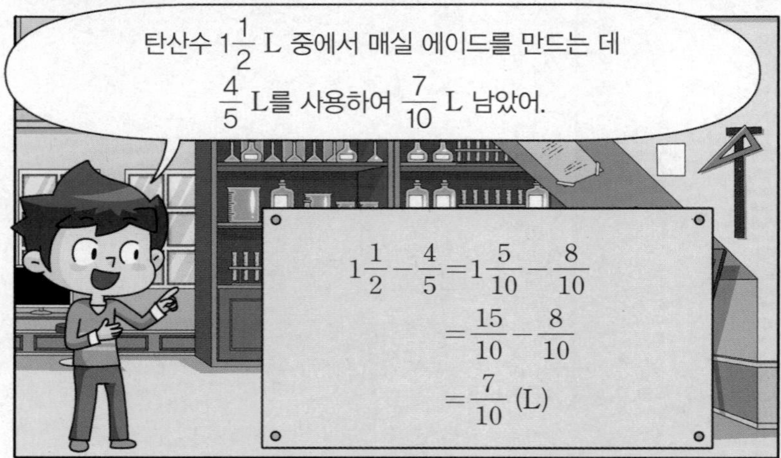

## 교과서 기초 개념

• **받아내림이 있는 대분수의 뺄셈**

예 $2\frac{2}{9}-1\frac{1}{3}$의 계산

**방법 1** 자연수는 자연수끼리, 분수는 분수끼리 빼기

$$2\frac{2}{9}-1\frac{1}{3}=2\frac{2}{9}-1\frac{3}{9}=1\frac{11}{9}-1\frac{3}{9}$$

(2<3, 자연수 부분에서 1을 받아내림)

$$=(1-1)+\left(\frac{11}{9}-\frac{3}{9}\right)=\frac{❶\square}{9}$$

분수끼리 뺄 때 통분 후 빼지는 수의 분자가 빼는 수의 분자보다 작으면 **자연수 부분에서 1을 받아내림해.**

**방법 2** 대분수를 가분수로 나타내기

$$2\frac{2}{9}-1\frac{1}{3}=\frac{20}{9}-\frac{4}{3}=\frac{20}{9}-\frac{12}{9}=\frac{8}{9}$$

대분수를 가분수로 나타내어 계산하면 받아내림을 하지 않아도 돼.

정답 ❶ 8

# 개념·원리 확인

▶정답 및 풀이 22쪽

**1-1** $1\frac{1}{2}$에서 $\frac{4}{5}$만큼 ×로 지운 그림입니다. □ 안에 알맞은 수를 써넣으세요.

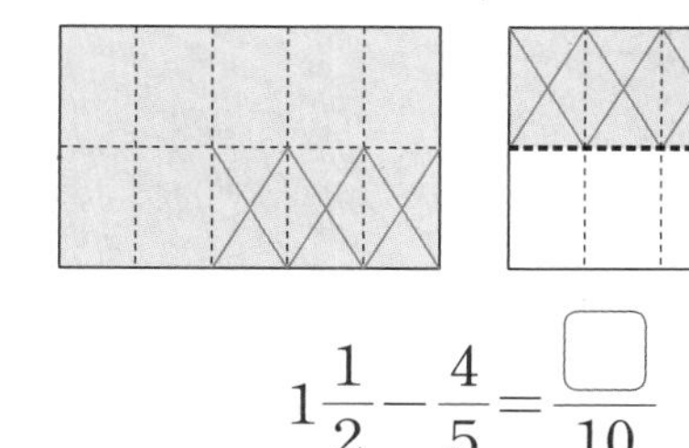

$$1\frac{1}{2}-\frac{4}{5}=\frac{\square}{10}$$

**1-2** $2\frac{1}{3}$에서 $1\frac{5}{6}$만큼 ×로 지운 그림입니다. □ 안에 알맞은 수를 써넣으세요.

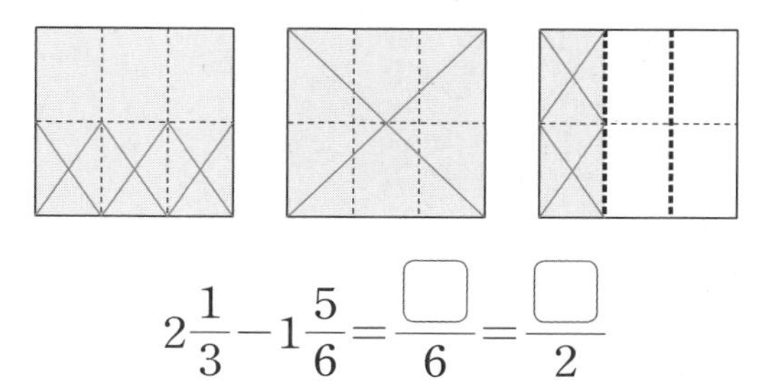

$$2\frac{1}{3}-1\frac{5}{6}=\frac{\square}{6}=\frac{\square}{2}$$

**2-1** □ 안에 알맞은 수를 써넣으세요.

$$3\frac{1}{4}-2\frac{5}{7}=3\frac{7}{28}-2\frac{20}{28}=2\frac{\square}{28}-2\frac{20}{28}$$
$$=(2-2)+\left(\frac{\square}{28}-\frac{20}{28}\right)$$
$$=\frac{\square}{28}$$

**2-2** □ 안에 알맞은 수를 써넣으세요.

$$3\frac{1}{6}-1\frac{5}{8}=3\frac{\square}{24}-1\frac{15}{24}=2\frac{\square}{24}-1\frac{15}{24}$$
$$=(2-1)+\left(\frac{\square}{24}-\frac{15}{24}\right)$$
$$=1\frac{\square}{24}$$

**3-1** 보기와 같이 계산해 보세요.

보기

$$3\frac{1}{10}-2\frac{1}{4}=\frac{31}{10}-\frac{9}{4}=\frac{62}{20}-\frac{45}{20}$$
$$=\frac{17}{20}$$

$$2\frac{1}{8}-1\frac{7}{12}=\frac{\square}{8}-\frac{\square}{12}$$
$$=\frac{\square}{24}-\frac{\square}{24}$$
$$=\frac{\square}{24}$$

**3-2** 보기와 같이 계산해 보세요.

보기

$$4\frac{1}{3}-1\frac{8}{9}=\frac{13}{3}-\frac{17}{9}=\frac{39}{9}-\frac{17}{9}$$
$$=\frac{22}{9}=2\frac{4}{9}$$

$$4\frac{1}{5}-2\frac{3}{10}=\frac{\square}{5}-\frac{\square}{10}$$
$$=\frac{\square}{10}-\frac{\square}{10}$$
$$=\frac{\square}{10}=\square\frac{\square}{10}$$

# 5일 기초 집중 연습

## 기본 문제 연습

**1-1** 계산해 보세요.

$2\frac{3}{5}-1\frac{1}{6}$

**1-2** 계산해 보세요.

$5\frac{1}{8}-2\frac{1}{6}$

**2-1** 다음이 나타내는 수를 구해 보세요.

$6\frac{1}{4}$보다 $3\frac{2}{11}$만큼 더 작은 수

( )

**2-2** 다음이 나타내는 수를 구해 보세요.

$4\frac{2}{5}$보다 $1\frac{13}{20}$만큼 더 작은 수

( )

**3-1** 잘못 계산한 부분을 찾아 바르게 계산해 보세요.

$$4\frac{1}{3}-2\frac{2}{9}=\frac{13}{3}-\frac{20}{9}=\frac{39}{9}-\frac{20}{9}=\frac{19}{9}=1\frac{1}{9}$$

$4\frac{1}{3}-2\frac{2}{9}$ __________

__________

**3-2** 잘못 계산한 부분을 찾아 바르게 계산해 보세요.

$$7\frac{1}{4}-3\frac{7}{10}=7\frac{5}{20}-3\frac{14}{20}=6\frac{20}{20}-3\frac{14}{20}=3\frac{6}{20}=3\frac{3}{10}$$

$7\frac{1}{4}-3\frac{7}{10}$ __________

__________

**4-1** □ 안에 알맞은 분수를 써넣으세요.

$2\frac{1}{12}+\square=4\frac{1}{9}$

**4-2** □ 안에 알맞은 분수를 써넣으세요.

$3\frac{3}{8}-\square=1\frac{9}{10}$

▶정답 및 풀이 22쪽

## 연산 → 문장제 연습 　차이를 구할 때에는 뺄셈을 하자.

연산 계산해 보세요.

$1\frac{4}{5}-1\frac{1}{3}$

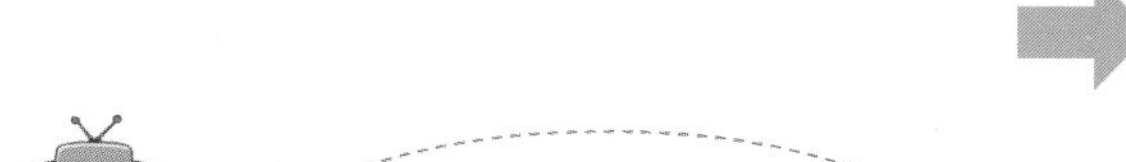


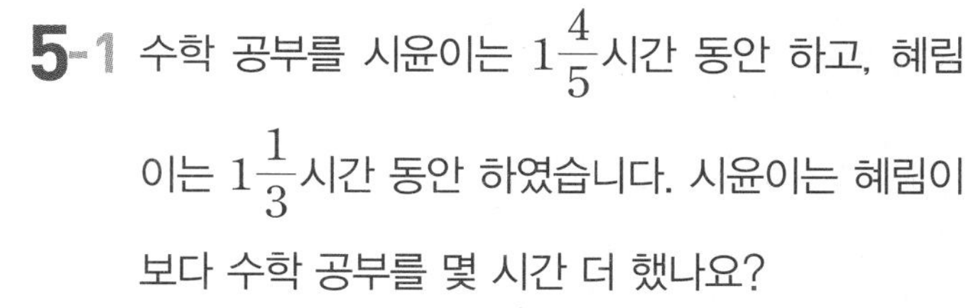

**5-1** 수학 공부를 시윤이는 $1\frac{4}{5}$시간 동안 하고, 혜림이는 $1\frac{1}{3}$시간 동안 하였습니다. 시윤이는 혜림이보다 수학 공부를 몇 시간 더 했나요?

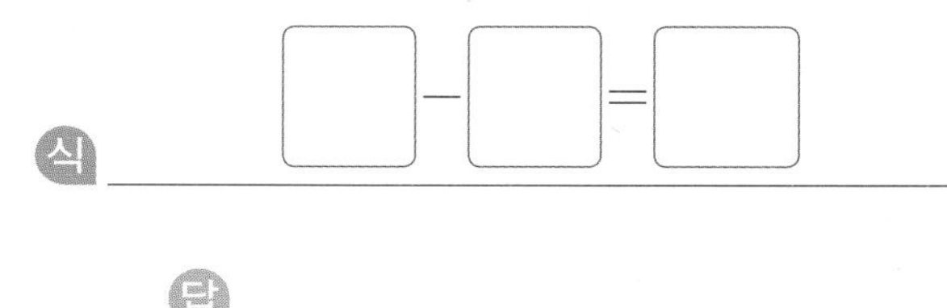

식 $\square - \square = \square$

답 ______________________

**5-2** 미술 시간에 색종이를 지수는 $5\frac{9}{10}$장 사용했고, 여원이는 $3\frac{5}{8}$장 사용했습니다. 지수는 여원이보다 색종이를 몇 장 더 많이 사용했나요?

식 ______________________

답 ______________________

**5-3** 집에서 도서관까지의 거리는 집에서 우체국까지의 거리보다 몇 km 더 먼가요?

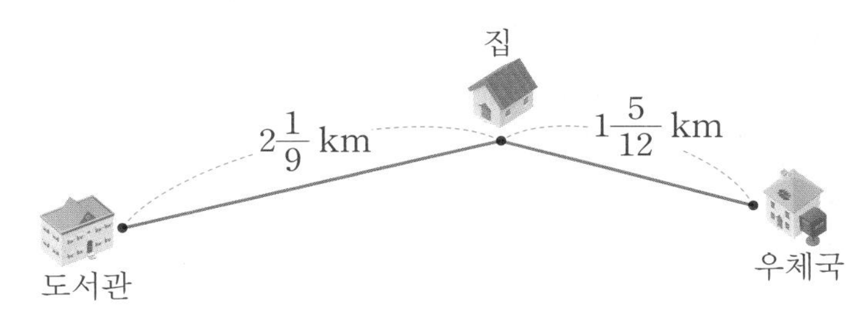


식 ______________________

답 ______________________

# 누구나 100점 맞는 테스트

**1** 두 분모의 곱을 공통분모로 하여 $\frac{1}{4}$과 $\frac{5}{6}$를 통분해 보세요.

$$\frac{1}{4}=\frac{1\times\square}{4\times6}=\frac{\square}{24}$$
$$\frac{5}{6}=\frac{5\times\square}{6\times4}=\frac{\square}{\square}$$

**2** 계산해 보세요.

$\frac{4}{9}+\frac{11}{15}$

**3** 두 분모의 최소공배수를 공통분모로 하여 통분해 보세요.

$\left(\frac{3}{8}, \frac{7}{12}\right)$ ➔ (　　　,　　　)

**4** 빈칸에 두 분수의 합을 써넣으세요.

| $1\frac{1}{2}$ | $1\frac{5}{8}$ |
|---|---|
| | |

**5** 더 큰 수를 말한 사람의 이름을 써 보세요.

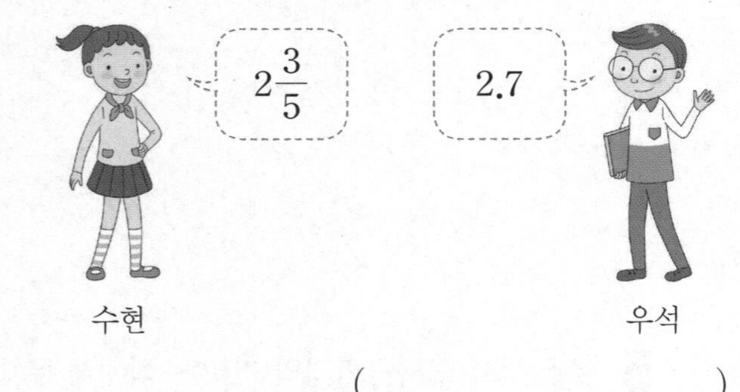


(　　　　　　　)

▶정답 및 풀이 23쪽

**6** 다음이 나타내는 수를 구해 보세요.

$4\frac{5}{6}$보다 $2\frac{1}{9}$만큼 더 작은 수

(　　　　　　　　)

**7** 학교와 병원 중 현주네 집에서 더 가까운 곳은 어디이고, 몇 km 더 가까운지 차례로 쓰세요.

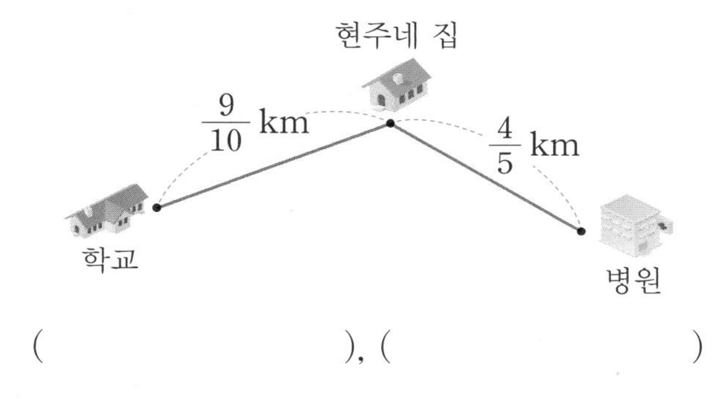


(　　　　　　), (　　　　　　)

**8** 계산 결과가 1보다 큰 것에 ○표 하세요.

$\frac{1}{3}+\frac{3}{4}$　　　$\frac{4}{9}+\frac{5}{12}$

(　　)　　　(　　)

**9** 재영이는 우유를 어제 $\frac{2}{5}$ L 마셨고 오늘 $\frac{1}{3}$ L를 마셨습니다. 재영이가 어제와 오늘 마신 우유의 양은 모두 몇 L인가요?

식 ______________________

답 ______________

**10** 빨간색 끈의 길이는 $3\frac{3}{8}$ m이고 파란색 끈의 길이는 $1\frac{3}{4}$ m입니다. 빨간색 끈은 파란색 끈보다 몇 m 더 긴가요?

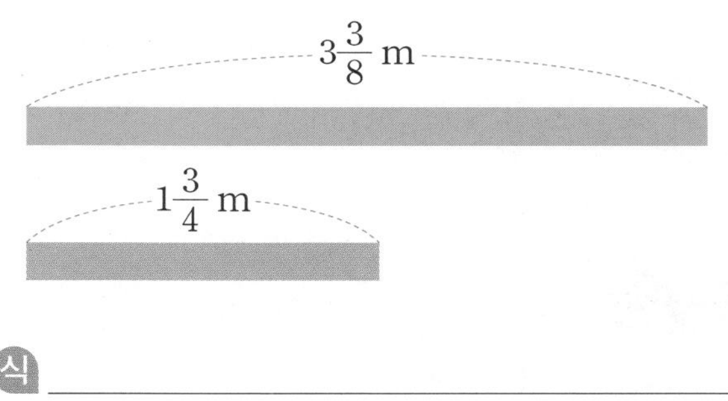


식 ______________________

답 ______________

3주 평가

# 특강 창의·융합·코딩

**융합 1** 진우와 소민이가 과자를 만들기 위해 계량스푼을 이용하려고 합니다. 계량스푼은 약물이나 조미료 등을 계량하기 위한 기구로 mL 대신 tsp으로 표현합니다. 과자를 만드는 데 필요한 버터와 오일 양의 합은 몇 tsp인지 구해 보세요.

답 ____________ tsp

**코딩 2** 두 수를 넣으면 더 큰 수가 나오는 블록이 있습니다. 다음과 같이 A와 B를 넣었을 때 나오는 수는 얼마인가요?

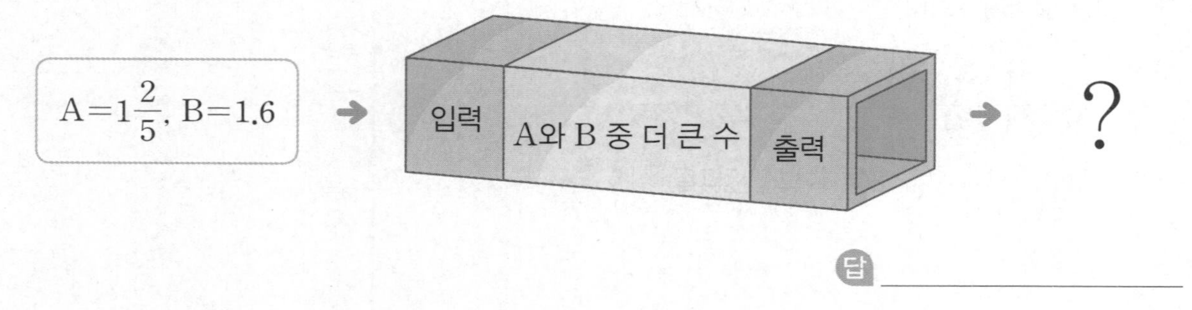


답 ____________

▶정답 및 풀이 23쪽

수민이 어머니께서 수민이와 동생에게 만두를 쪄 주셨습니다. 수민이는 전체 만두의 $\frac{2}{5}$를, 동생은 전체 만두의 $\frac{1}{3}$을 먹었습니다. 수민이와 동생이 먹은 만두의 합은 전체의 몇 분의 몇인지 구해 보세요.

 ____________

휴대폰 화면에 배터리의 남은 양을 확인할 수 있도록 표시되어 있습니다. 휴대폰을 사용하고 남은 배터리 양이 전체 배터리 양의 $\frac{1}{4}$일 때 사용한 배터리 양은 전체 배터리 양의 몇 분의 몇인가요?

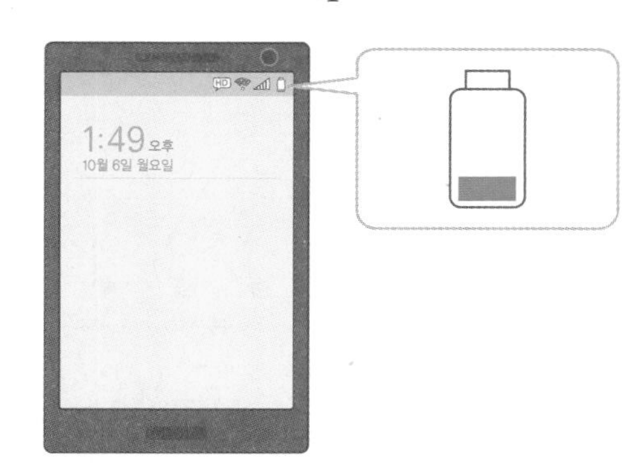


전체 배터리 양을
1이라 생각하고 구해 봐~

답 ____________

**융합 5** 리듬 체조는 줄, 후프, 공, 곤봉, 리본 등을 이용하여 음악의 리듬에 맞추어 신체 율동을 표현하는 여자 체조 경기입니다. 다음은 어느 리듬 체조 선수가 곤봉과 리본 종목에서 받은 점수를 나타낸 것입니다. 점수가 더 높은 종목은 어느 것인가요?

곤봉

리본

리듬 체조 종목별 점수

| 종목 | 곤봉 | 리본 |
|---|---|---|
| 점수 | $17\frac{2}{3}$점 | $17\frac{7}{10}$점 |

답 ______________

**융합 6** 각각의 음표가 나타내는 박자가 다음 표와 같을 때 오른쪽 악보에서 □ 안에 들어갈 수 있는 음표로 알맞은 것을 찾아 기호를 쓰세요.

| 음표 | 𝅘𝅥𝅯 | 𝅘𝅥𝅮 | 𝅘𝅥𝅮. | 𝅘𝅥 | 𝅘𝅥. |
|---|---|---|---|---|---|
| 박자 | $\frac{1}{4}$ | $\frac{1}{2}$ | $\frac{3}{4}$ | 1 | $1\frac{1}{2}$ |

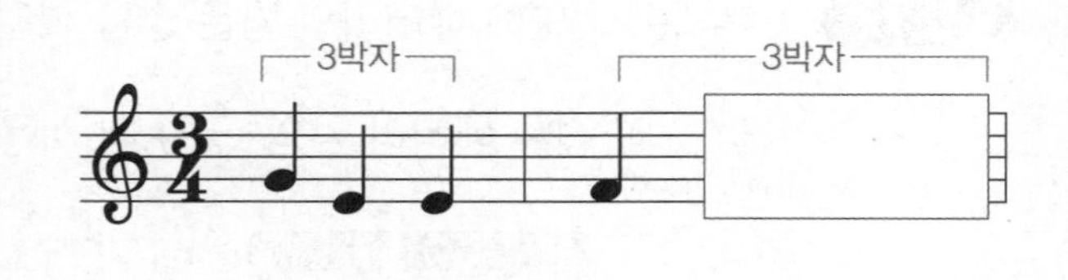

답 ______________

▶ 정답 및 풀이 23쪽

**창의 7** 여러 가지 크기의 분수 막대를 사용하여 $1\frac{1}{2}+1\frac{2}{3}$를 계산하려고 합니다. 물음에 답하세요.

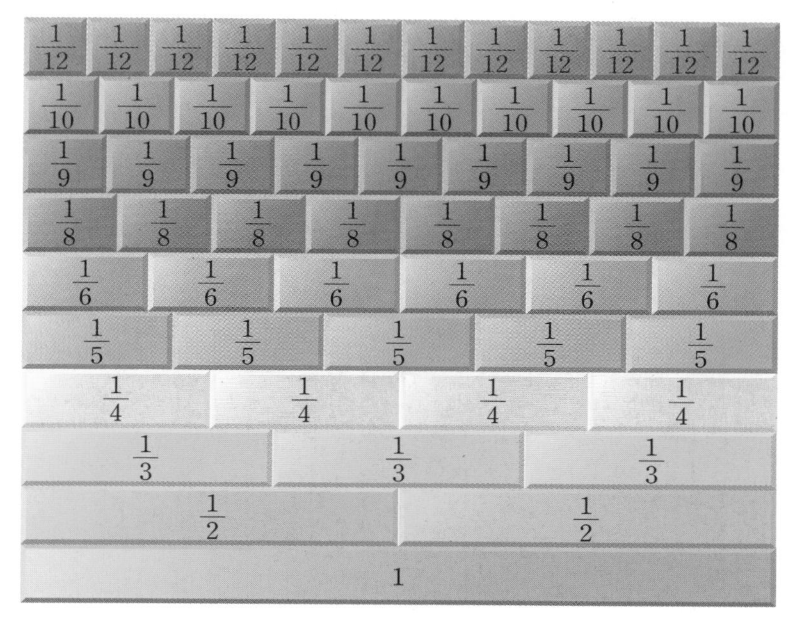


(1) $1\frac{1}{2}$과 $1\frac{2}{3}$를 분수 막대로 놓으면 1 막대는 모두 몇 개인가요?

답 ________________

(2) 위의 그림을 보고 $\frac{1}{2}$, $\frac{2}{3}$와 각각 길이가 같은 분수 막대를 채워 보세요.

$\frac{1}{2}$ ➜ 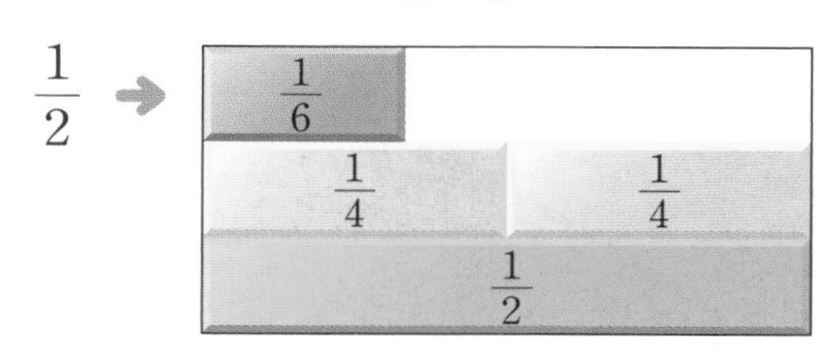


$\frac{2}{3}$ ➜


(3) $\frac{1}{2}$과 $\frac{2}{3}$를 합하면 $\frac{1}{6}$ 막대가 몇 개가 되나요?

답 ________________

(4) $1\frac{1}{2}+1\frac{2}{3}$는 얼마인가요?

답 ________________

3주 특강

미로 찾기 게임에서 생쥐가 과자 를 먹으면 $1\frac{3}{4}$점, 치즈 를 먹으면 $2\frac{1}{3}$점을 얻는다고 합니다. 생쥐가 가장 빠른 길로 미로를 빠져나와 목적지에 도착했을 때 얻는 점수는 몇 점인지 구해 보세요.

답 ____________________

코딩 9

다음은 수를 넣었을 때 계산 결과가 1보다 작은 경우를 알아보려고 만든 순서도입니다. $3\frac{3}{10}$을 넣었을 때 나오는 수는 얼마인가요?

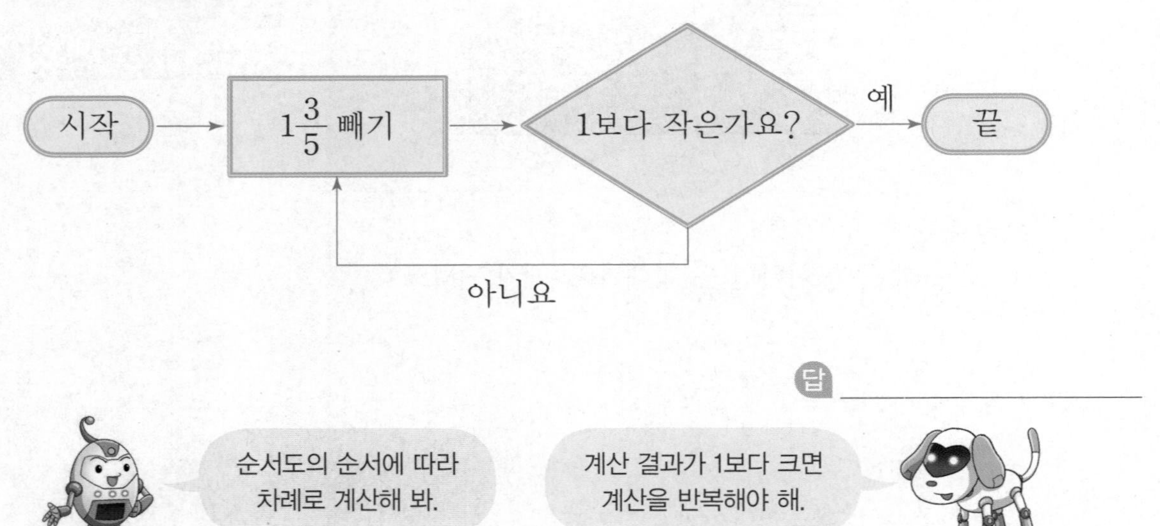


답 ____________________

▶정답 및 풀이 23쪽

아름이와 지훈이가 카드 게임을 하려고 합니다. 카드 게임의 규칙이 다음과 같을 때 물음에 답하세요.

규칙

① 두 사람이 번갈아 가며 수 카드에서 2장, 분수 카드에서 2장씩 가지고 옵니다.

② 수 카드 한 장과 분수 카드 한 장으로 대분수를 만들어 각자 대분수 2개를 만듭니다.

③ 두 대분수의 차가 더 큰 사람이 이깁니다.

〈수 카드〉 〈분수 카드〉

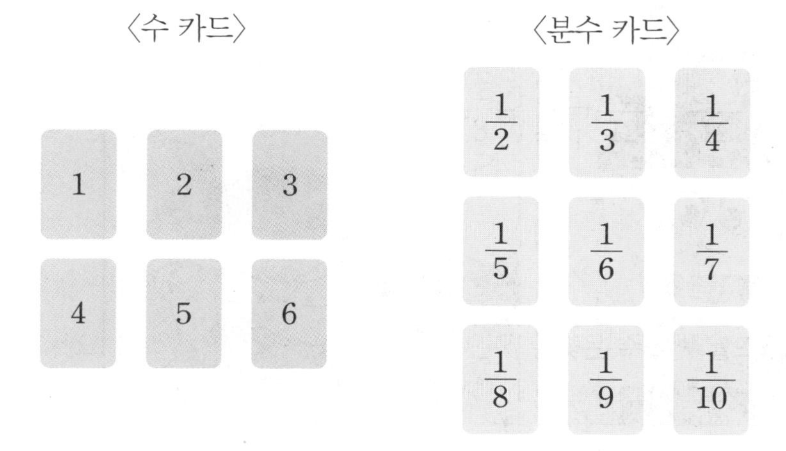


(1) 아름이가 1, 4, $\frac{1}{3}$, $\frac{1}{8}$을 뽑았을 때 차를 가장 크게 할 수 있는 두 대분수를 만들고 차를 구해 보세요.

(2) 지훈이가 2, 5, $\frac{1}{4}$, $\frac{1}{6}$을 뽑았을 때 차를 가장 크게 할 수 있는 두 대분수를 만들고 차를 구해 보세요.

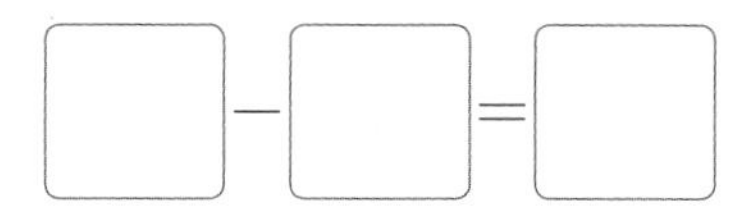

(3) 카드 게임에서 이긴 사람은 누구인가요?

답 ______________

4주


# 다각형의 둘레와 넓이

토리야~ 너 뭐하냐?
탁탁

말 시키지마! 지금 중요한 순간이야~
너 게임 하는 거지!

직사각형 모양의 땅을 지키지 못했습니다.
실패

으아악! 너 때문에 미션 실패했잖아!
그게 왜 내 탓이냐…

무슨 게임인데 그래?

가로 5 m, 세로 3 m인 직사각형 모양 땅의 둘레를 구하고 적의 침입을 막는 게임이야.


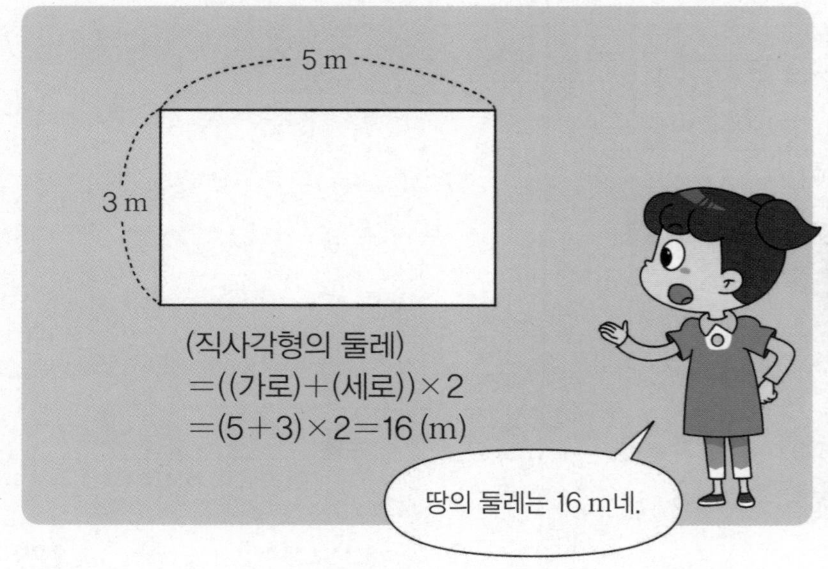


5 m
3 m
(직사각형의 둘레)
=((가로)+(세로))×2
=(5+3)×2=16 (m)
땅의 둘레는 16 m네.

에이~ 시시해! 너무 쉽잖아~
너… 혹시. 게임 천재?
미션클리어

# 이번 주에는 무엇을 공부할까? ①

- 1일 정다각형, 직사각형의 둘레
- 2일 평행사변형, 마름모의 둘레, 넓이의 단위
- 3일 직사각형, 정사각형의 넓이
- 4일 평행사변형, 삼각형의 넓이
- 5일 마름모, 사다리꼴의 넓이

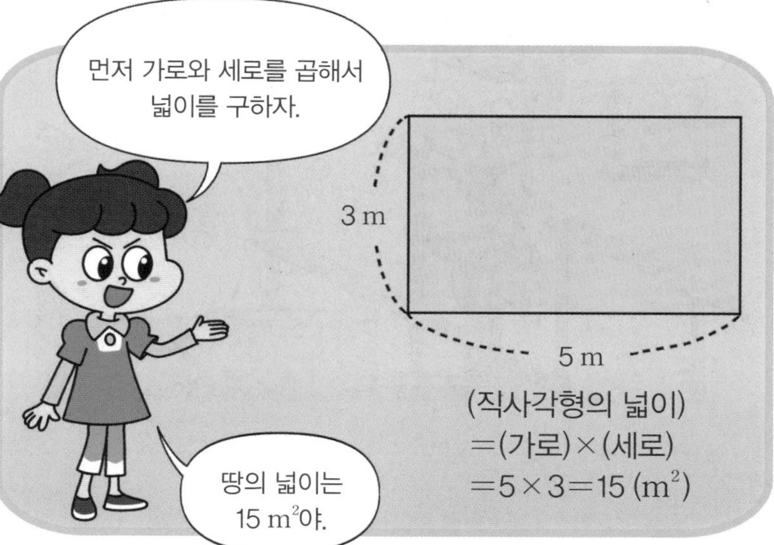

# 이번 주에는 무엇을 공부할까? ②

## 4-2 사각형

평행사변형은
마주 보는 두 쌍의 변이
서로 평행한 사각형이야.

평행사변형에서 마주 보는
두 변의 길이가 같아.

**1-1** 평행사변형을 찾아 ○표 하세요.

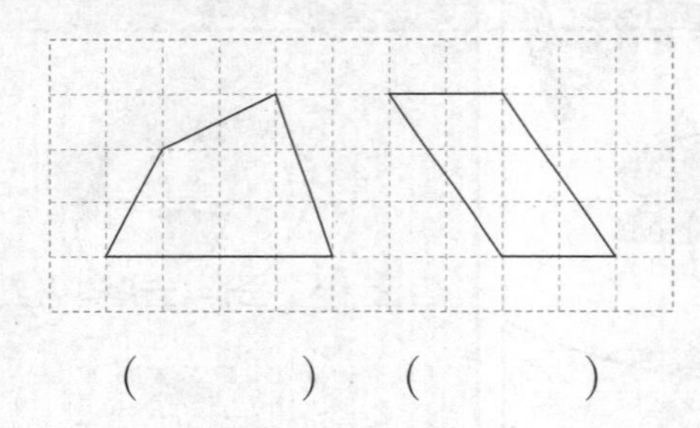

(　　　) (　　　)

**1-2** 평행사변형을 모두 찾아 기호를 쓰세요.

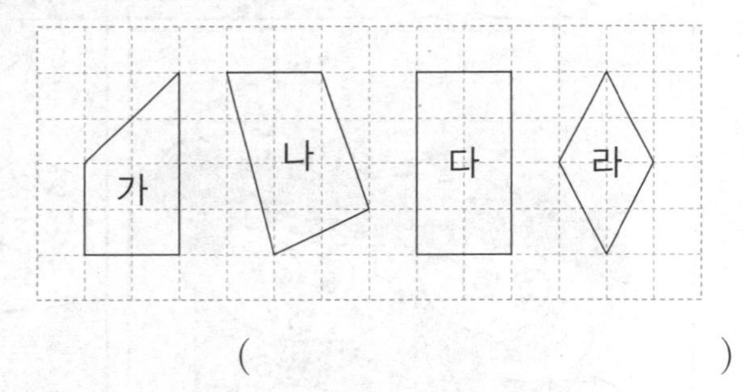


(　　　　　　　　　)

[2-1 ~ 2-2] 평행사변형입니다. □ 안에 알맞은 수를 써넣으세요.

**2-1**

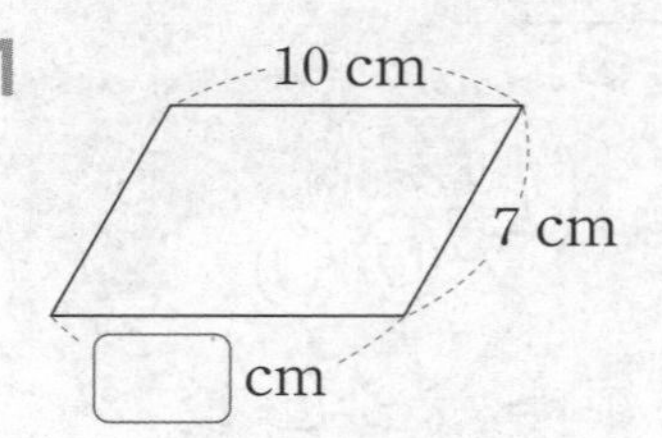


**2-2**

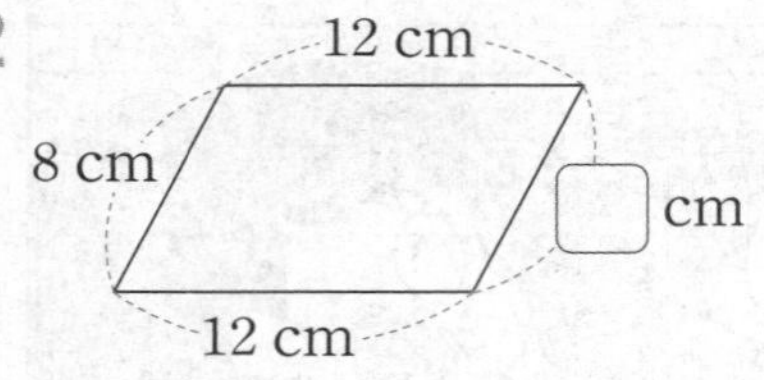

## 4-2 다각형

선분으로만 둘러싸인 도형을 다각형이라고 해.

다각형 중 변의 길이가 모두 같고 각의 크기가 모두 같으면 정다각형이라고 하지.

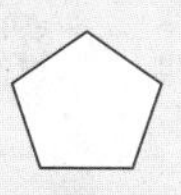
정삼각형 정사각형 정오각형



[3-1 ~ 3-2] 정다각형의 변의 수를 세어 보고, 이름을 써 보세요.

**3-1**

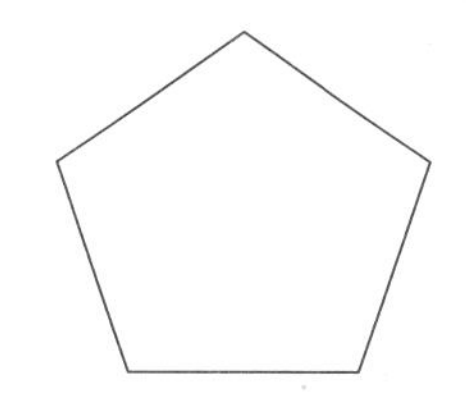

변의 수: □개

이름: 정□각형

**3-2**

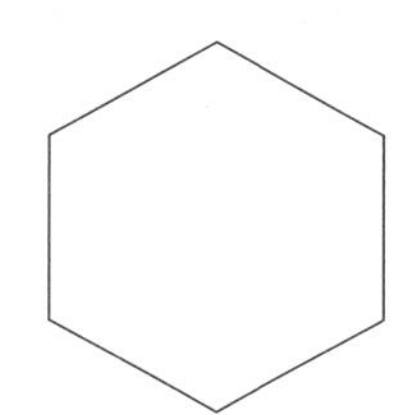

변의 수: □개

이름: 정□각형

[4-1 ~ 4-2] 정다각형입니다. □ 안에 알맞은 수를 써넣으세요.

**4-1**

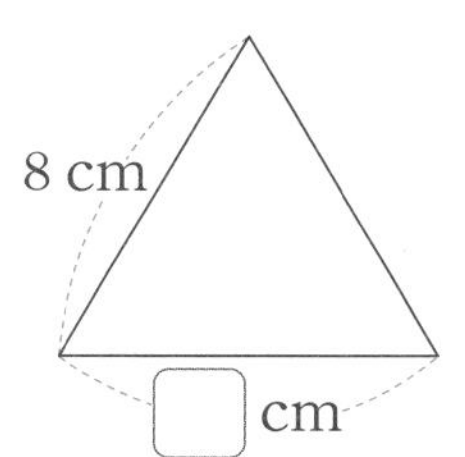


**4-2**

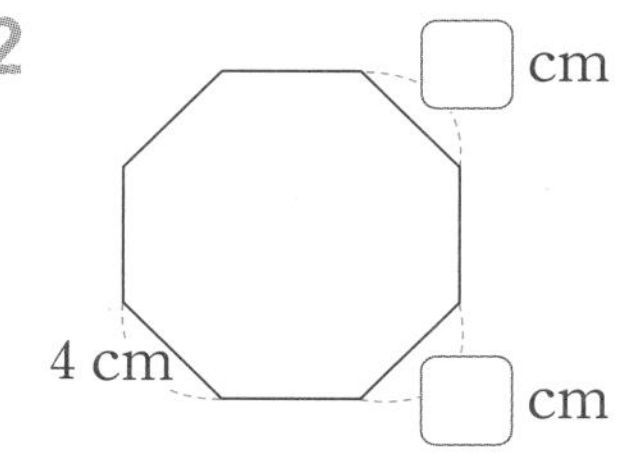

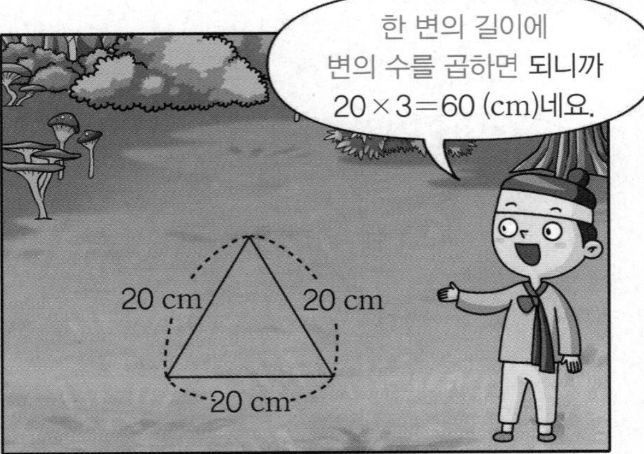

 교과서 기초 개념

• 정다각형의 둘레 구하기

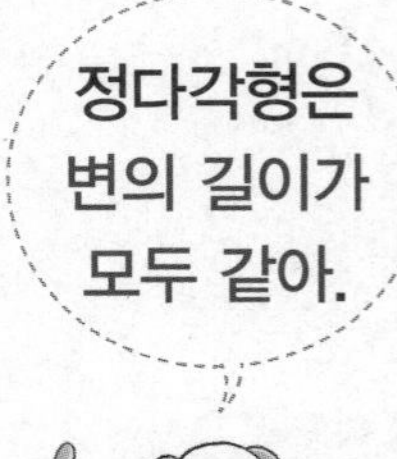

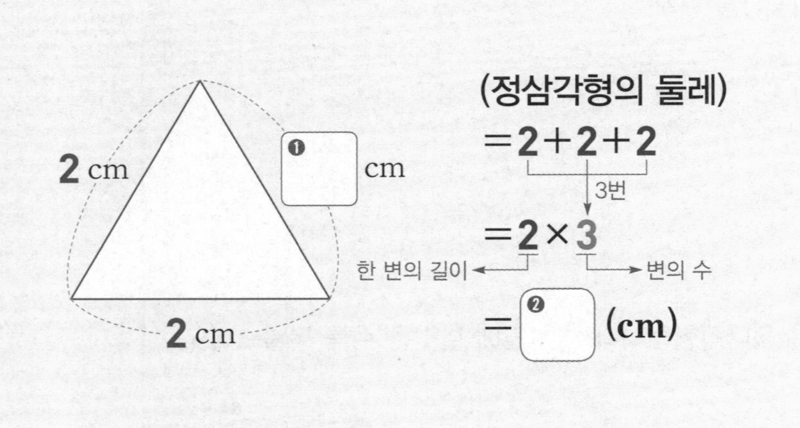


정다각형의 둘레 = 한 변의 길이 × 변의 수

정답 ❶ 2 ❷ 6

공부한 날 　월 　일

▶ 정답 및 풀이 25쪽

**1-1** 정삼각형의 둘레를 구해 보세요.

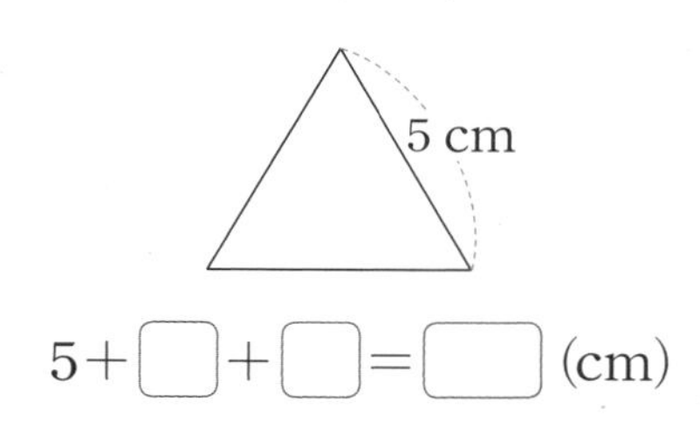


5+□+□=□ (cm)

**1-2** 정오각형의 둘레를 구해 보세요.

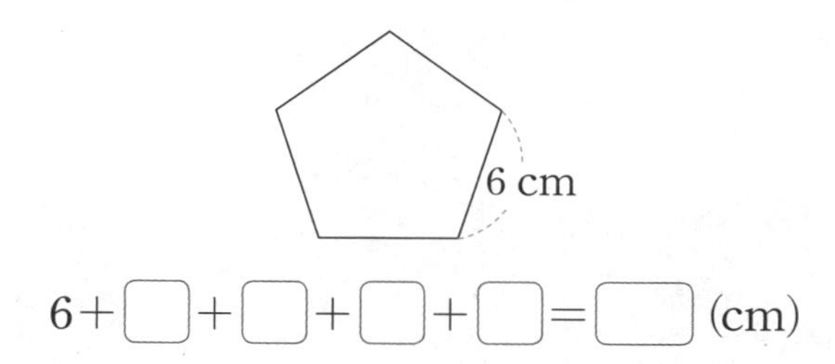


6+□+□+□+□=□ (cm)

**2-1** 정육각형의 둘레를 구해 보세요.

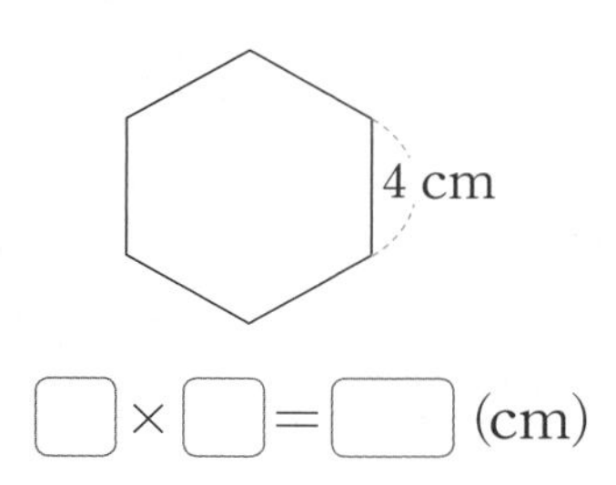


□×□=□ (cm)

**2-2** 정사각형의 둘레를 구해 보세요.

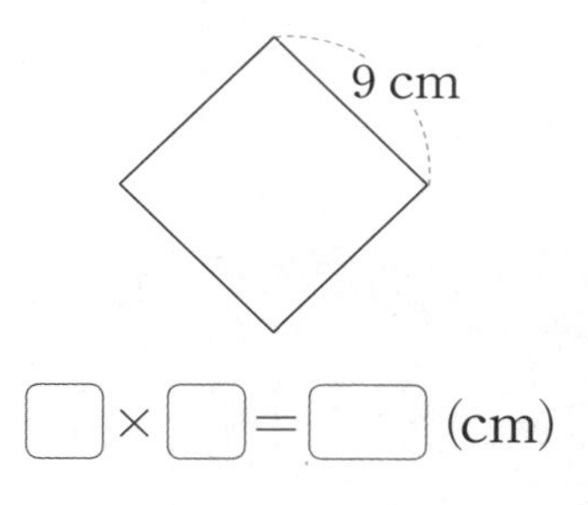


□×□=□ (cm)

**3-1** 다음 도형의 둘레는 몇 cm인가요?

한 변의 길이가 3 cm인 정구각형

(　　　　　　)

**3-2** 다음 도형의 둘레는 몇 cm인가요?

한 변의 길이가 12 cm인 정육각형

(　　　　　　)

**4-1** 정다각형의 둘레는 몇 cm인가요?

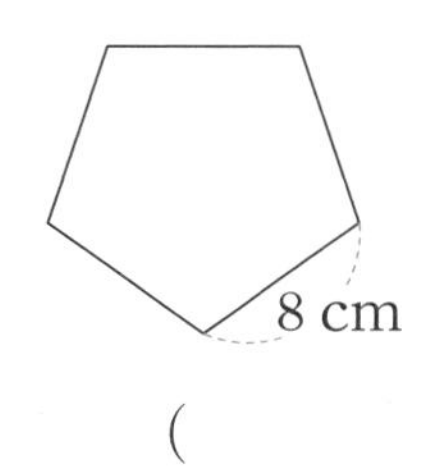


(　　　　　　)

**4-2** 정다각형의 둘레는 몇 cm인가요?

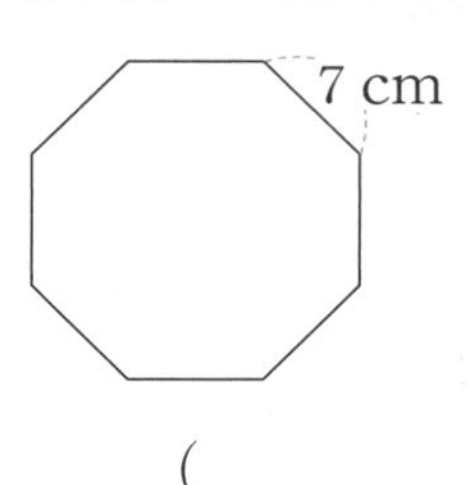


(　　　　　　)

## 교과서 기초 개념

• 직사각형의 둘레 구하기

직사각형은 마주 보는 변끼리 길이가 같아.

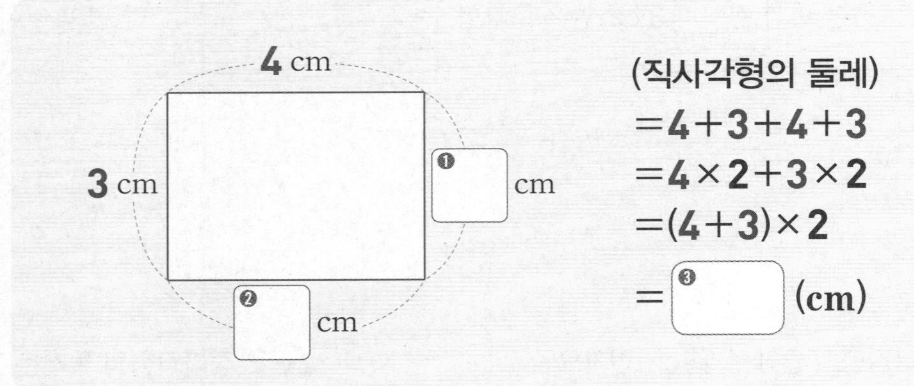


직사각형의 둘레 = 가로 ×2+ 세로 ×2

=( 가로 + 세로 )×2

정답 ❶ 3 ❷ 4 ❸ 14

# 개념 · 원리 확인

▶정답 및 풀이 25쪽

**1-1** 직사각형의 둘레를 구하는 식에 ○표 하세요.

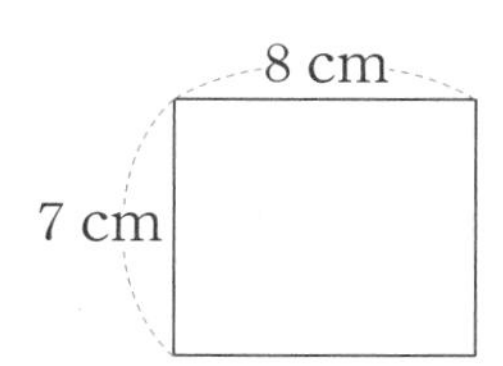


| 8+7 | 8×2+7×2 |
| --- | --- |
| | |

**1-2** 직사각형의 둘레를 구하는 식에 ○표 하세요.

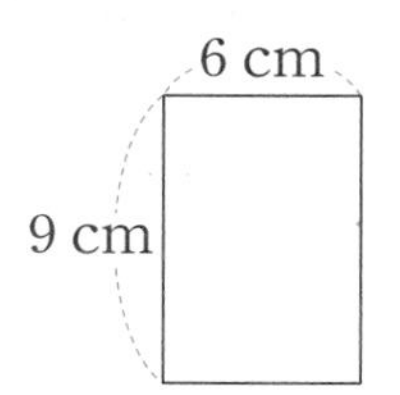


| 6+9×2 | (6+9)×2 |
| --- | --- |
| | |

**2-1** 직사각형의 둘레를 구해 보세요.

(1)

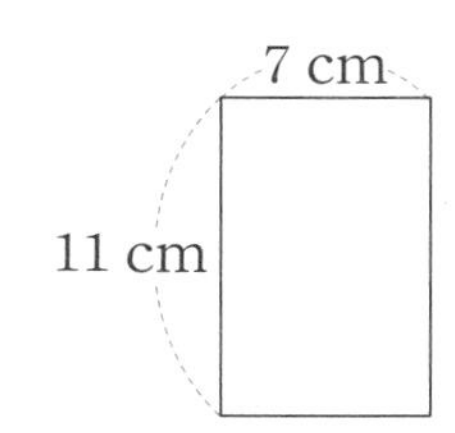


7×□+11×□=□ (cm)

(2)

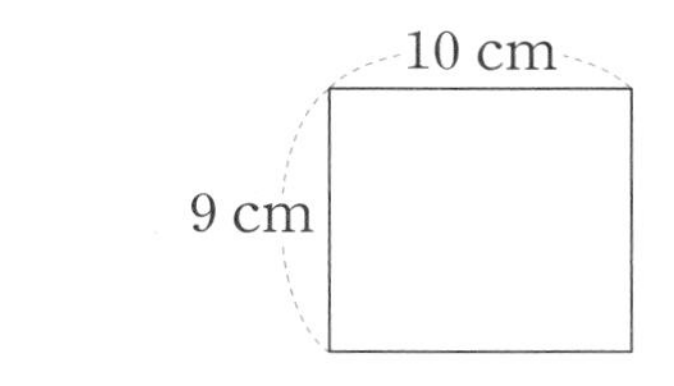


10×□+9×□=□ (cm)

**2-2** 직사각형의 둘레를 구해 보세요.

(1)

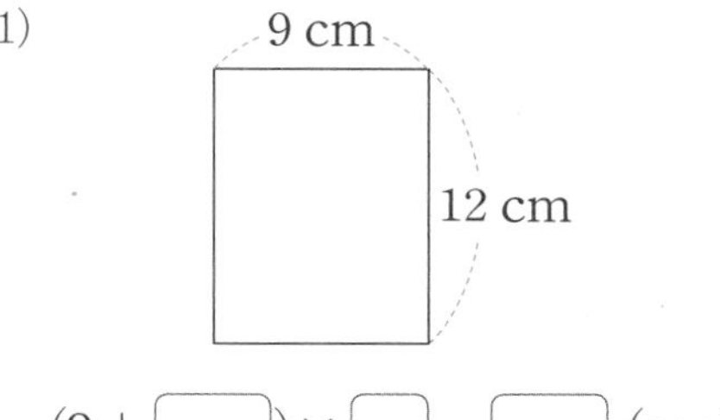


(9+□)×□=□ (cm)

(2)

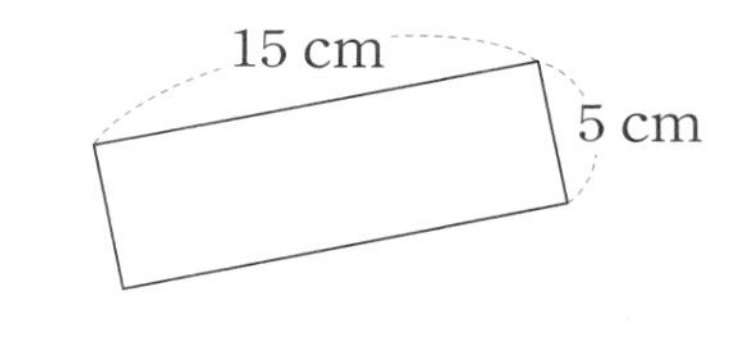


(□+5)×□=□ (cm)

**3-1** 직사각형의 둘레는 몇 cm인가요?

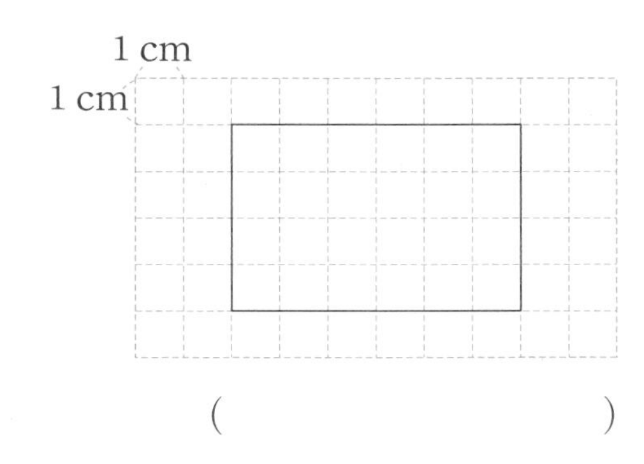


(　　　　　　)

**3-2** 직사각형의 둘레는 몇 cm인가요?

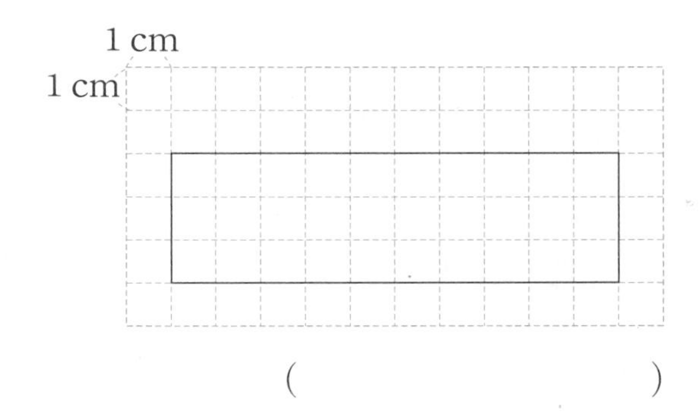


(　　　　　　)

4주 1일

1일

# 기초 집중 연습

## 기본 문제 연습

**1-1** 직사각형의 둘레는 몇 cm인가요?

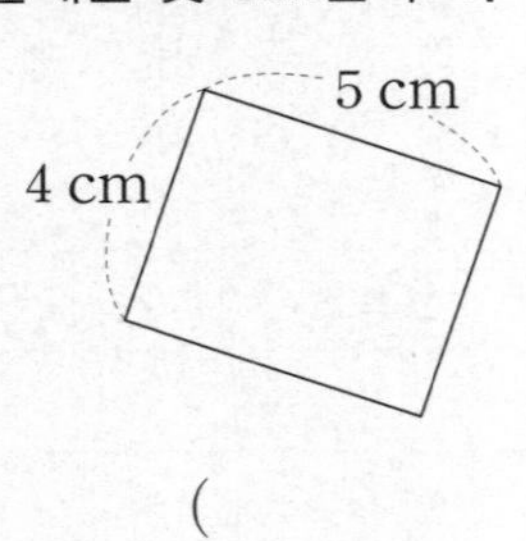


( )

**1-2** 직사각형의 둘레는 몇 cm인가요?

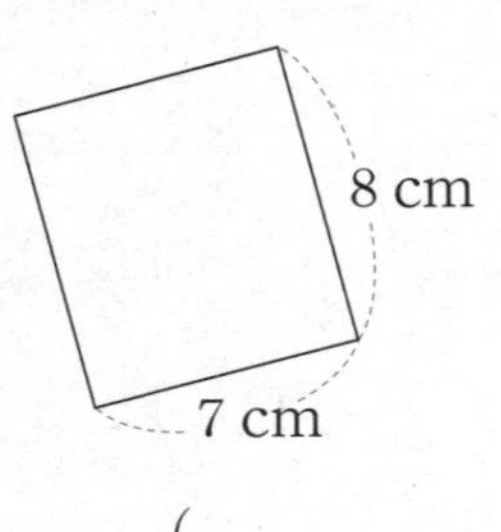


( )

**2-1** 한 변의 길이가 5 cm인 정오각형의 둘레는 몇 cm 인가요?

( )

**2-2** 한 변의 길이가 8 cm인 정사각형의 둘레는 몇 cm 인가요?

( )

**3-1** 정삼각형입니다. □ 안에 알맞은 수를 써넣으세요.

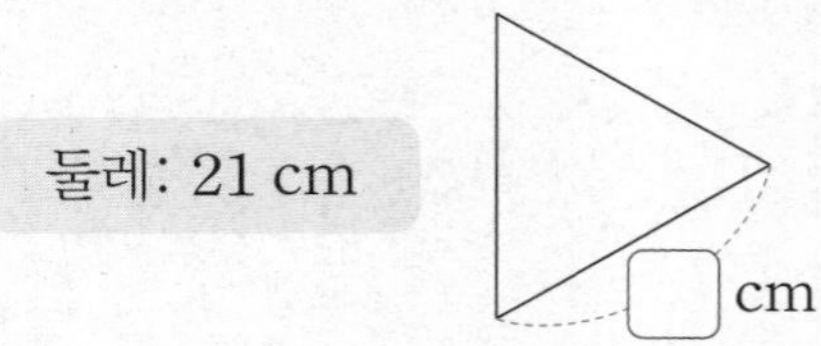


**3-2** 정육각형입니다. □ 안에 알맞은 수를 써넣으세요.

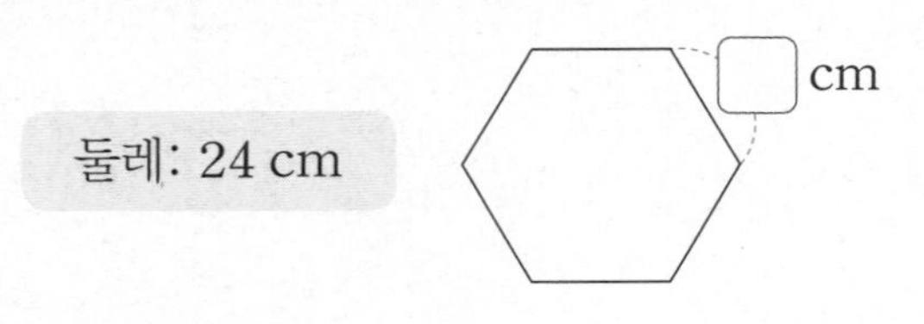


**4-1** 직사각형입니다. □ 안에 알맞은 수를 써넣으세요.

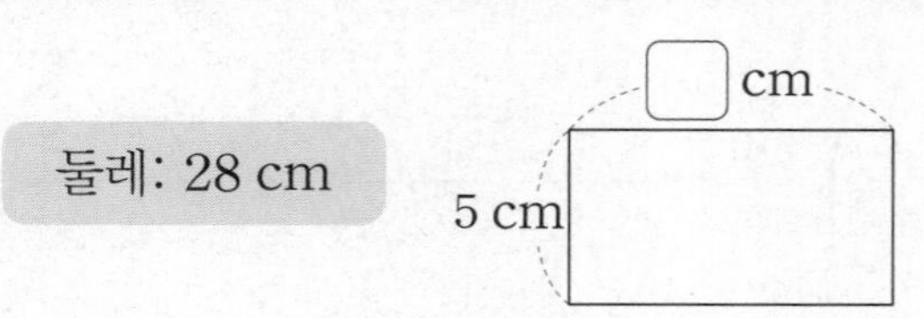


**4-2** 직사각형입니다. □ 안에 알맞은 수를 써넣으세요.

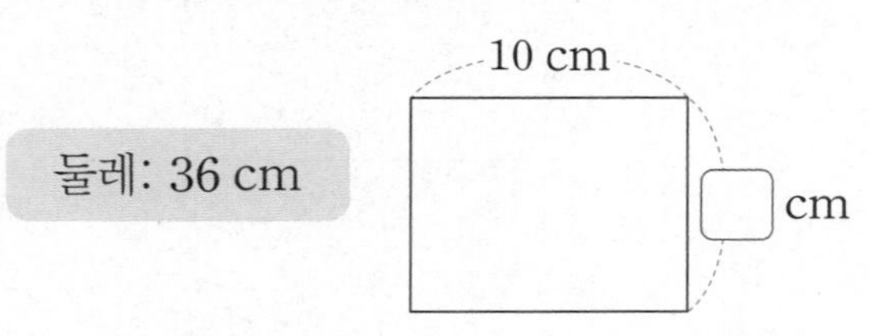

▶정답 및 풀이 26쪽

## 기초 → 문장제 연습 문제에서 가로와 세로의 길이를 찾아 둘레를 구하자.

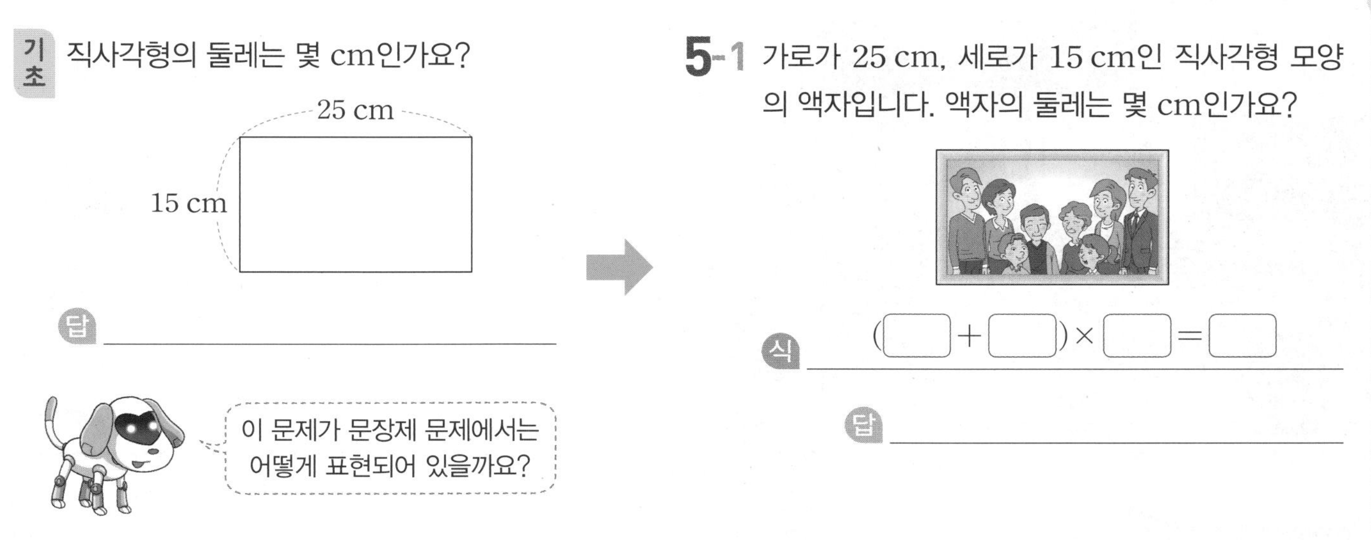


기초 직사각형의 둘레는 몇 cm인가요?

답 ____________________

**5-1** 가로가 25 cm, 세로가 15 cm인 직사각형 모양의 액자입니다. 액자의 둘레는 몇 cm인가요?

식 ( □ + □ ) × □ = □

답 ____________________

**5-2** 도서 대출증에 있는 사진은 가로가 3 cm, 세로가 4 cm인 직사각형 모양입니다. 사진의 둘레는 몇 cm인가요?

식 ____________________

답 ____________________

**5-3** 시은이네 텃밭은 가로가 8 m, 세로가 6 m인 직사각형 모양입니다. 텃밭의 둘레는 몇 m인가요?

식 ____________________

답 ____________________

4주 1일

## 교과서 기초 개념

• 평행사변형의 둘레 구하기

**평행사변형은 마주 보는 변끼리 길이가 같습니다.**

5 cm, 3 cm, ❶ □ cm, 5 cm

(평행사변형의 둘레)$=5\times2+3\times2$ (5: 한 변의 길이, 3: 다른 한 변의 길이)

$=(5+3)\times2$

$=16$ (cm)

• 마름모의 둘레 구하기

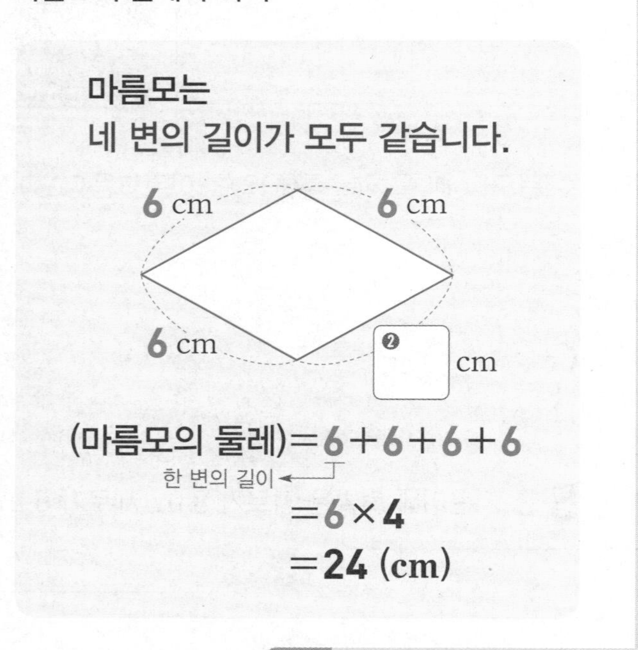


**마름모는 네 변의 길이가 모두 같습니다.**

(마름모의 둘레)$=6+6+6+6$ (6: 한 변의 길이)

$=6\times4$

$=24$ (cm)

정답 ❶ 3 ❷ 6

# 개념 · 원리 확인

▶정답 및 풀이 26쪽

**1-1** 평행사변형의 둘레를 구해 보세요.

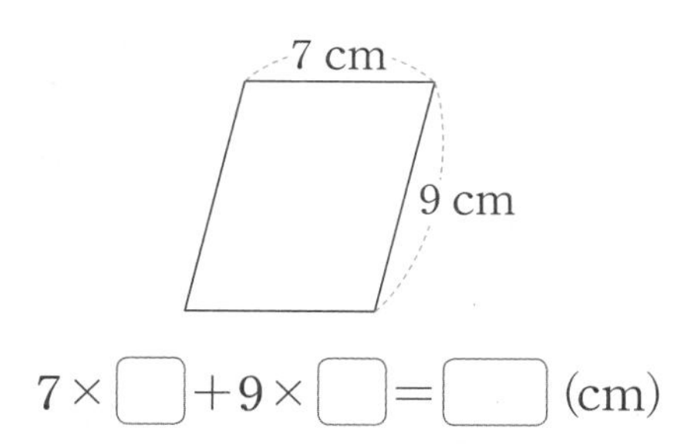


$7\times\square+9\times\square=\square$ (cm)

**1-2** 평행사변형의 둘레를 구해 보세요.

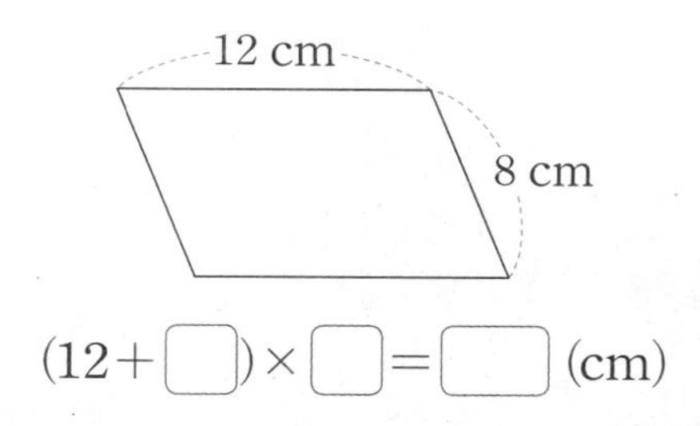


$(12+\square)\times\square=\square$ (cm)

**2-1** 마름모의 둘레를 구해 보세요.

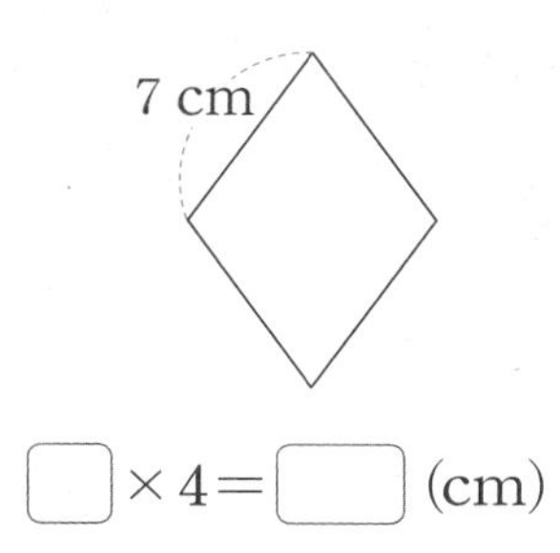


$\square\times 4=\square$ (cm)

**2-2** 마름모의 둘레를 구해 보세요.

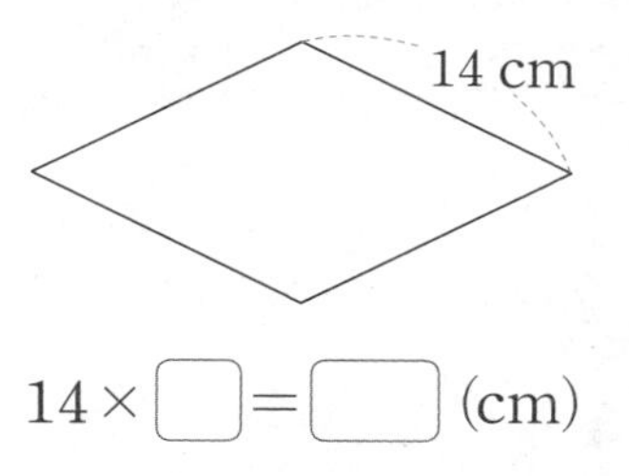


$14\times\square=\square$ (cm)

**3-1** 평행사변형의 둘레는 몇 cm인가요?

(1)

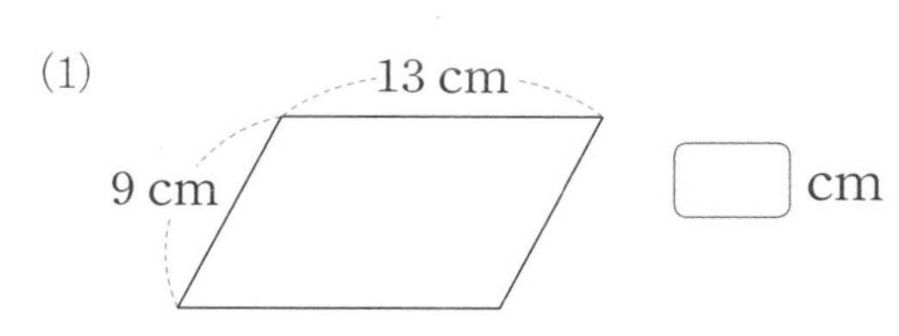


$\square$ cm

(2)

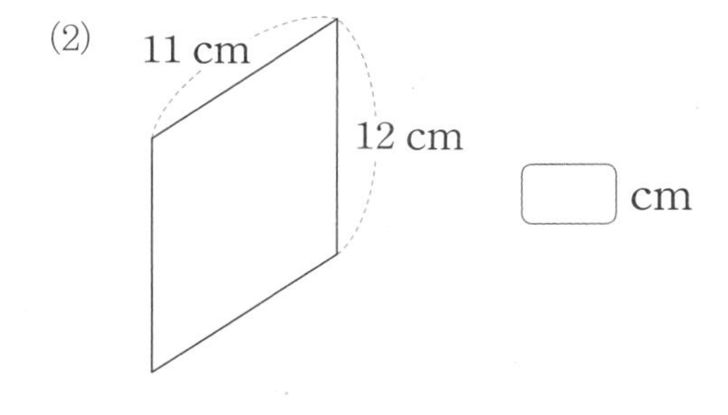


$\square$ cm

**3-2** 마름모의 둘레는 몇 cm인가요?

(1)

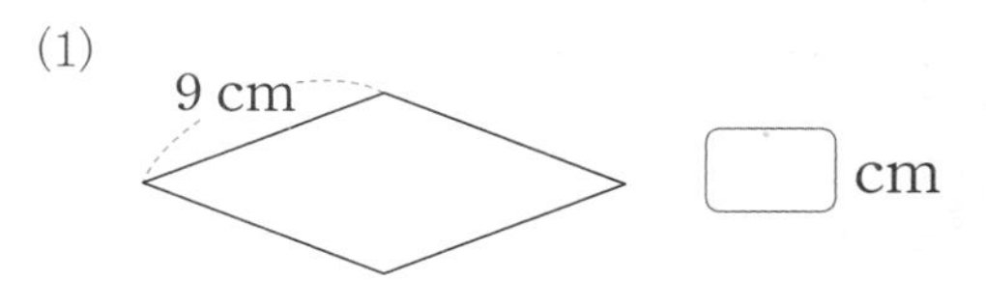


$\square$ cm

(2)

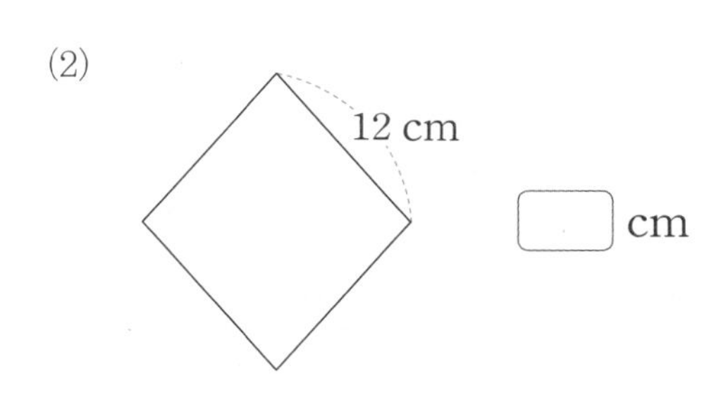


$\square$ cm

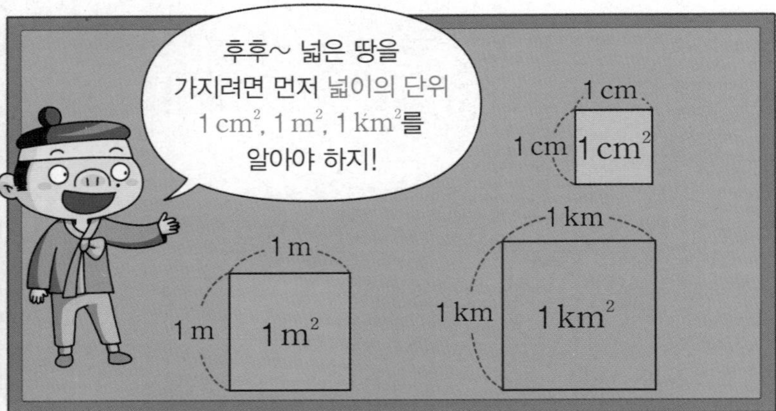

## 교과서 기초 개념

- 넓이의 단위 $1\ \text{cm}^2$, $1\ \text{m}^2$, $1\ \text{km}^2$ 알아보기

| 한 변의 길이가 **1 cm**인 정사각형의 넓이 | 한 변의 길이가 **1 m**인 정사각형의 넓이 | 한 변의 길이가 **1 km**인 정사각형의 넓이 |
|---|---|---|
| 쓰기 $1\ \text{cm}^2$ | 쓰기 $1\ \text{m}^2$ | 쓰기 $1\ \text{km}^2$ |
| 읽기 1 제곱센티미터 | 읽기 1 제곱미터 | 읽기 1 제곱킬로미터 |

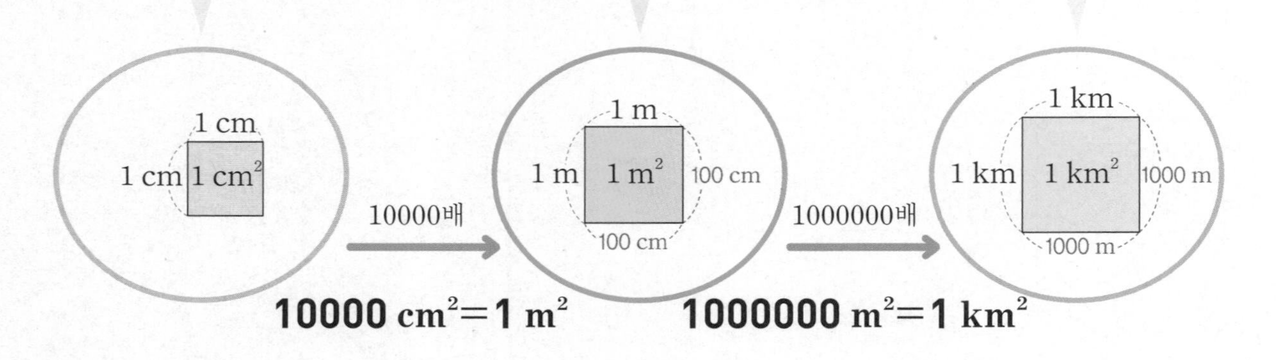


**$10000\ \text{cm}^2 = 1\ \text{m}^2$**　**$1000000\ \text{m}^2 = 1\ \text{km}^2$**

# 개념·원리 확인

▶정답 및 풀이 27쪽

**1-1** 정사각형의 넓이를 쓰고 읽어 보세요.

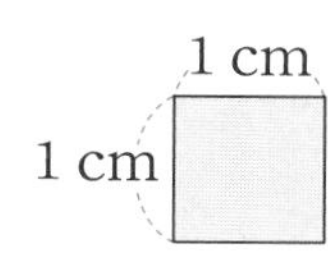


쓰기 ______________________

읽기 ______________________

**1-2** 정사각형의 넓이를 쓰고 읽어 보세요.

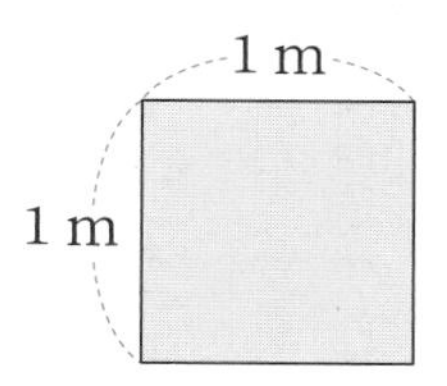


쓰기 ______________________

읽기 ______________________

**2-1** 주어진 넓이를 쓰고 읽어 보세요.

$3\ m^2$

쓰기 ______________________

읽기 ______________________

**2-2** 주어진 넓이를 쓰고 읽어 보세요.

$5\ km^2$

쓰기 ______________________

읽기 ______________________

**3-1** □ 안에 알맞은 수를 써넣으세요.

(1) $3\ m^2=$ □ $cm^2$

(2) $80000\ cm^2=$ □ $m^2$

**3-2** □ 안에 알맞은 수를 써넣으세요.

(1) $4\ km^2=$ □ $m^2$

(2) $9000000\ m^2=$ □ $km^2$

**[4-1 ~ 4-2] 모눈종이 한 칸의 넓이는 $1\ cm^2$입니다. 도형의 넓이를 구해 보세요.**

**4-1**

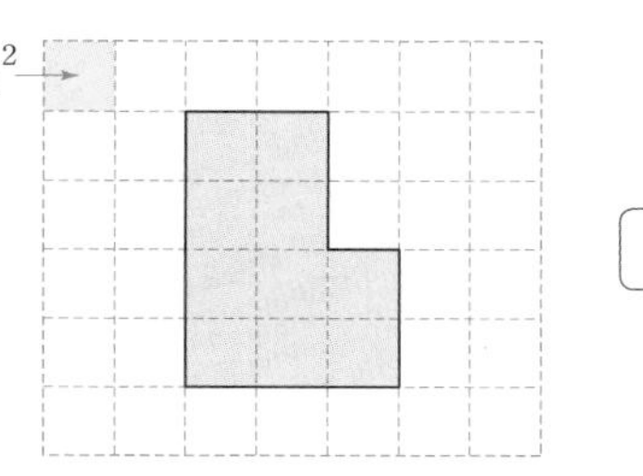


□ $cm^2$

**4-2**

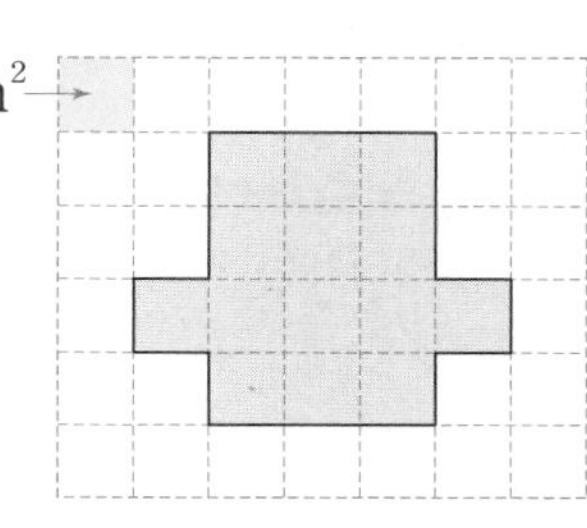


□ $cm^2$

4주 2일

2일

# 기초 집중 연습

## 기본 문제 연습

**1-1** 평행사변형의 둘레는 몇 cm인가요?

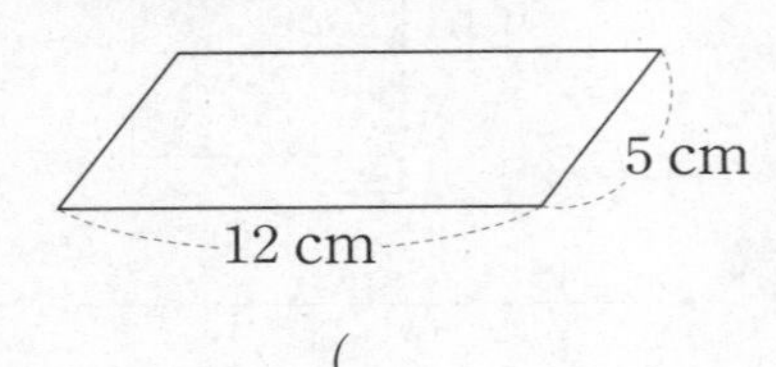


( )

**1-2** 평행사변형의 둘레는 몇 cm인가요?

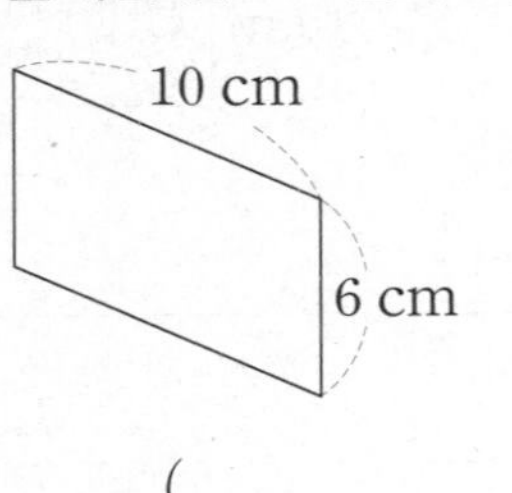


( )

**2-1** □ 안에 알맞은 수를 써넣으세요.

(1) $6\ m^2$= □ $cm^2$

(2) $30000000\ m^2$= □ $km^2$

**2-2** □ 안에 알맞은 수를 써넣으세요.

(1) $2.6\ m^2$= □ $cm^2$

(2) $5.4\ km^2$= □ $m^2$

**3-1** 마름모입니다. □ 안에 알맞은 수를 써넣으세요.

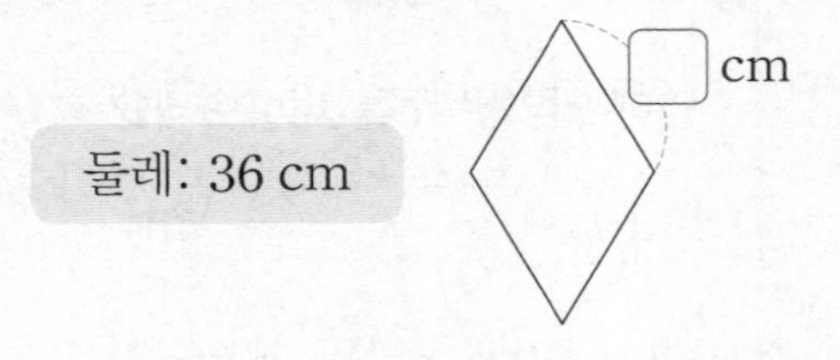


**3-2** 마름모입니다. □ 안에 알맞은 수를 써넣으세요.

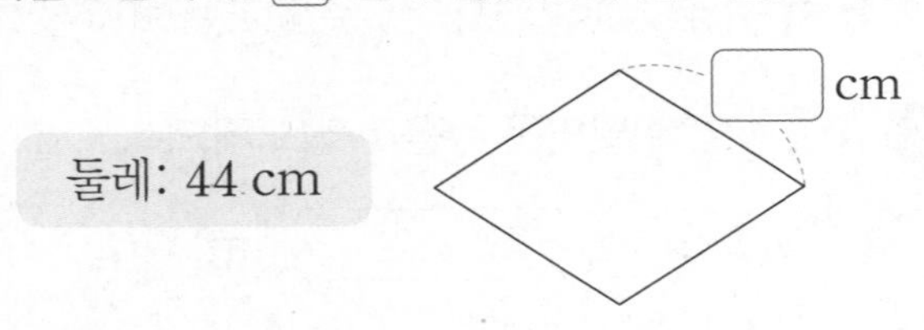


**4-1** 바르게 말한 사람의 이름을 써 보세요.

휴대전화 화면의 넓이는 $m^2$로 나타내는 것이 좋아.

교실 앞 복도 바닥의 넓이는 $m^2$로 나타내는 것이 좋아.

( )

**4-2** 보기에서 알맞은 단위를 골라 □ 안에 써넣으세요.

보기

$m^2$ $cm^2$ $km^2$

(1) 제주도의 면적은 약 1849 □ 입니다.

(2) 축구 경기장의 넓이는 8250 □ 입니다.

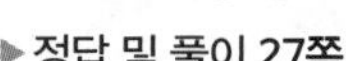

▶정답 및 풀이 27쪽

## 기초 → 기본 연습 한 개가 1 $cm^2$인 모눈 칸의 수를 세어 넓이를 구하자.

**기초** 도형의 넓이는 몇 $cm^2$인가요?

1 $cm^2$

답 ______________

**5-1** 넓이가 8 $cm^2$인 도형을 찾아 기호를 써 보세요.

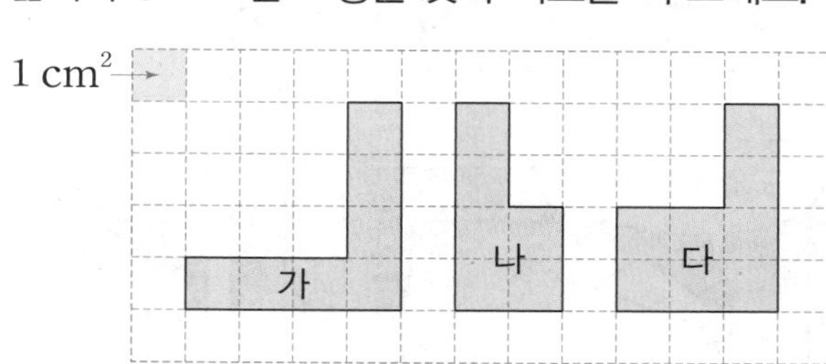


답 ______________

**5-2** 넓이가 13 $cm^2$인 도형을 찾아 기호를 써 보세요.

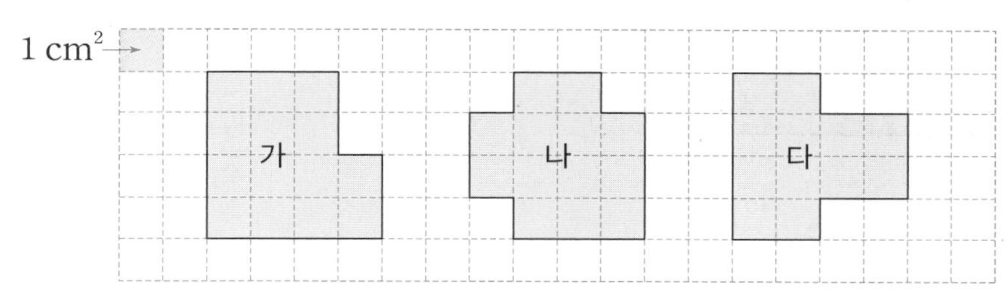


답 ______________

**5-3** 넓이가 다른 도형을 찾아 기호를 써 보세요.

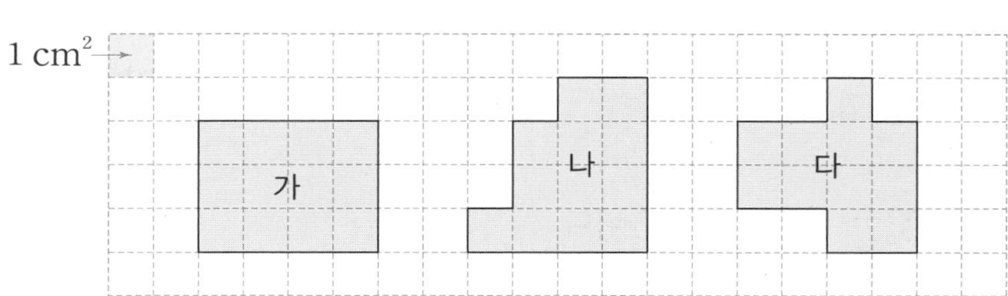


답 ______________

4주 2일

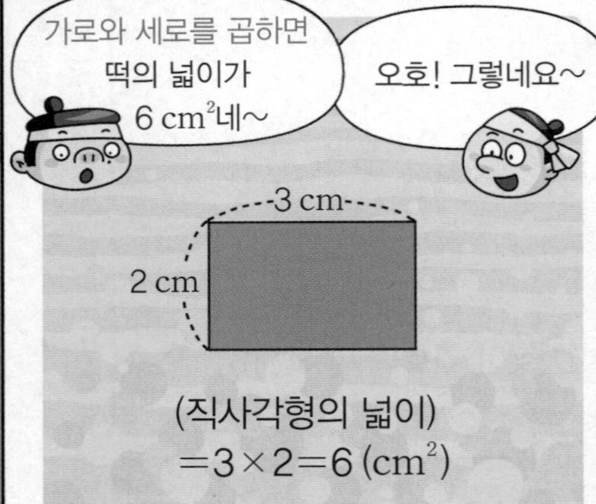

## 교과서 기초 개념

• **직사각형의 넓이 구하기**

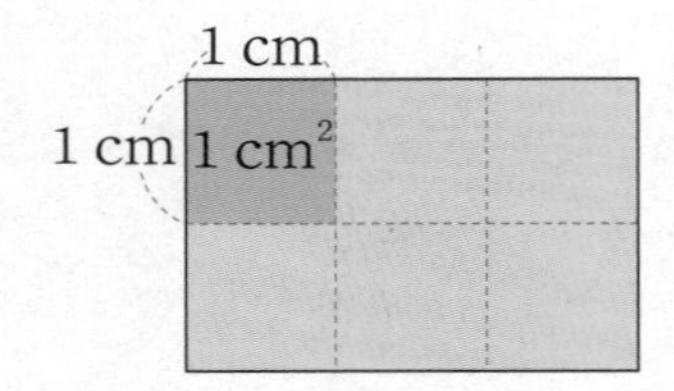


$1\text{ cm}^2$가 가로에 3개 있고,

$1\text{ cm}^2$가 세로에 2개 있으므로

$1\text{ cm}^2$가 모두 $3\times2=$ ❶ ☐ (개) 있습니다.

➜ (직사각형의 넓이)$=6\text{ cm}^2$

➜

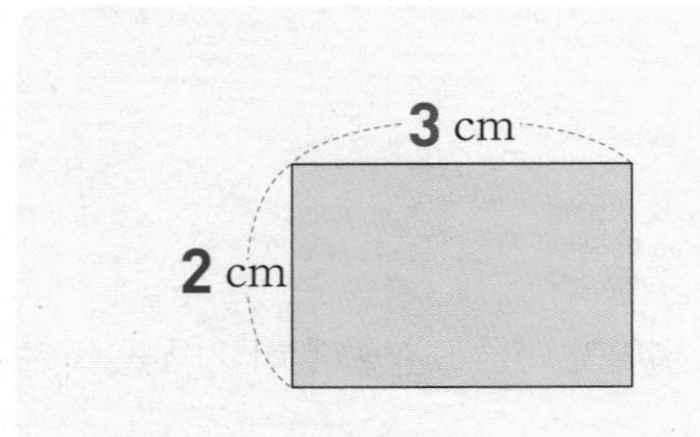


**(직사각형의 넓이)**

$=3\times2=$ ❷ ☐ $(\text{cm}^2)$

**직사각형의 넓이 = 가로 × 세로**

정답 ❶ 6 ❷ 6

## 개념 · 원리 확인

▶정답 및 풀이 28쪽

**1-1** 직사각형을 보고 □ 안에 알맞은 수를 써넣으세요.

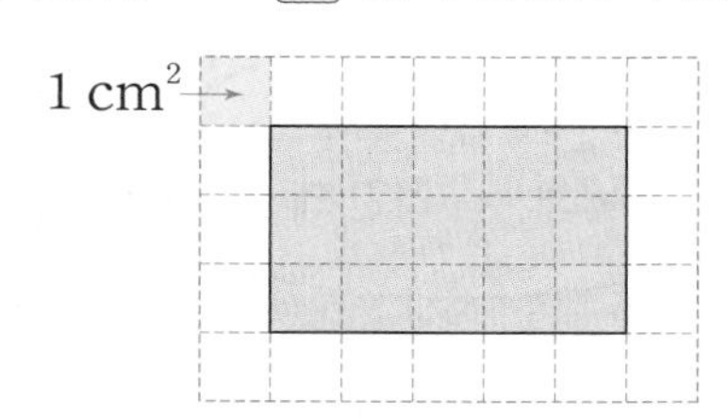


1 cm²가 가로에 □개, 세로에 3개 있습니다.

(직사각형의 넓이)=□×3=□ $(cm^2)$

**1-2** 직사각형을 보고 □ 안에 알맞은 수를 써넣으세요.

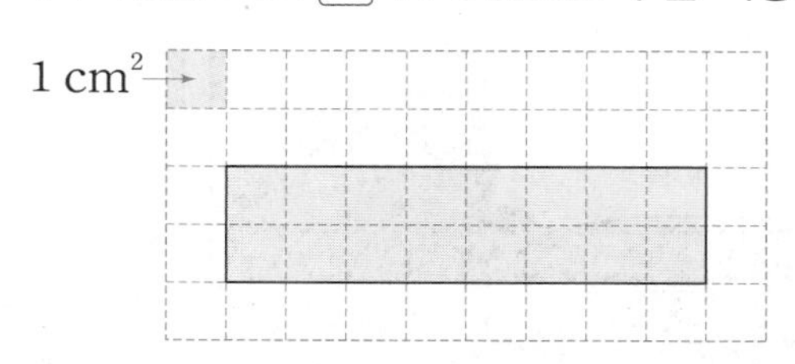


1 cm²가 가로에 □개, 세로에 □개 있습니다.

(직사각형의 넓이)=□×□=□ $(cm^2)$

**2-1** 직사각형의 넓이를 구하는 식에 ○표 하세요.

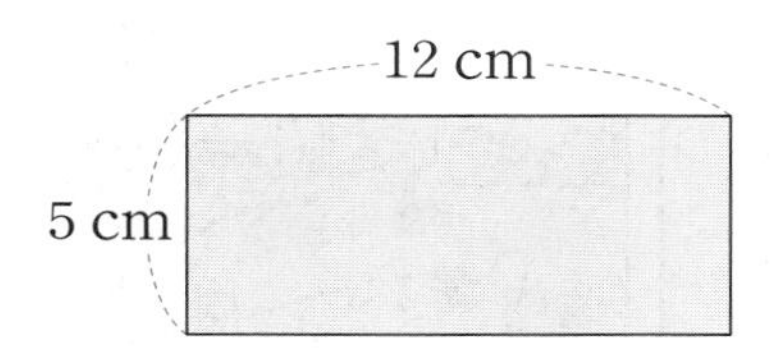


| 12+5 | 12×5 |
|---|---|
| | |

**2-2** 직사각형의 넓이를 구하는 식에 ○표 하세요.

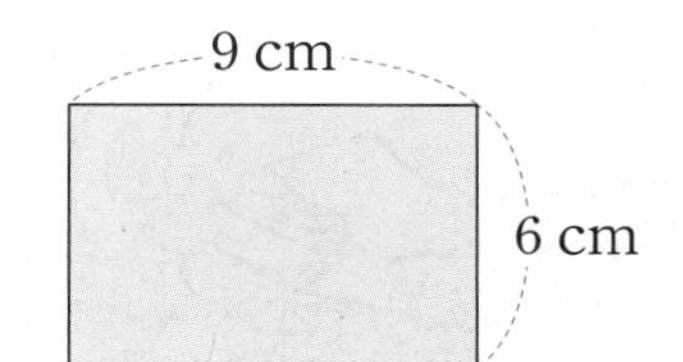


| 9×6 | (9+6)×2 |
|---|---|
| | |

**3-1** 직사각형의 넓이를 구해 보세요.

(1)

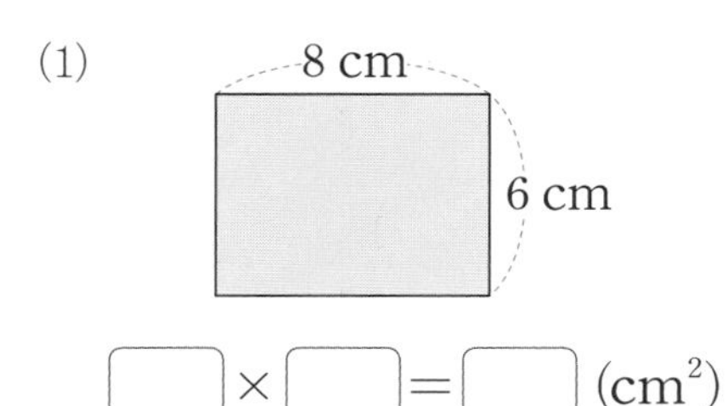


□×□=□ $(cm^2)$

(2)

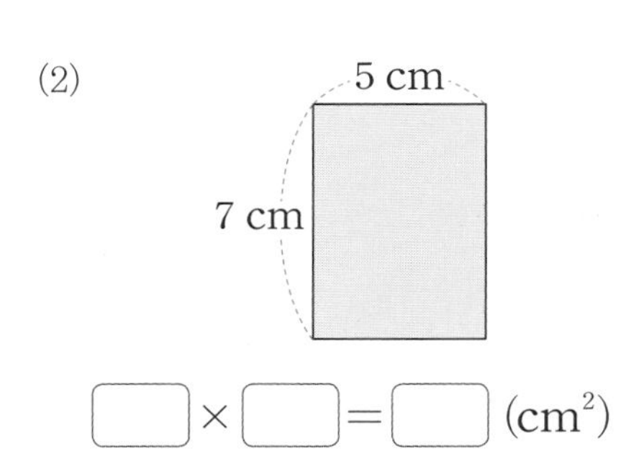


□×□=□ $(cm^2)$

**3-2** 직사각형의 넓이를 구해 보세요.

(1)

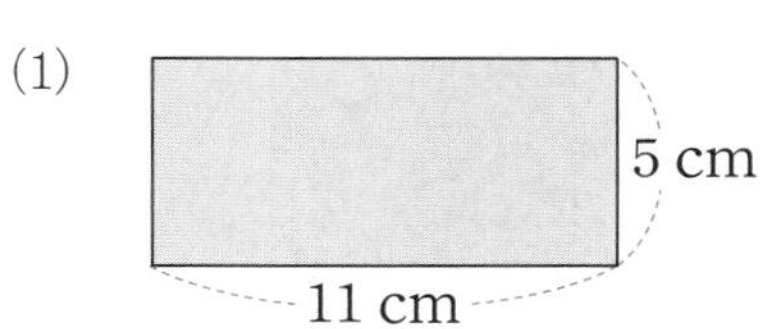


□×□=□ $(cm^2)$

(2)

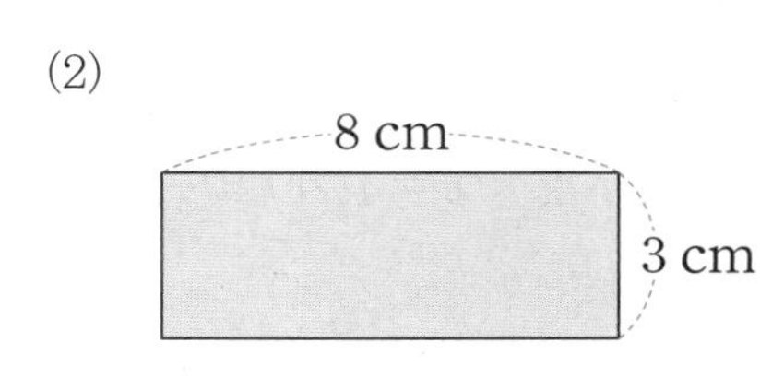


□×□=□ $(cm^2)$

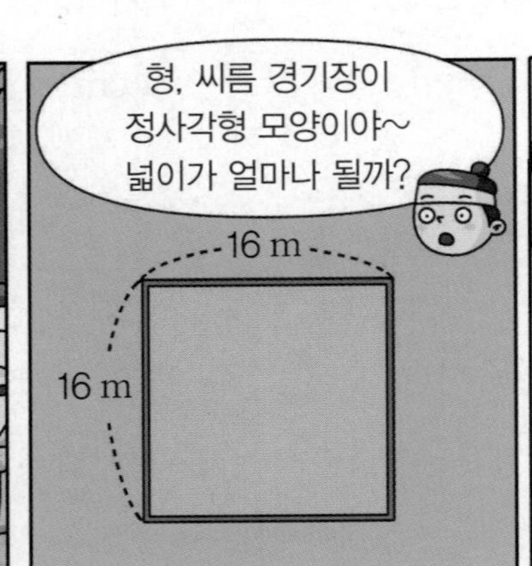


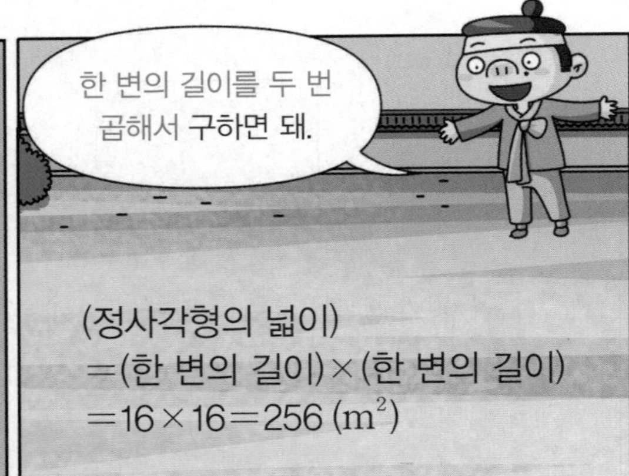

## 교과서 기초 개념

• 정사각형의 넓이 구하기

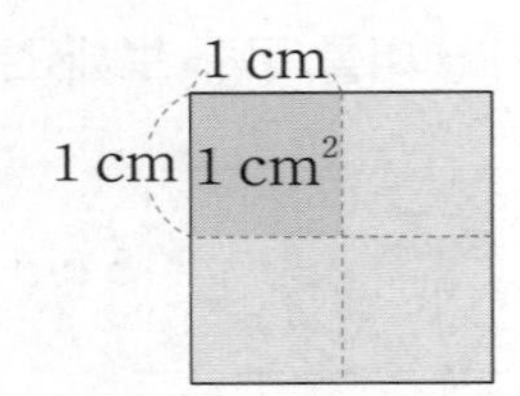


1 cm²가 가로에 2개 있고,

1 cm²가 세로에 2개 있으므로

1 cm²가 모두 2×2=4(개) 있습니다.

➜ (정사각형의 넓이)= ❶ cm²

➜

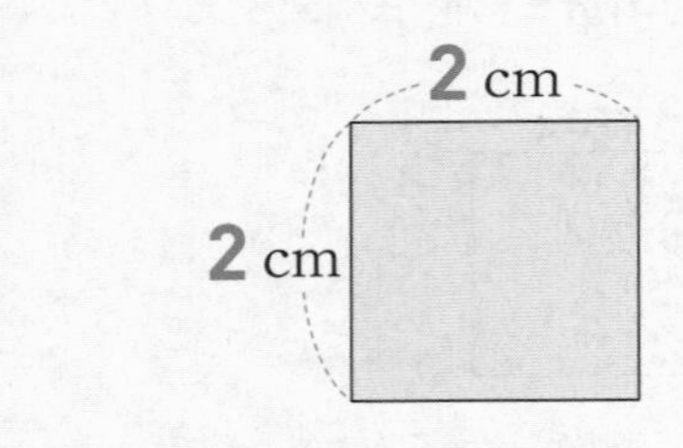


(정사각형의 넓이)

=2×2= ❷ (cm²)

**정사각형의 넓이**

= 한 변의 길이 × 한 변의 길이

정답 ❶ 4 ❷ 4

# 개념 · 원리 확인

▶ 정답 및 풀이 28쪽

**1-1** 정사각형을 보고 □ 안에 알맞은 수를 써넣으세요.

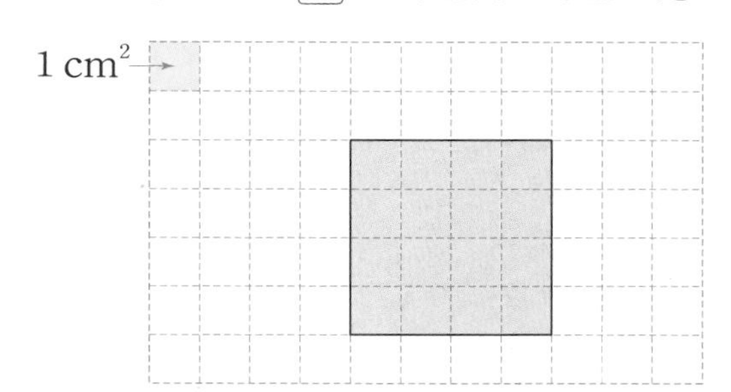


1 cm²가 가로에 4개, 세로에 □개 있습니다.

(정사각형의 넓이)=□×□=□ (cm²)

**1-2** 정사각형을 보고 □ 안에 알맞은 수를 써넣으세요.

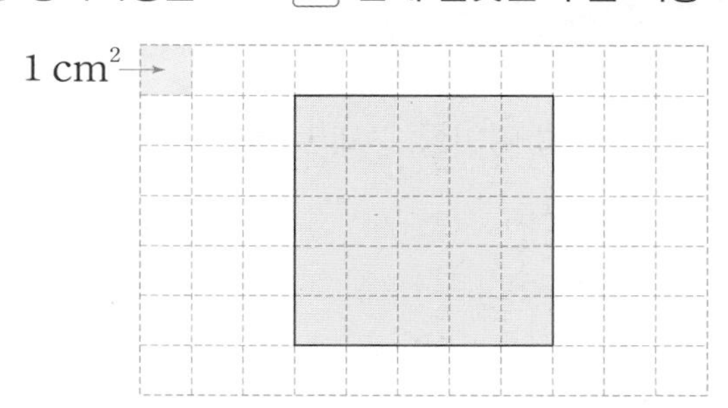


1 cm²가 가로에 5개, 세로에 □개 있습니다.

(정사각형의 넓이)=□×□=□ (cm²)

**2-1** 정사각형의 넓이를 구해 보세요.

(1)

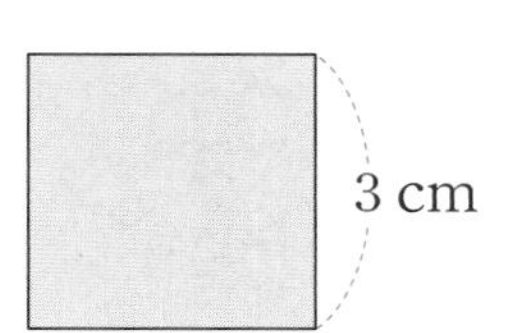


□×□=□ (cm²)

(2)

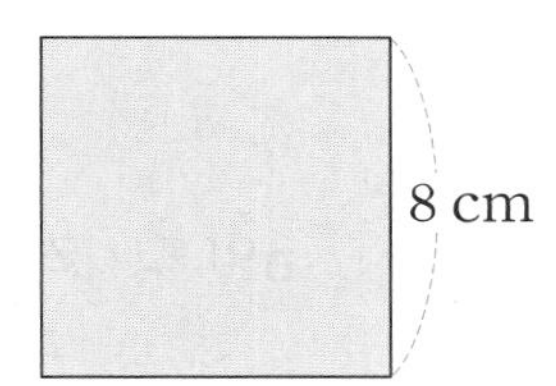


□×□=□ (cm²)

**2-2** 정사각형의 넓이를 구해 보세요.

(1)

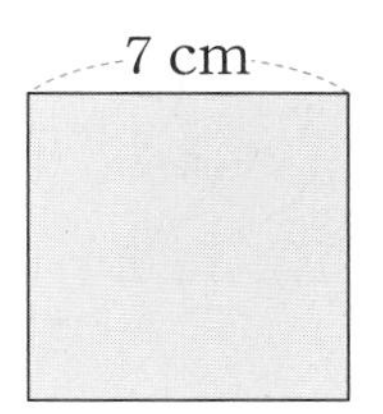


□×□=□ (cm²)

(2)

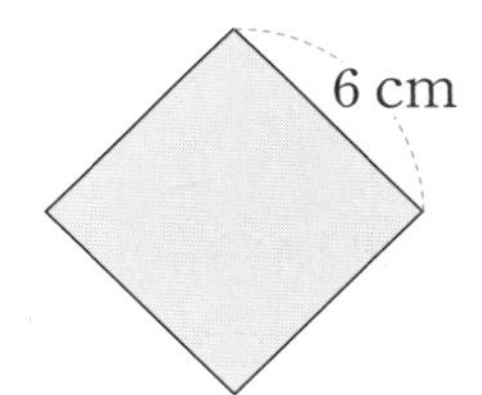


□×□=□ (cm²)

**3-1** 다음 도형의 넓이는 몇 cm²인가요?

| 한 변의 길이가 9 cm인 정사각형 |
|---|

(　　　　　　　　)

**3-2** 다음 도형의 넓이는 몇 cm²인가요?

| 한 변의 길이가 12 cm인 정사각형 |
|---|

(　　　　　　　　)

# 기초 집중 연습

## 기본 문제 연습

**1-1** 직사각형의 넓이를 구해 보세요.

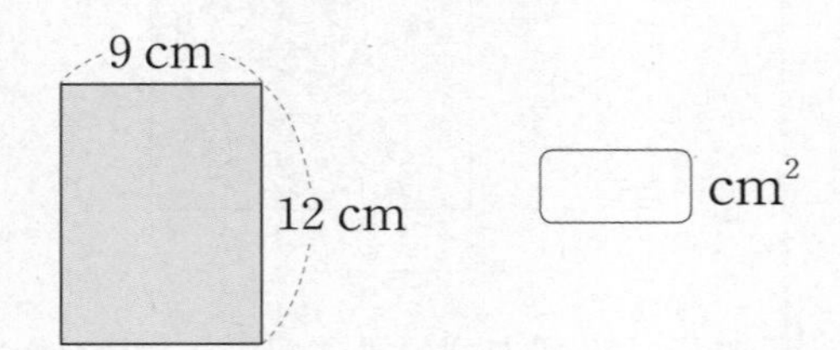


**1-2** 직사각형의 넓이를 구해 보세요.

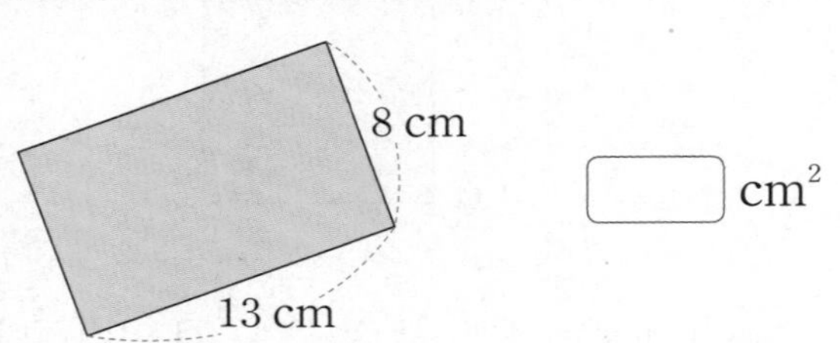


**2-1** 한 변의 길이가 2 m인 정사각형 모양 나무판의 넓이는 몇 $m^2$인가요?

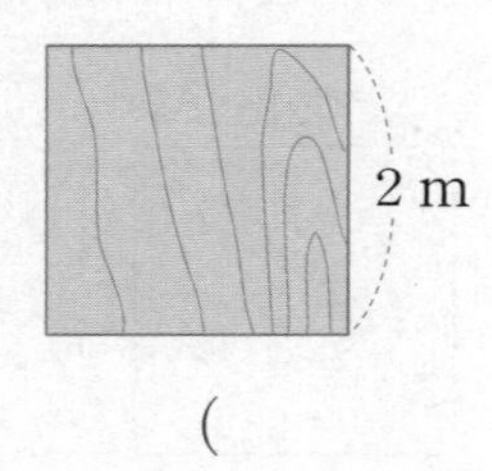


(　　　　　　　　)

**2-2** 한 변의 길이가 3 m인 정사각형 모양 벽의 넓이는 몇 $m^2$인가요?

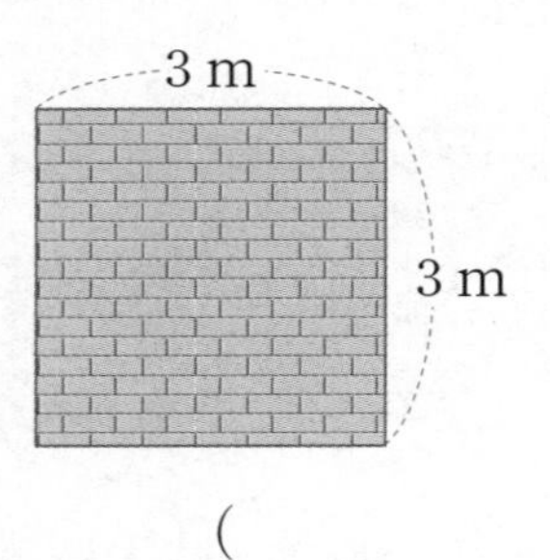


(　　　　　　　　)

**3-1** 가로가 7 cm, 세로가 10 cm인 직사각형의 넓이는 몇 $cm^2$인가요?

(　　　　　　　　)

**3-2** 가로가 11 m, 세로가 5 m인 직사각형의 넓이는 몇 $m^2$인가요?

(　　　　　　　　)

**4-1** 정사각형입니다. ☐ 안에 알맞은 수를 써넣으세요.

넓이: 100 $cm^2$

☐ cm

**4-2** 정사각형입니다. ☐ 안에 알맞은 수를 써넣으세요.

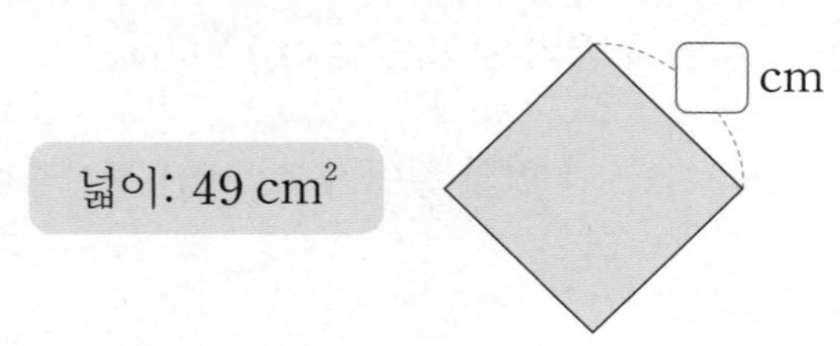

▶정답 및 풀이 28쪽

## 기초 → 문장제 연습 문제에서 가로와 넓이를 찾아 세로를 구하자.

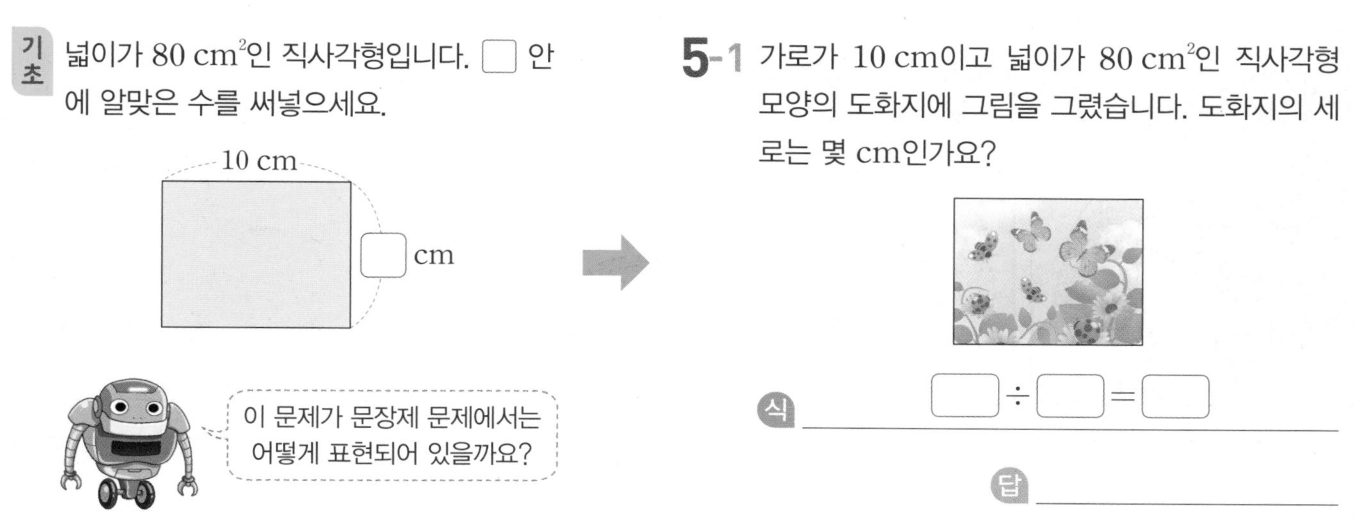

**기초** 넓이가 80 cm²인 직사각형입니다. □ 안에 알맞은 수를 써넣으세요.



**5-1** 가로가 10 cm이고 넓이가 80 cm²인 직사각형 모양의 도화지에 그림을 그렸습니다. 도화지의 세로는 몇 cm인가요?

식 □ ÷ □ = □

답 ______

**5-2** 가로가 18 cm이고 넓이가 360 cm²인 직사각형 모양의 달력입니다. 달력의 세로는 몇 cm인가요?

식 ______

답 ______

**5-3** 승훈이 부모님의 방은 가로가 4 m이고 넓이가 12 m²인 직사각형 모양입니다. 방의 세로는 몇 m인가요?

식 ______

답 ______

4주 3일

# 다각형의 둘레와 넓이

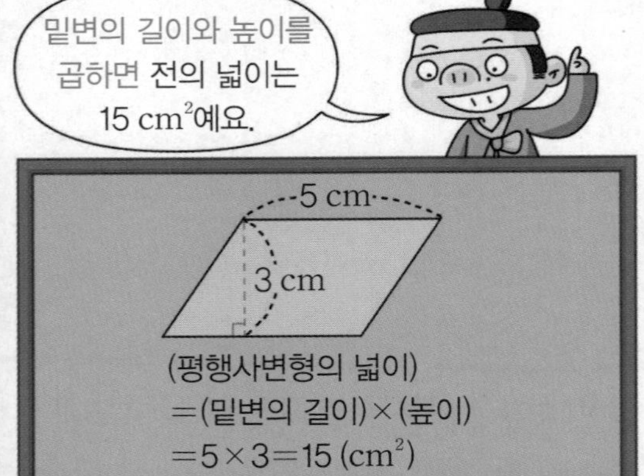

## 교과서 기초 개념

• 평행사변형의 밑변과 높이 알아보기

**평행사변형에서**

- **밑변: 평행한 두 변**
- **높이: 두 밑변 사이의 거리**

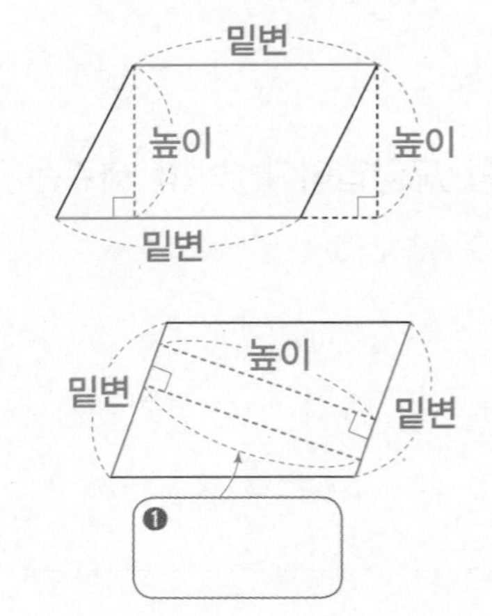


• 평행사변형의 넓이 구하기

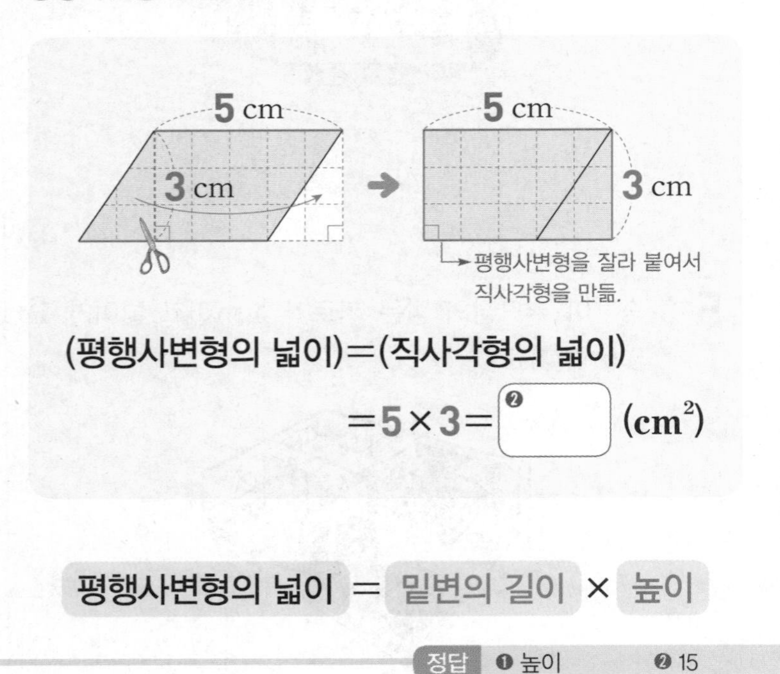


**(평행사변형의 넓이)=(직사각형의 넓이)**

**$=5\times3=$ ❷ ☐ $(cm^2)$**

**평행사변형의 넓이 = 밑변의 길이 × 높이**

정답 ❶ 높이 ❷ 15

▶정답 및 풀이 29쪽

**1-1** 평행사변형의 높이를 표시해 보세요.

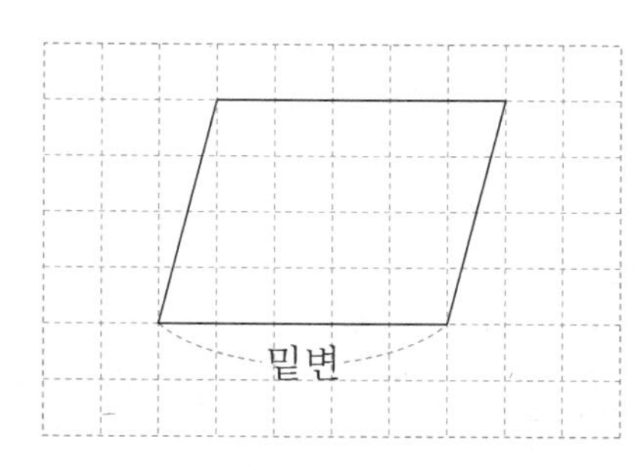


**1-2** 평행사변형의 높이는 몇 cm인가요?

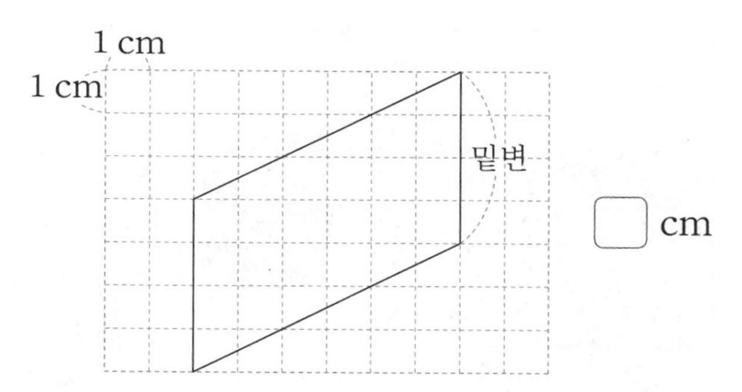


☐ cm

**[2-1 ~ 2-2]** 평행사변형을 잘라 붙여서 직사각형을 만들었습니다. 평행사변형의 넓이를 구해 보세요.

**2-1**

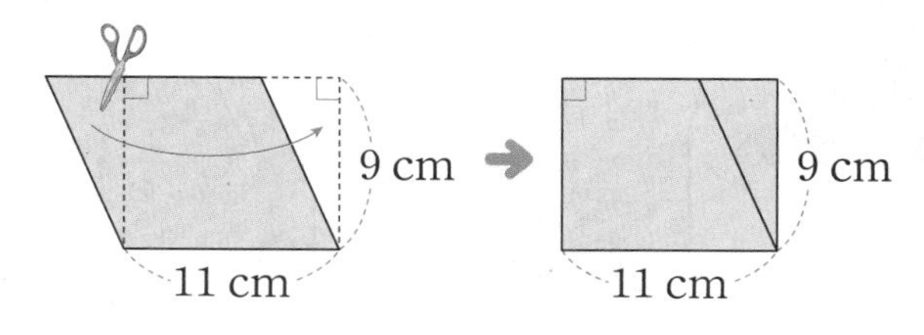


(평행사변형의 넓이)
=(직사각형의 넓이)
$=11\times$ ☐ = ☐ ($cm^2$)

**2-2**

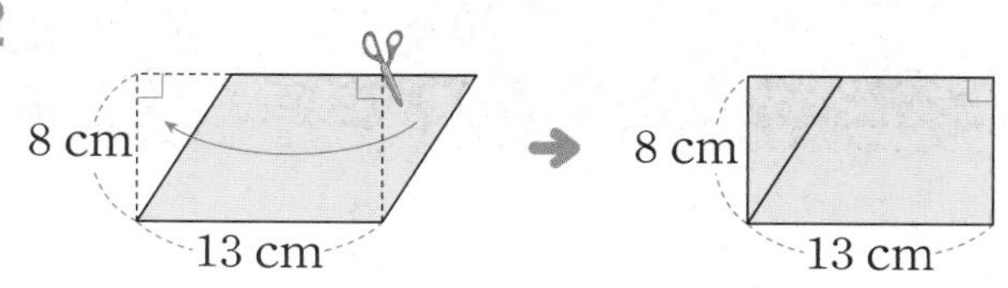


(평행사변형의 넓이)
=(직사각형의 넓이)
$=13\times$ ☐ = ☐ ($cm^2$)

**3-1** 평행사변형의 넓이를 구해 보세요.

(1)

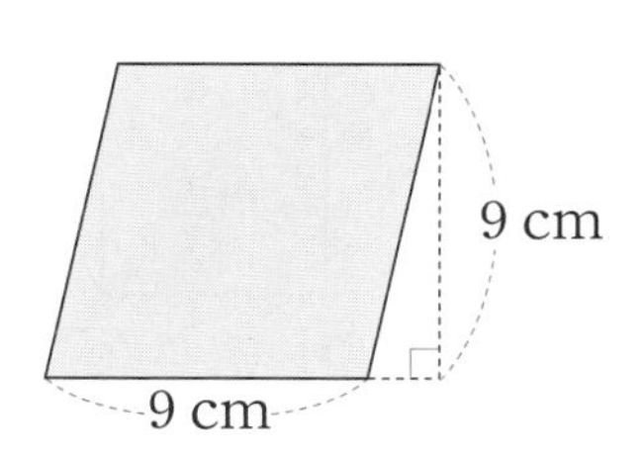


$9\times$ ☐ = ☐ ($cm^2$)

(2)

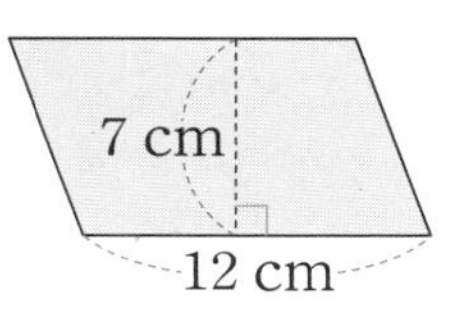


☐ × ☐ = ☐ ($cm^2$)

**3-2** 평행사변형의 넓이를 구해 보세요.

(1)

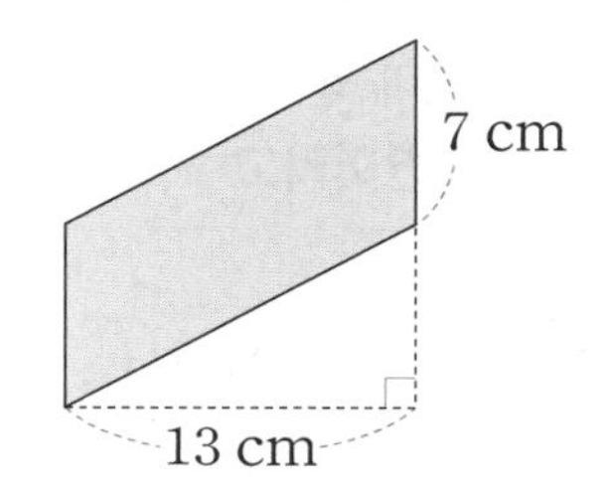

☐ × ☐ = ☐ ($cm^2$)

(2)

6 cm

20 cm

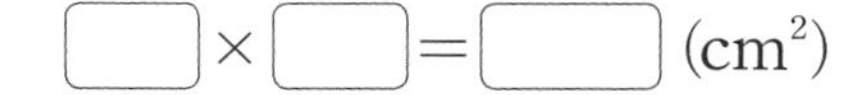

☐ × ☐ = ☐ ($cm^2$)

4주 4일

# 삼각형의 넓이

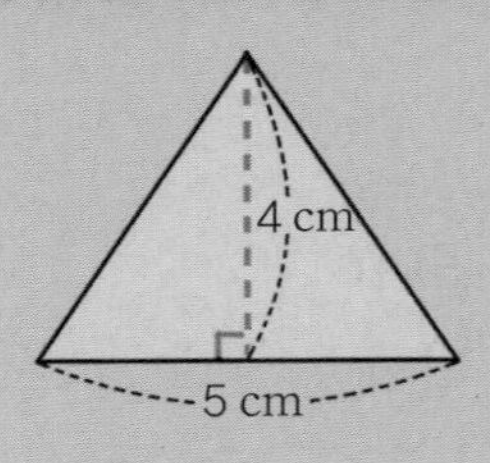


(삼각형의 넓이)
=(밑변의 길이)×(높이)÷2
$=5\times4\div2=10\ (\mathrm{cm}^2)$

## 교과서 기초 개념

• 삼각형의 밑변과 높이 알아보기

삼각형에서 어느 한 변을 **밑변**이라고 하면,

그 밑변과 마주 보는 꼭짓점에서 밑변에 수직으로 그은 선분의 길이를 **높이**라고 해.

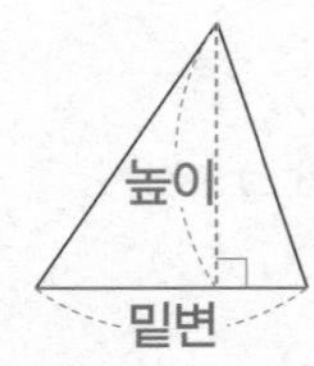


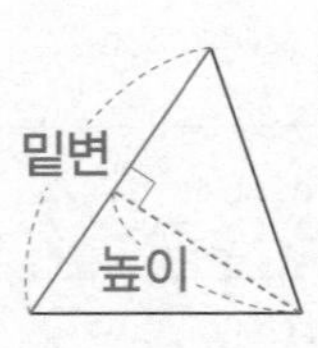


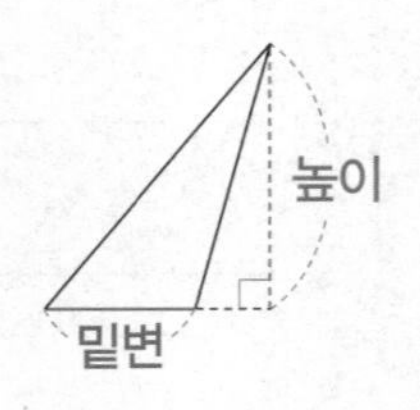


• 삼각형의 넓이 구하기

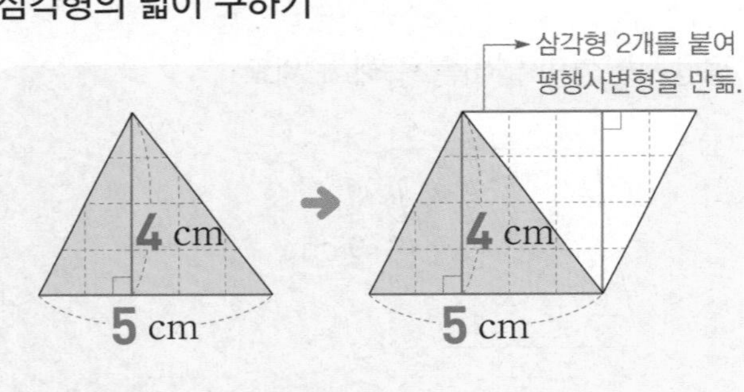


(삼각형의 넓이)
=(평행사변형의 넓이)÷2
$=5\times4\div2=$ ❶ $\square$ $(\mathrm{cm}^2)$

**삼각형의 넓이 = 밑변의 길이 × 높이 ÷2**

정답 ❶ 10

▶정답 및 풀이 29쪽

**1-1** 삼각형의 높이를 표시해 보세요.

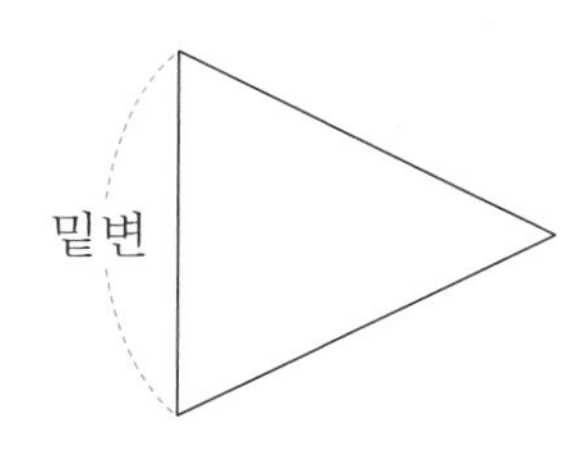


**1-2** 삼각형의 높이를 자로 재어 보세요.

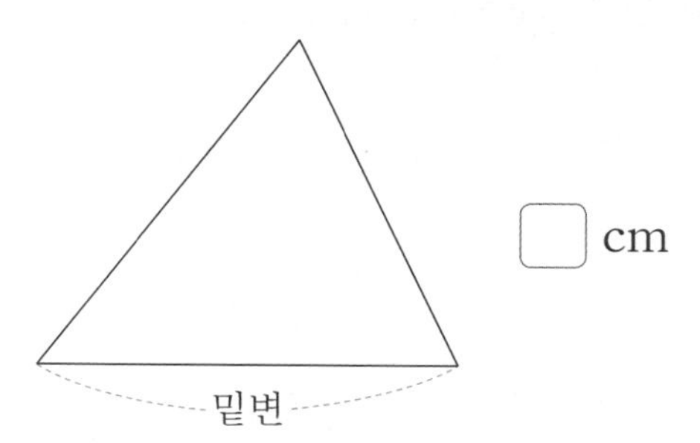


□ cm

[2-1 ~ 2-2] 같은 삼각형 2개로 평행사변형을 만들었습니다. 삼각형 한 개의 넓이를 구해 보세요.

**2-1**

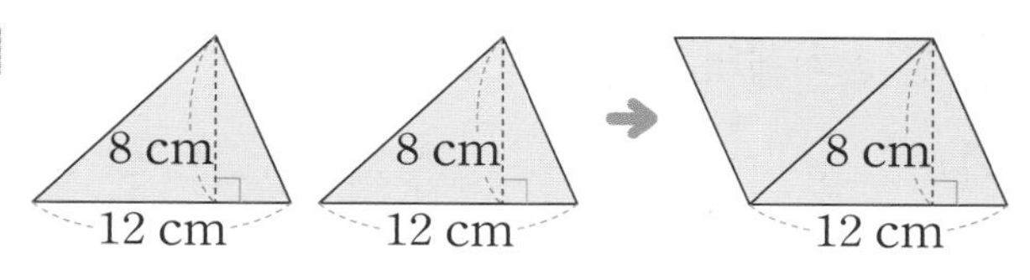


(삼각형의 넓이)

=(평행사변형의 넓이)÷2

=□×□÷2=□ ($cm^2$)

**2-2**

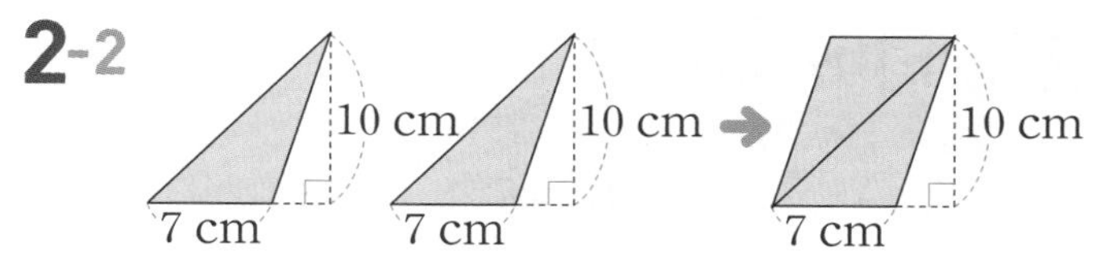


(삼각형의 넓이)

=(평행사변형의 넓이)÷□

=7×□÷□=□ ($cm^2$)

**3-1** 삼각형의 넓이를 구해 보세요.

(1)

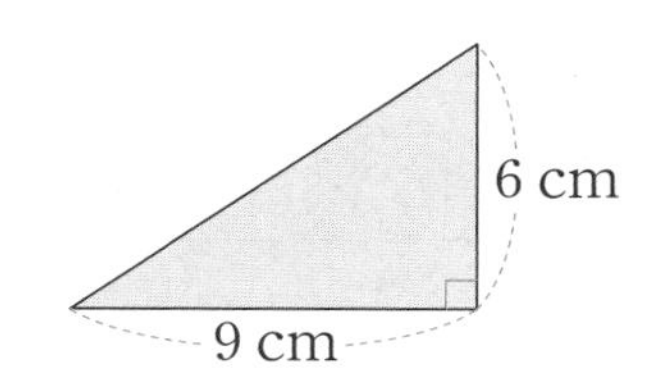


9×□÷□=□ ($cm^2$)

(2)

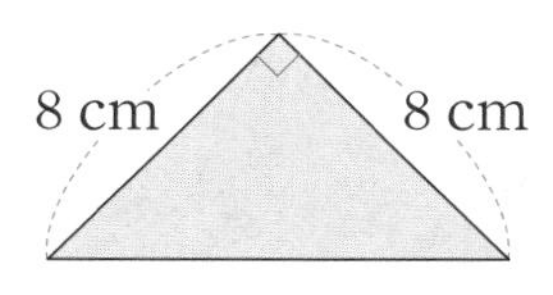


□×□÷□=□ ($cm^2$)

**3-2** 삼각형의 넓이를 구해 보세요.

(1)

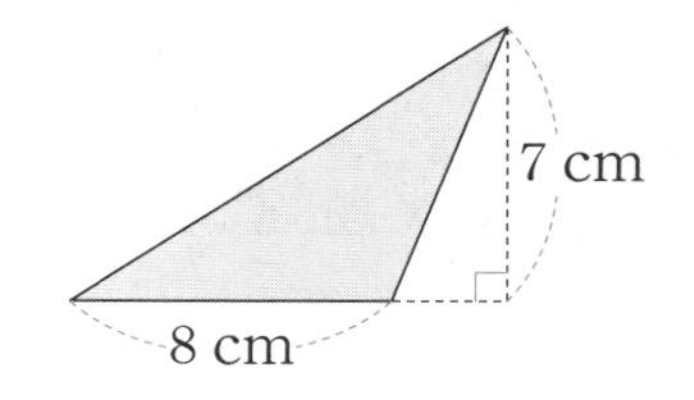


□×□÷2=□ ($cm^2$)

(2)

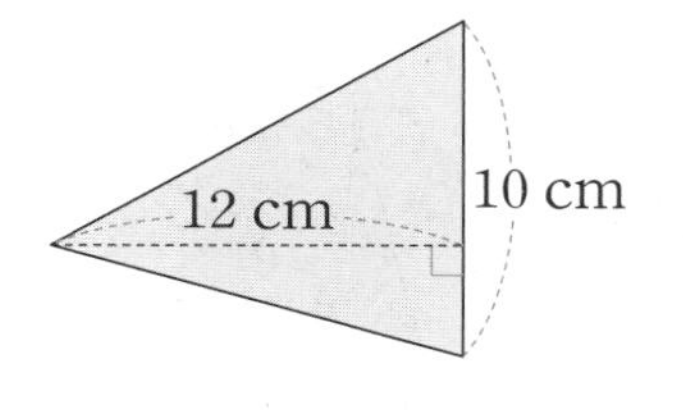


□×□÷□=□ ($cm^2$)

# 기초 집중 연습

## 기본 문제 연습

**1-1** 평행사변형의 넓이는 몇 $cm^2$인가요?

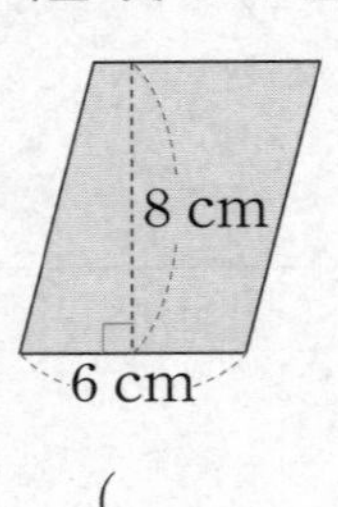


(　　　　　　　　)

**1-2** 평행사변형의 넓이는 몇 $cm^2$인가요?

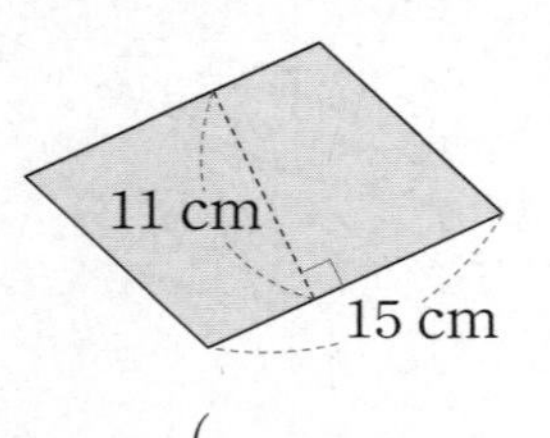


(　　　　　　　　)

**2-1** 삼각형의 넓이는 몇 $cm^2$인가요?

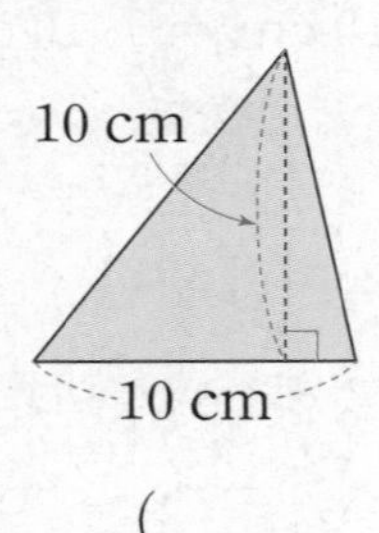


(　　　　　　　　)

**2-2** 삼각형의 넓이는 몇 $cm^2$인가요?

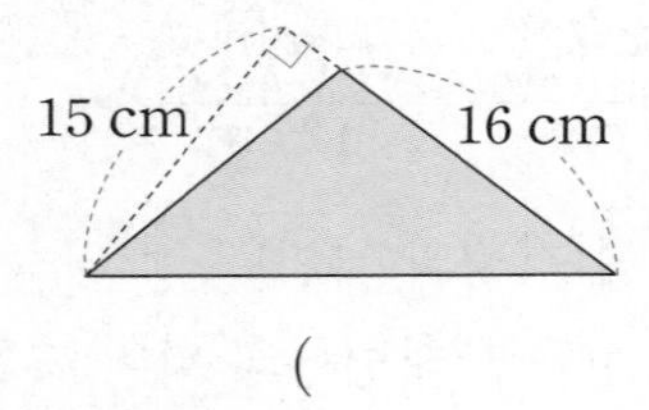


(　　　　　　　　)

**3-1** 평행사변형의 넓이를 구해 보세요.

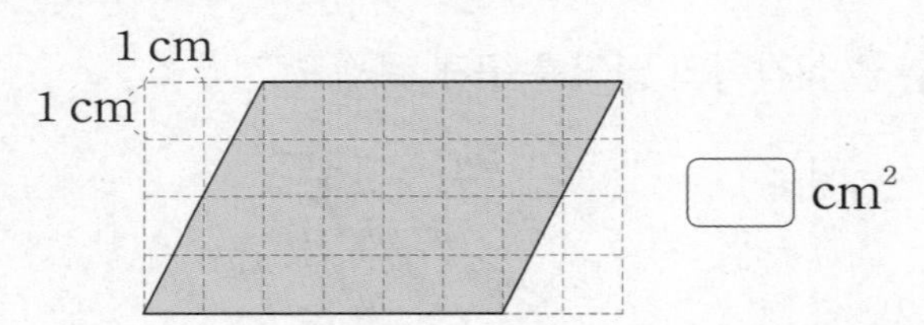


**3-2** 삼각형의 넓이를 구해 보세요.

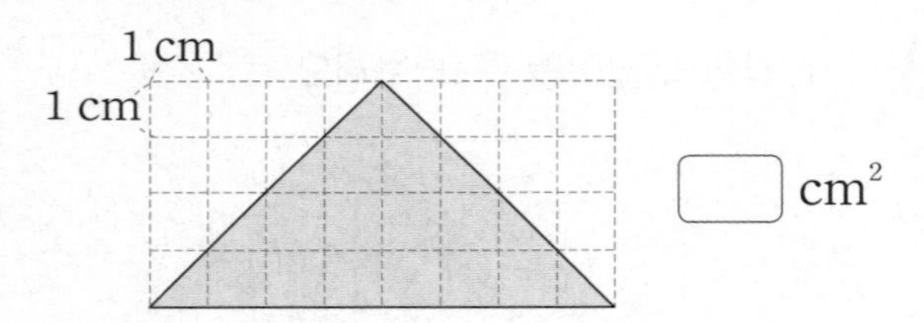


**4-1** 넓이가 72 $cm^2$인 평행사변형입니다. □ 안에 알맞은 수를 써넣으세요.

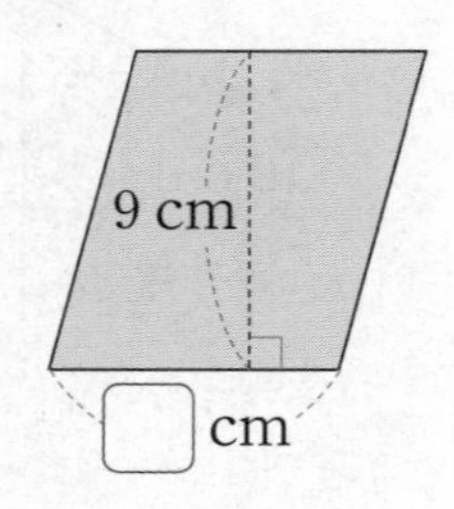


**4-2** 넓이가 120 $cm^2$인 평행사변형입니다. □ 안에 알맞은 수를 써넣으세요.

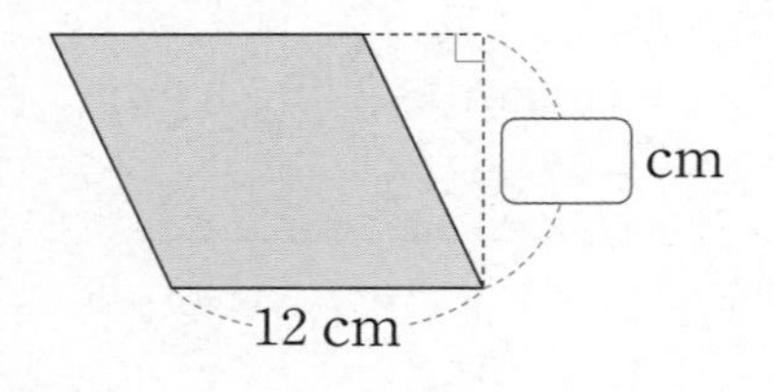

▶ 정답 및 풀이 30쪽

## 기초 → 기본 연습 삼각형의 넓이 구하는 식을 이용해서 높이, 밑변의 길이를 구하자.

**기초** 삼각형의 넓이는 몇 $cm^2$인가요?

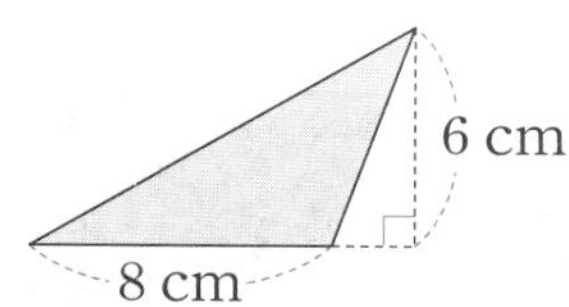


식 ______________________

답 ______________

삼각형의 밑변의 길이와 넓이를 알면 높이를 구할 수 있어요.

**5-1** 밑변의 길이가 8 cm이고 넓이가 24 $cm^2$인 삼각형입니다. 높이는 몇 cm인가요?

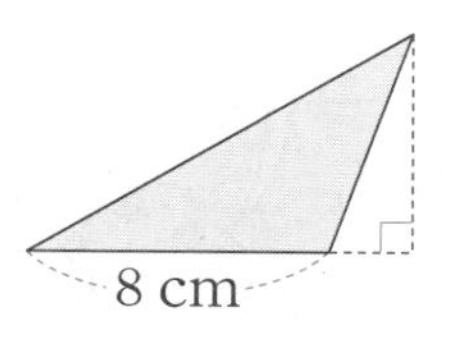


답 ______________

**5-2** 밑변의 길이가 16 cm이고 넓이가 80 $cm^2$인 삼각형입니다. 높이는 몇 cm인가요?

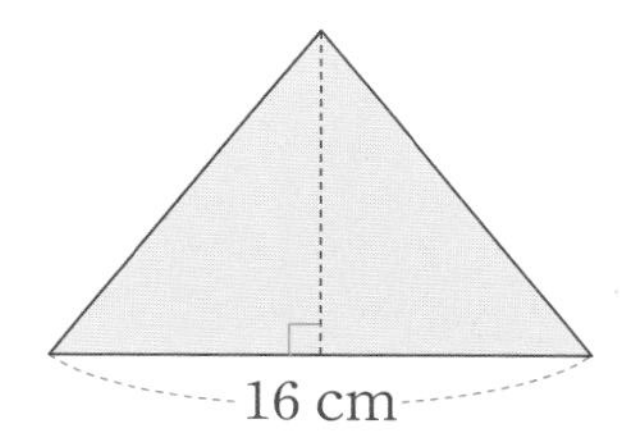


답 ______________

**5-3** 높이가 8 cm이고 넓이가 36 $cm^2$인 삼각형입니다. 밑변의 길이는 몇 cm인가요?

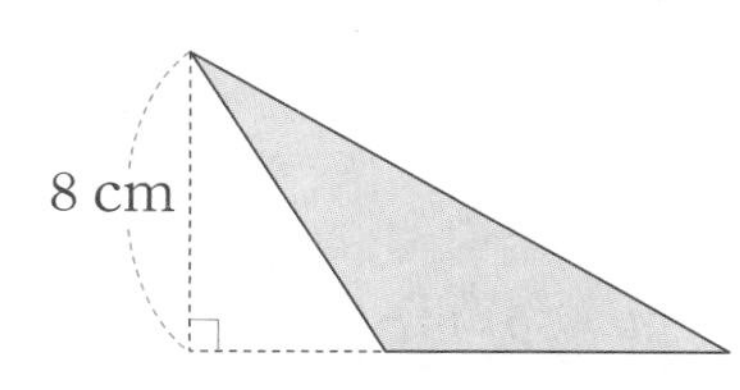


답 ______________

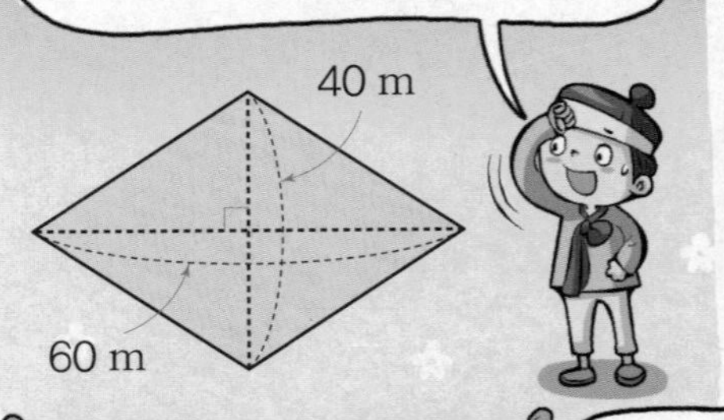

## 교과서 기초 개념

- 마름모의 넓이 구하기

**방법 1**

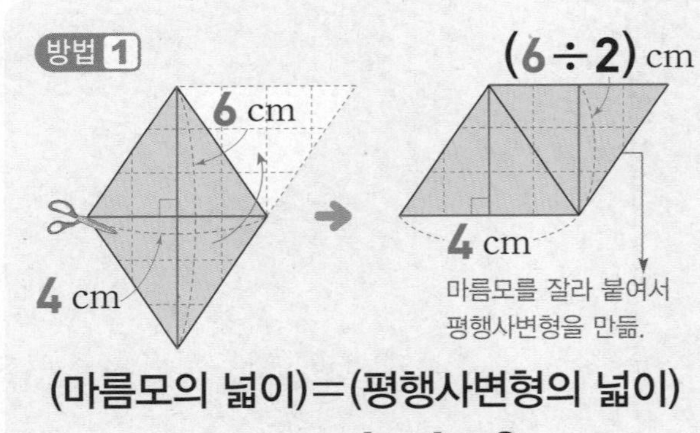


(마름모의 넓이)=(평행사변형의 넓이)

$=4\times6\div2$

$=$ ❶ ☐ $(\text{cm}^2)$

**방법 2**

마름모를 둘러싸는 직사각형을 그림

6 cm

6 cm

4 cm

4 cm

(마름모의 넓이)=(직사각형의 넓이)÷2

$=4\times6\div$ ❷ ☐

$=12\ (\text{cm}^2)$

**마름모의 넓이 = 한 대각선의 길이 × 다른 대각선의 길이 ÷2**

정답 ❶ 12 ❷ 2

공부한 날 월 일

▶정답 및 풀이 30쪽

**1-1** 마름모의 대각선을 모두 표시해 보세요.

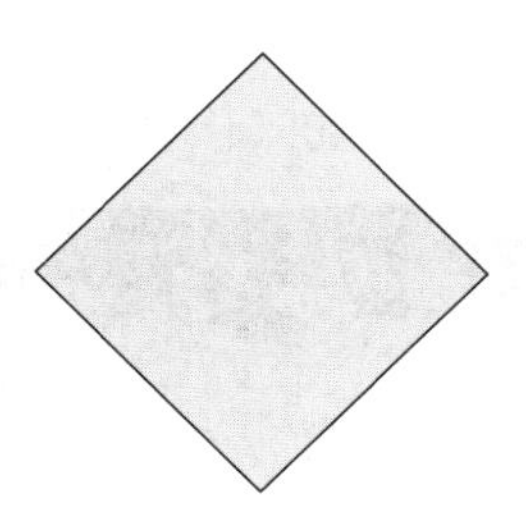

**1-2** 마름모의 대각선을 모두 표시해 보세요.

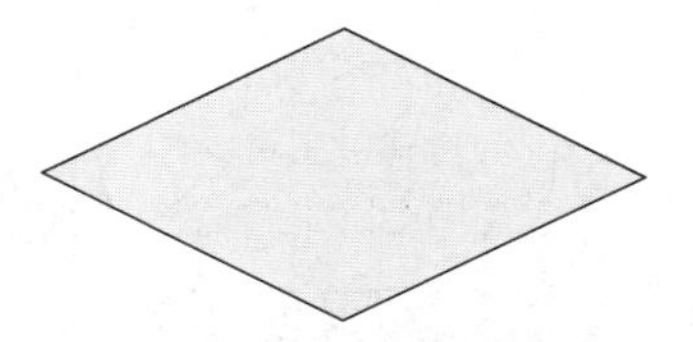

**[2-1 ~ 2-2]** 마름모의 넓이를 구하려고 합니다. □ 안에 알맞은 수를 써넣으세요.

**2-1**

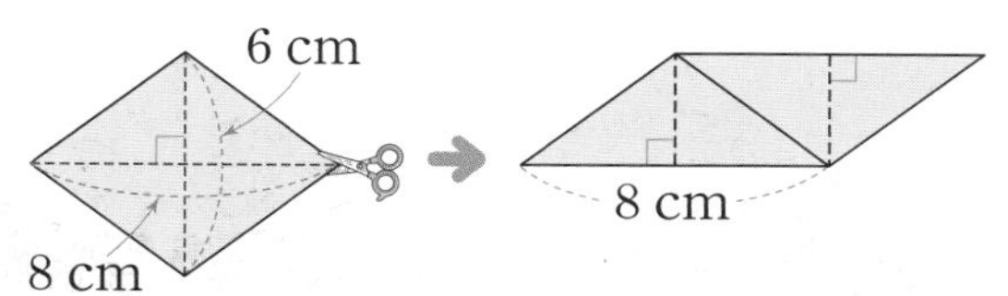


(마름모의 넓이)=(평행사변형의 넓이)

$=8\times\square\div\square$

$=\square$ (cm²)

**2-2**

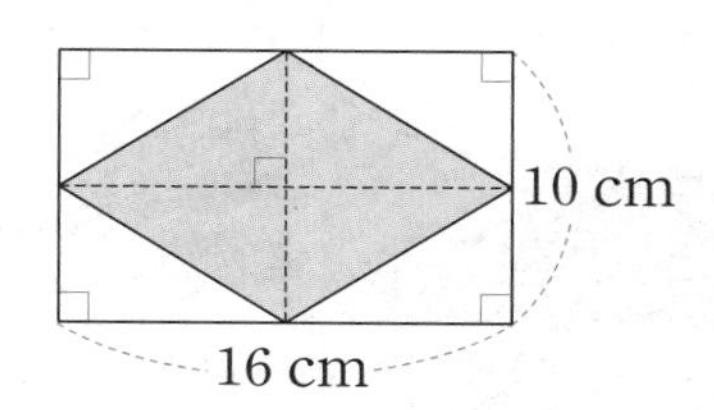


(마름모의 넓이)=(직사각형의 넓이)÷□

$=16\times\square\div\square$

$=\square$ (cm²)

**3-1** 마름모의 넓이를 구해 보세요.

(1)

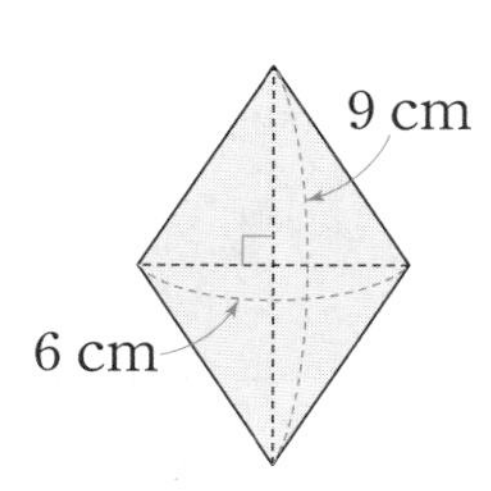


$6\times\square\div\square=\square$ (cm²)

(2)

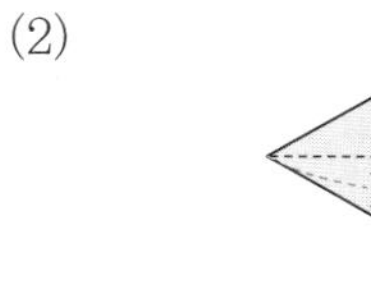
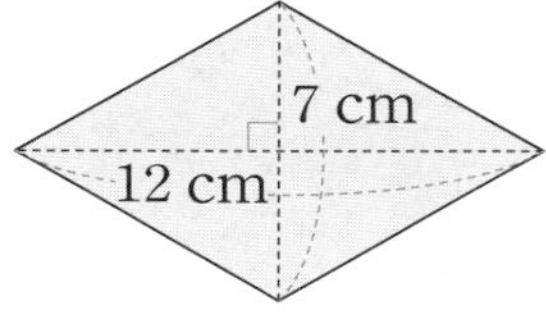


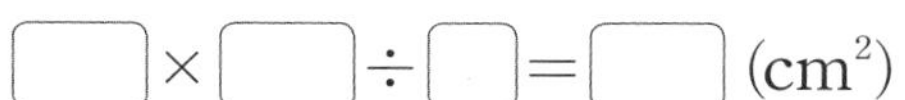

$\square\times\square\div\square=\square$ (cm²)

**3-2** 마름모의 넓이를 구해 보세요.

(1)

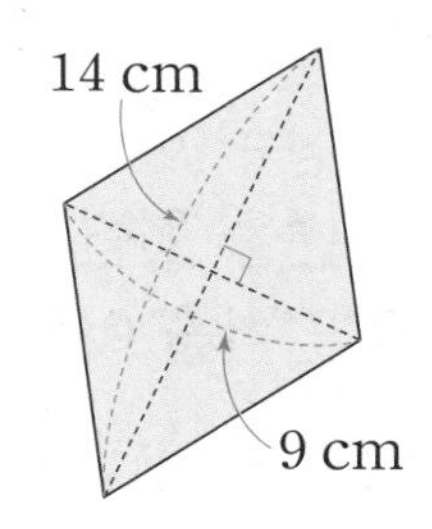


$\square\times\square\div 2=\square$ (cm²)

(2)

4 cm

13 cm

$\square\times\square\div\square=\square$ (cm²)

4주 5일

# 사다리꼴의 넓이

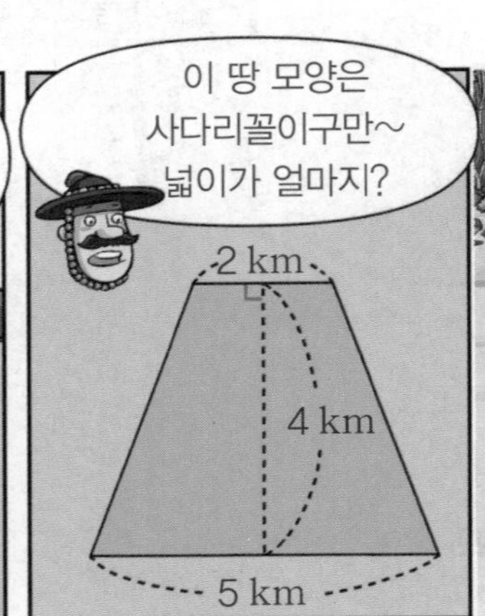

## 교과서 기초 개념

• 사다리꼴의 밑변과 높이 알아보기

**사다리꼴에서**

- **밑변: 평행한 두 변**
  - **한 밑변을 윗변**
  - **다른 밑변을 아랫변**
- **높이: 두 밑변 사이의 거리**

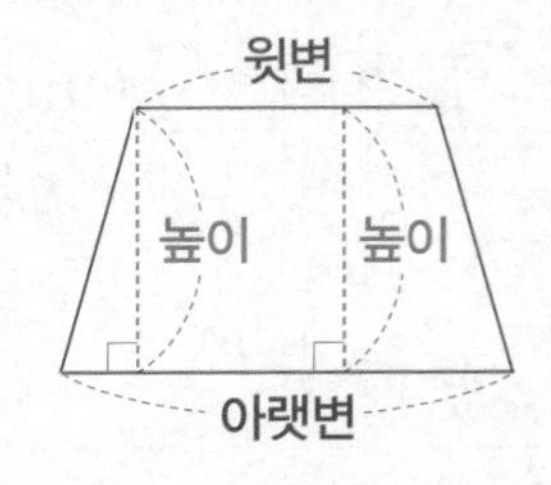


• 사다리꼴의 넓이 구하기

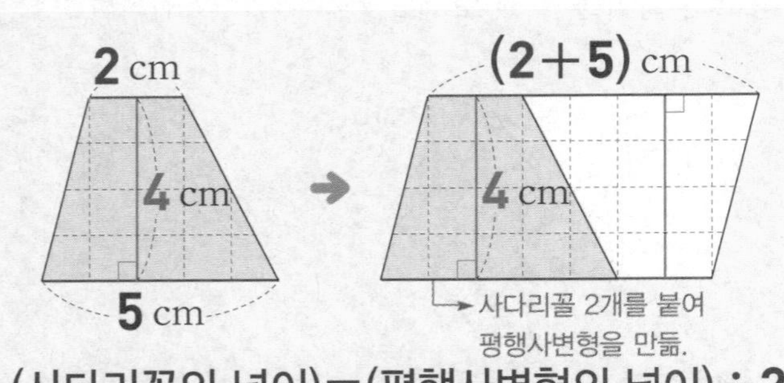


**(사다리꼴의 넓이)=(평행사변형의 넓이)÷2**

**=(2+5)×4÷❶ □**

**=❷ □ (cm²)**

**사다리꼴의 넓이 =( 윗변의 길이 + 아랫변의 길이 )× 높이 ÷2**

정답 ❶ 2 ❷ 14

▶정답 및 풀이 30쪽

**1-1** 사다리꼴입니다. □ 안에 알맞은 말을 써넣으세요.

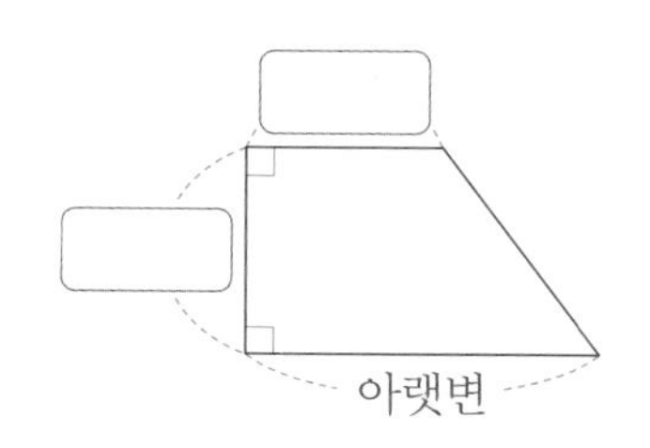


**1-2** 사다리꼴의 윗변의 길이와 높이를 자로 재어 보세요.

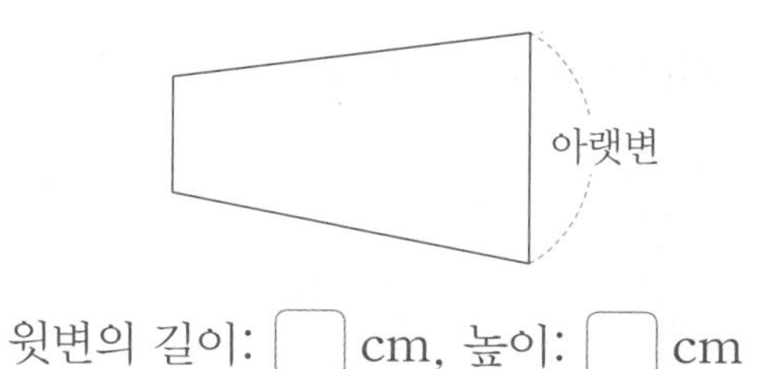


윗변의 길이: □ cm, 높이: □ cm

**[2-1 ~ 2-2]** 색칠한 사다리꼴의 넓이를 구하려고 합니다. □ 안에 알맞은 수를 써넣으세요.

**2-1**

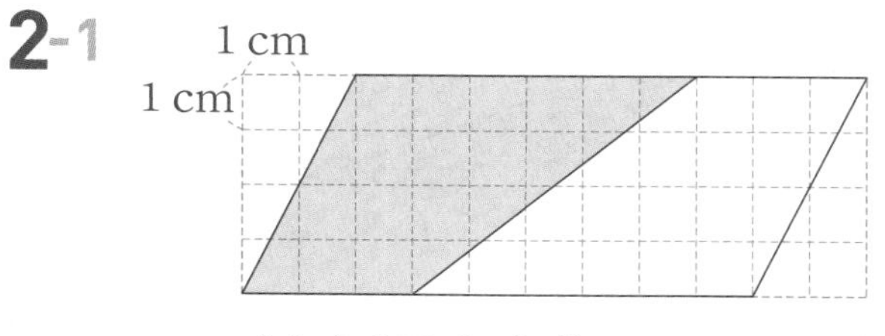


(사다리꼴의 넓이)
=(평행사변형의 넓이)÷2
=(6+□)×□÷2
=□ (cm²)

**2-2**

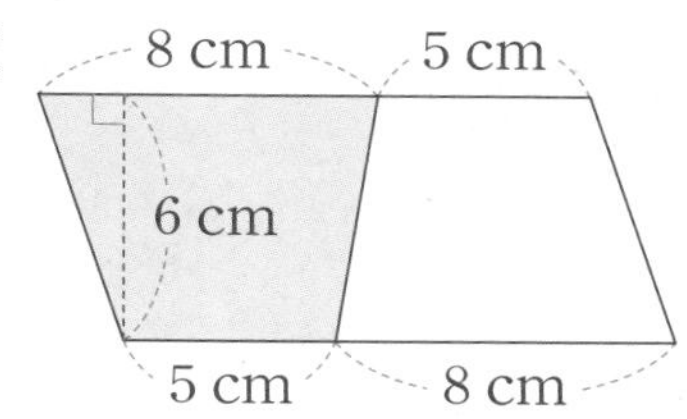


(사다리꼴의 넓이)
=(평행사변형의 넓이)÷2
=(8+□)×6÷□
=□ (cm²)

**3-1** 사다리꼴의 넓이를 구해 보세요.

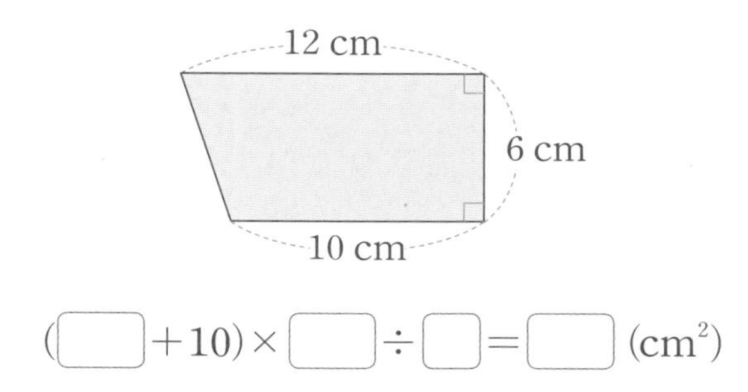


(□+10)×□÷□=□ (cm²)

**3-2** 사다리꼴의 넓이를 구해 보세요.

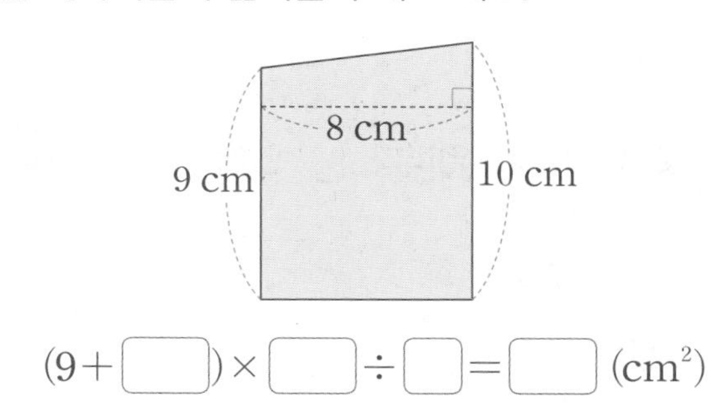


(9+□)×□÷□=□ (cm²)

4주 5일

5일

# 기초 집중 연습

## 기본 문제 연습

**1-1** 사다리꼴의 높이는 몇 cm인가요?

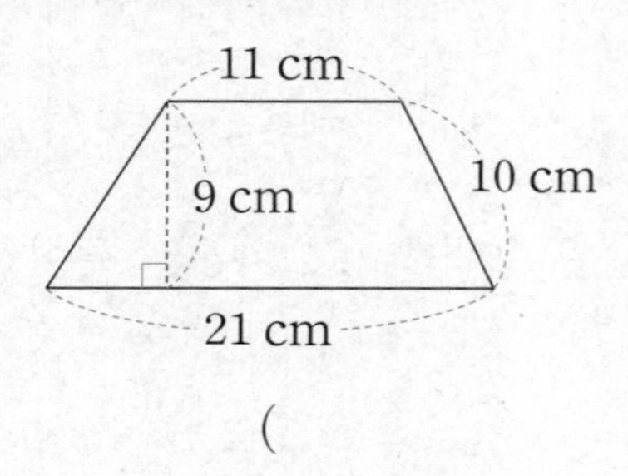


(　　　　　　　　)

**1-2** 사다리꼴의 두 밑변의 길이는 각각 몇 cm인가요?

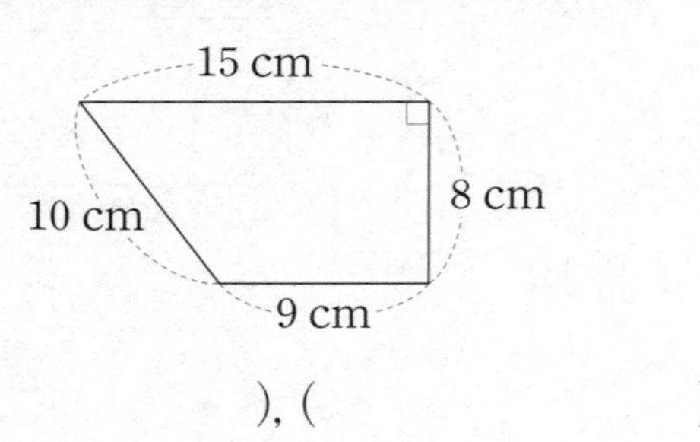


(　　　　　　　　), (　　　　　　　　)

**[2-1 ~ 2-2]** 색칠한 부분의 넓이는 다음과 같습니다. 마름모의 넓이는 몇 $cm^2$인가요?

**2-1**

40 $cm^2$

(　　　　　　　　)

**2-2**

48 $cm^2$

(　　　　　　　　)

**[3-1 ~ 3-2]** 사다리꼴의 넓이는 몇 $cm^2$인가요?

**3-1**

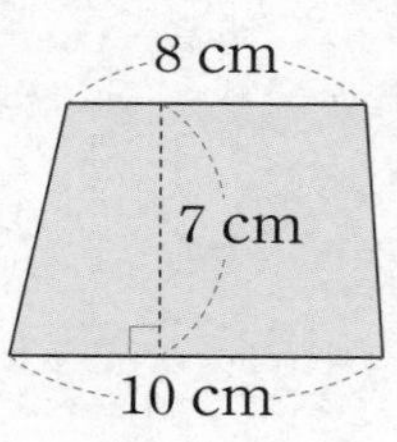


(　　　　　　　　)

**3-2**

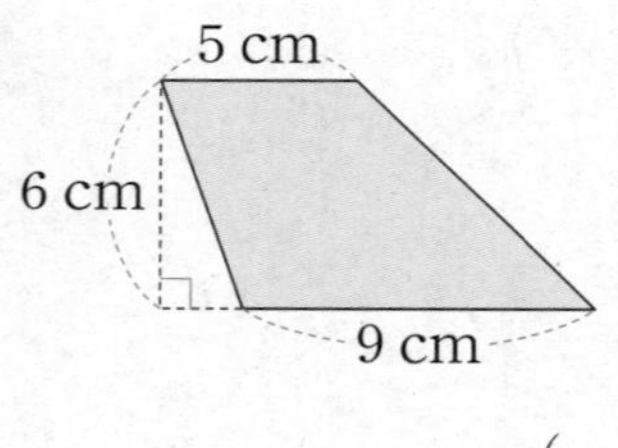


(　　　　　　　　)

**[4-1 ~ 4-2]** 마름모입니다. □ 안에 알맞은 수를 써넣으세요.

**4-1**

넓이: 50 $cm^2$

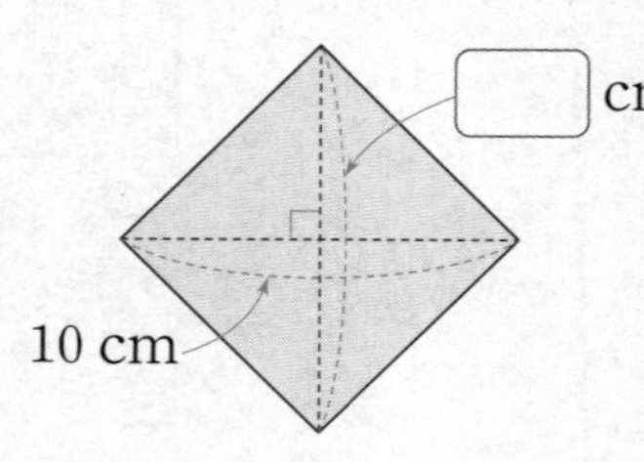


**4-2**

넓이: 84 $cm^2$

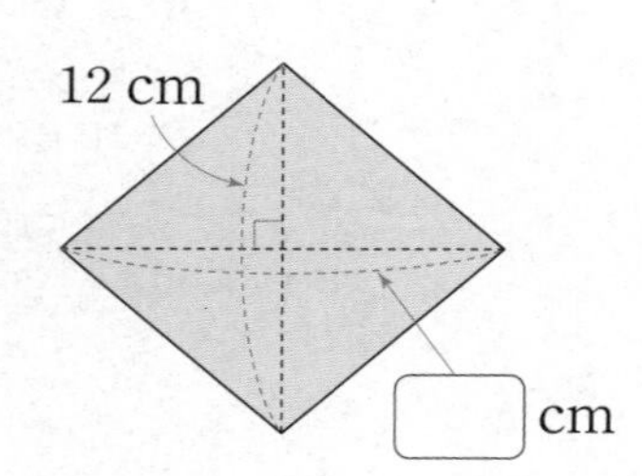

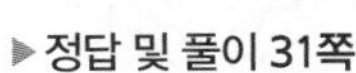
▶정답 및 풀이 31쪽

## 기초 → 문장제 연습 직사각형 넓이의 반을 구해서 마름모의 넓이를 구하자.

**기초** 마름모의 넓이는 몇 $cm^2$인가요?

10 cm

6 cm

답 ____________________

이 문제가 문장제에는
어떻게 표현되어 있을까요?

**5-1** 직사각형 안에 네 변의 가운데를 이어 마름모를 그렸습니다. 마름모의 넓이는 몇 $cm^2$인가요?

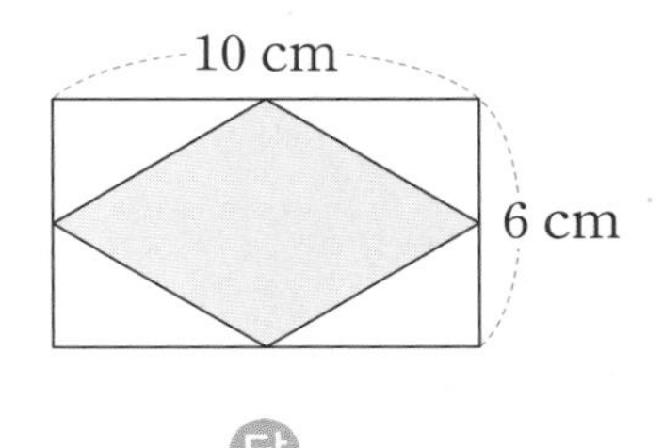


답 ____________________

**5-2** 직사각형 안에 네 변의 가운데를 이어 마름모를 그렸습니다. 마름모의 넓이는 몇 $cm^2$인가요?

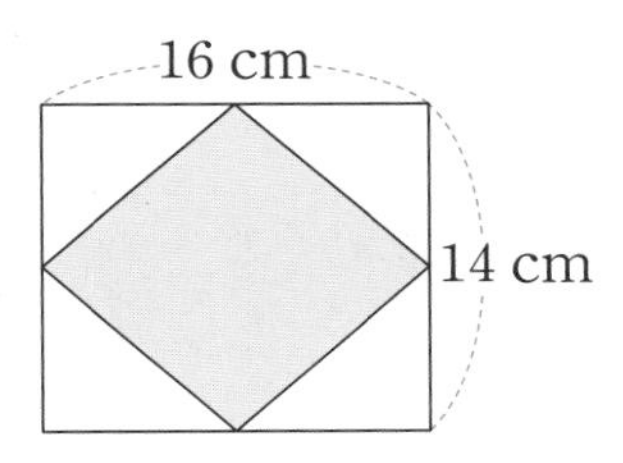


답 ____________________

**5-3** 정사각형 안에 네 변의 가운데를 이어 마름모를 그렸습니다. 마름모의 넓이는 몇 $cm^2$인가요?

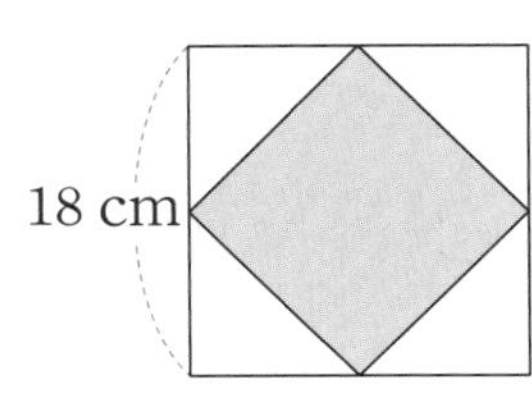


답 ____________________

# 누구나 100점 맞는 테스트

**1** 삼각형의 높이는 몇 cm인가요?

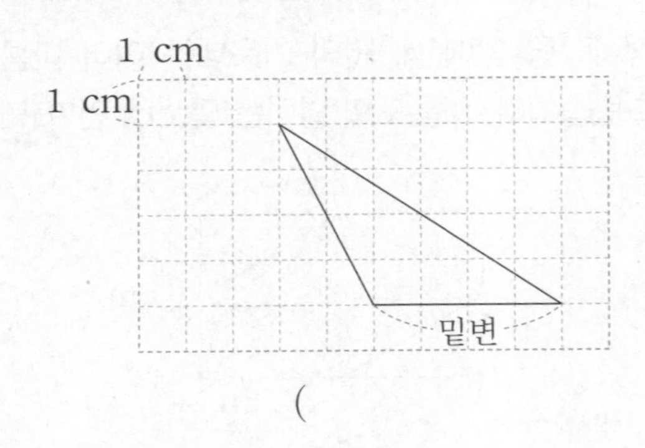


( )

**2** 도형은 사다리꼴입니다. □ 안에 알맞은 말을 써넣으세요.

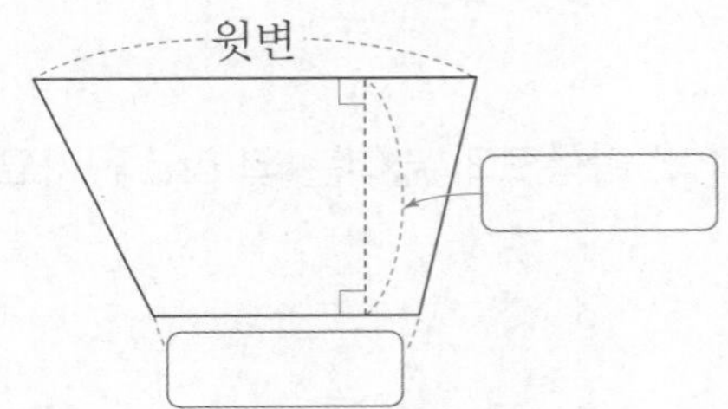


**3** 직사각형의 둘레는 몇 cm인가요?

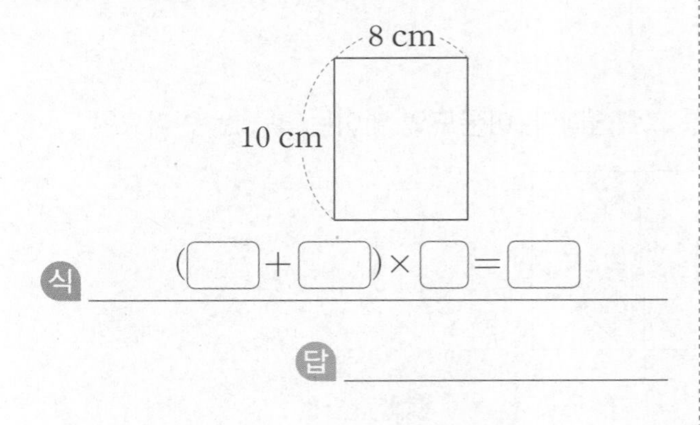


식 (□+□)×□=□

답 ________

**4** 평행사변형의 넓이는 몇 $cm^2$인가요?

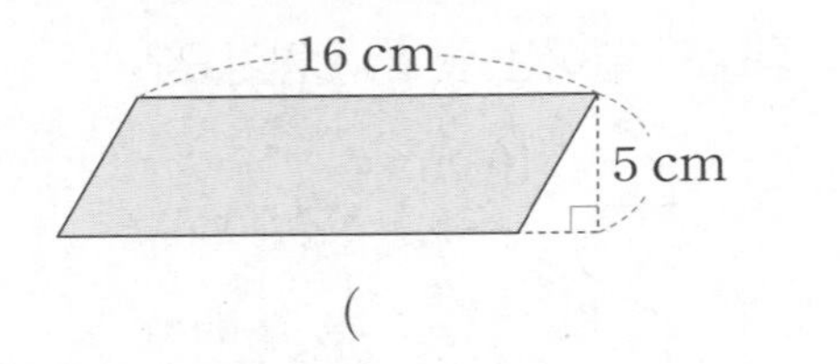


( )

**5** 일기를 읽고 정오각형 모양 꽃밭의 둘레는 몇 m인지 구해 보세요.

○월 ○일 ○요일 날씨: 맑음

친구와 함께 공원에 놀러갔다.

한 변의 길이가 10 m인 정오각형 모양의

꽃밭이 있었는데 너무 예뻤다.

식 □×5=□

답 ________

맞은 점수 / 100점

▶정답 및 풀이 31쪽

**6** □ 안에 알맞은 수를 써넣으세요.

(1) $7\ \text{m}^2 =$ □ $\text{cm}^2$

(2) $3\ \text{km}^2 =$ □ $\text{m}^2$

**7** 한 변의 길이가 4 m인 정사각형 모양 나무판의 넓이는 몇 $\text{m}^2$인가요?

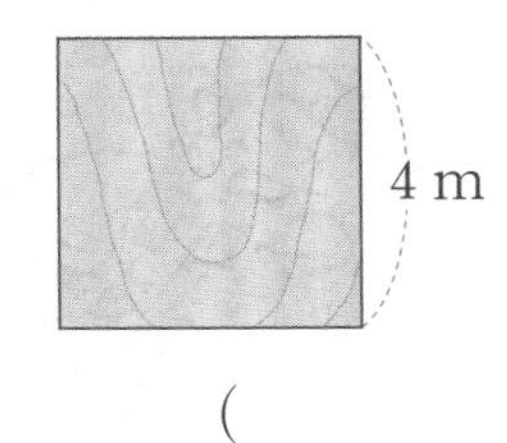


(　　　　　　　)

**8** 삼각형의 넓이는 몇 $\text{cm}^2$인가요?

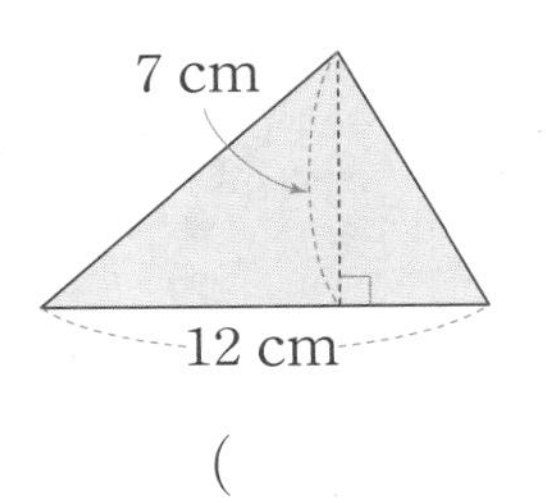


(　　　　　　　)

**9** 아라가 그린 마름모의 넓이는 몇 $\text{cm}^2$인가요?

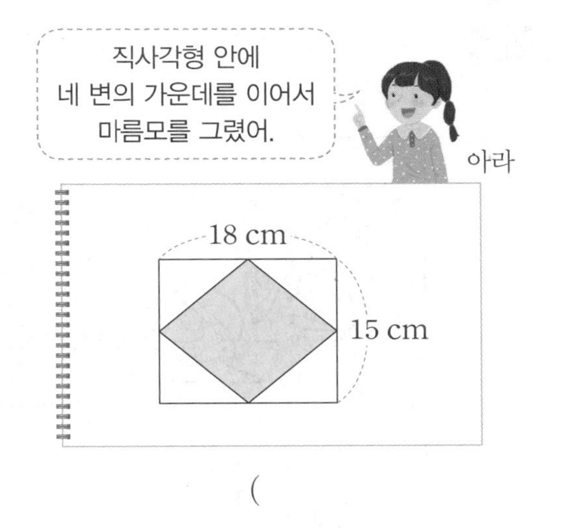


(　　　　　　　)

**10** 사다리꼴의 넓이는 몇 $\text{cm}^2$인가요?

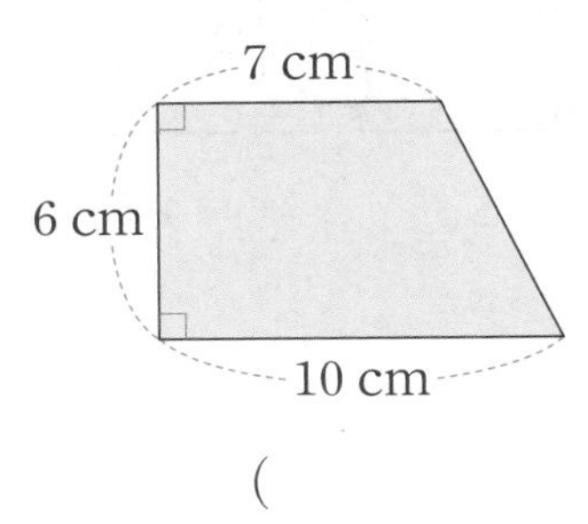


(　　　　　　　)

4주 평가

# 특강 창의·융합·코딩

은서, 재호, 연수, 윤호는 좋아하는 계절에 대해서 말하고 있는데, 네 사람이 모두 거짓말을 하고 있다고 해요.

네 사람이 서로 다른 계절을 좋아한다면
네 사람이 좋아하는 계절은 각각 무엇일까?

| 은서 | 재호 | 연수 | 윤호 |
| --- | --- | --- | --- |
| | | | |

▶정답 및 풀이 32쪽

# 도둑이 찾는 그림은?

미술 전시관에 그림을 훔쳐가려는 도둑이 들었어요.

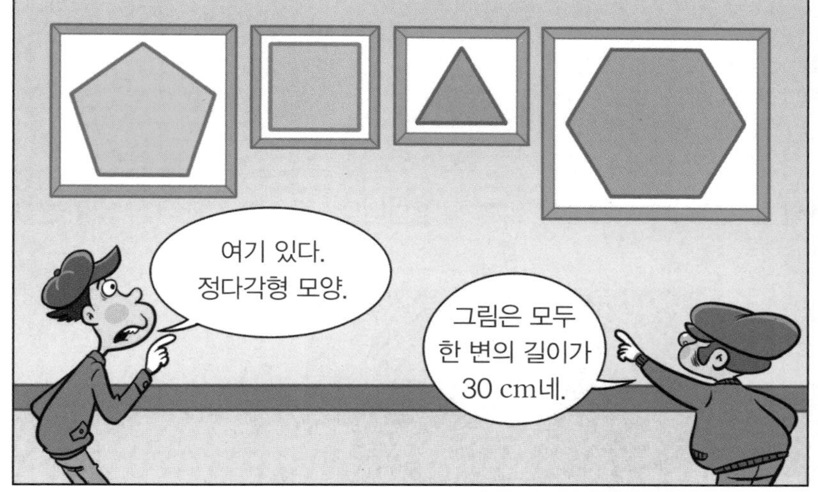


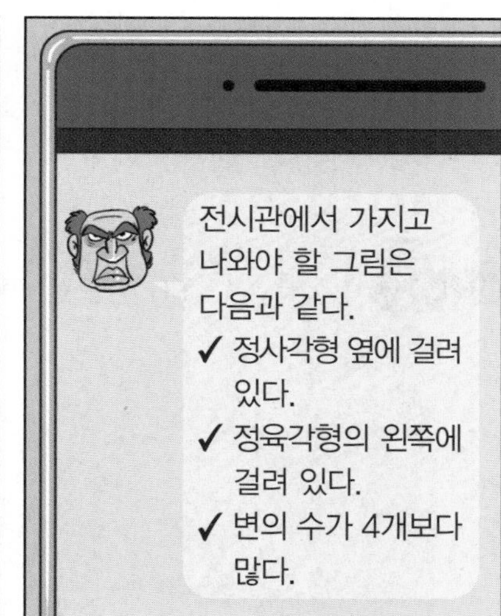

도둑이 찾아야 할 그림은 어떤 도형이고
그림의 둘레는 몇 cm일까?

| 도형의 이름 | 그림의 둘레 |
|---|---|
| | |

**융합 3** 어느 초등학교에 있는 축구 경기장은 가로가 80 m, 세로가 50 m인 직사각형 모양입니다. 축구 경기장의 둘레는 몇 m인가요?

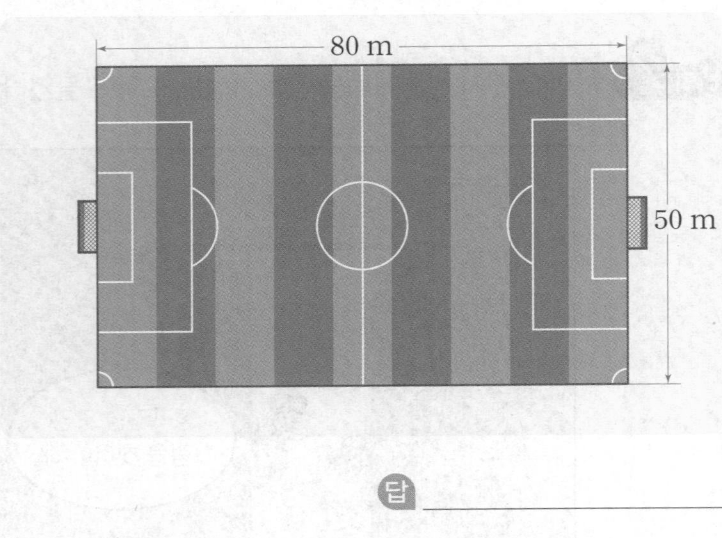


답 ______________

**융합 4** 레슬링 경기장은 한 변의 길이가 12 m인 정사각형 모양입니다. 레슬링 경기장의 넓이는 몇 $m^2$인가요?

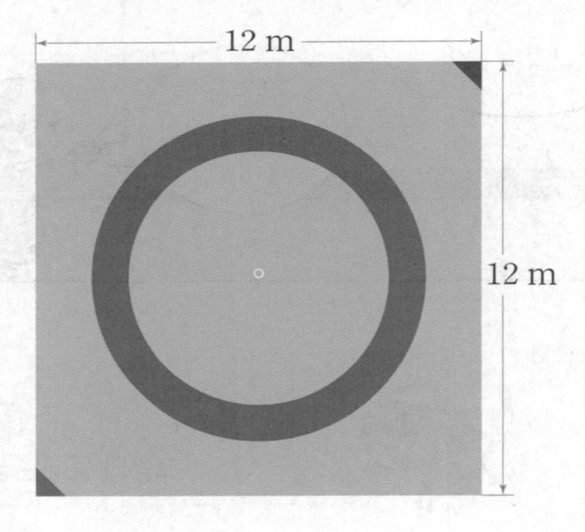


답 ______________

▶ 정답 및 풀이 32쪽

[5~6] 블록 퍼즐 맞추기 게임을 하고 있습니다. 블록 한 칸의 넓이가 $1\ \mathrm{cm}^2$일 때 게임 화면에서 블록이 채워진 부분의 넓이는 모두 몇 $\mathrm{cm}^2$인지 구해 보세요.

창의 5

답 ______________________

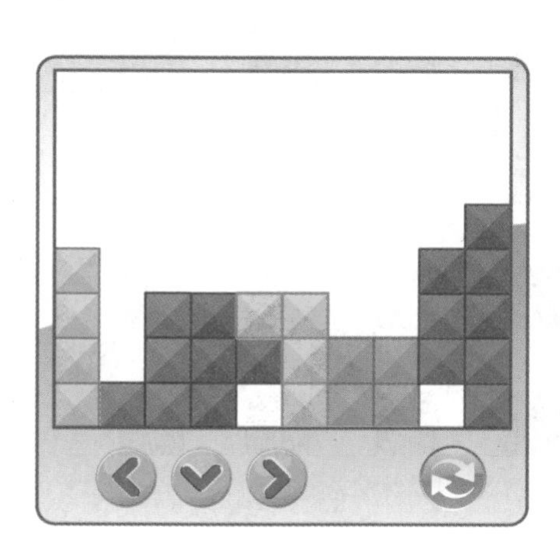

답 ______________________

4주 특강

융합 7 가로가 25 cm, 세로가 15 cm인 직사각형 모양의 도화지에 몬드리안 기법으로 그림을 그렸습니다. 나누어진 칸이 모두 정사각형일 때 노란색으로 칠한 부분의 넓이는 몇 $cm^2$인지 구해 보세요.

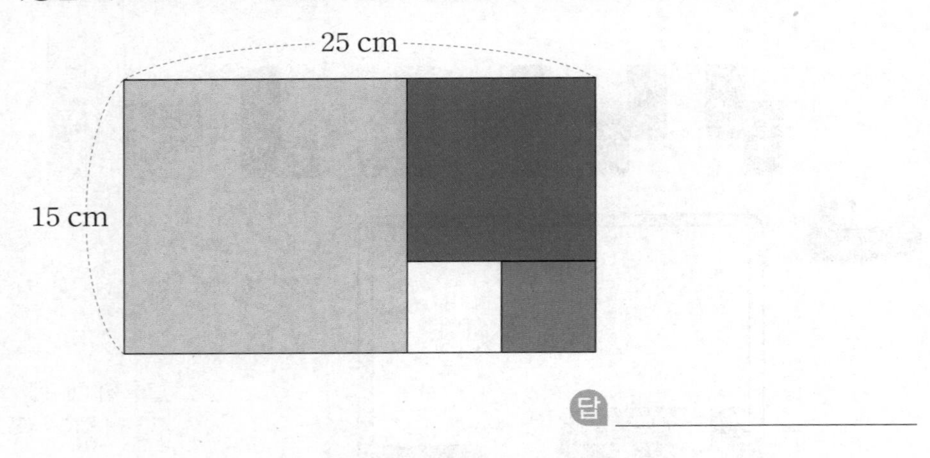


답 ____________

창의 8 체커는 상대방의 말 뒤에 있는 칸이 비어 있을 경우 그 말 위에 뛰어올라 말을 잡는 게임입니다. 한 변의 길이가 30 cm인 정사각형 모양의 체커 보드에서 검은색 칸의 넓이는 모두 몇 $cm^2$인지 구해 보세요.

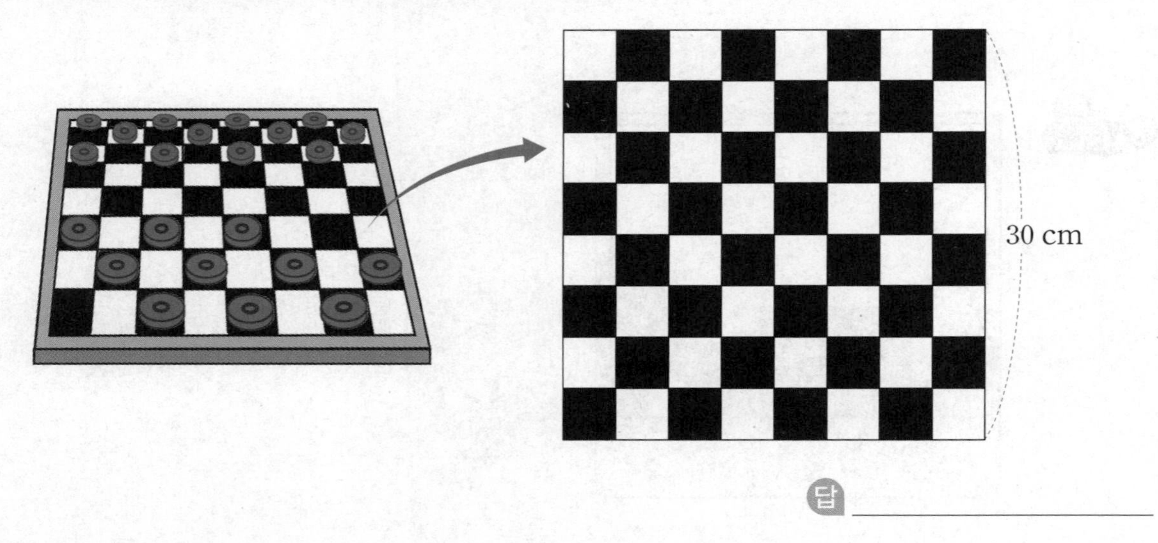


답 ____________

▶정답 및 풀이 32쪽

보기 는 도형을 그리기 위한 코드와 그에 따라 그려진 도형을 나타낸 것입니다.

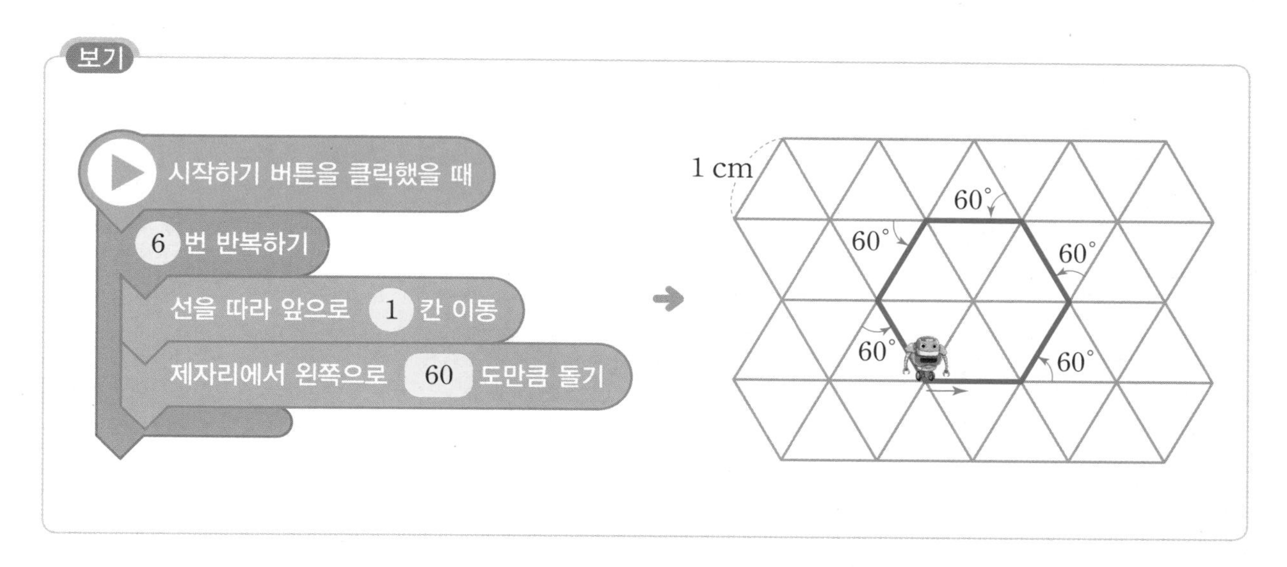


코드에 따라 도형을 그리고, 그려진 도형의 둘레는 몇 cm인지 구해 보세요.



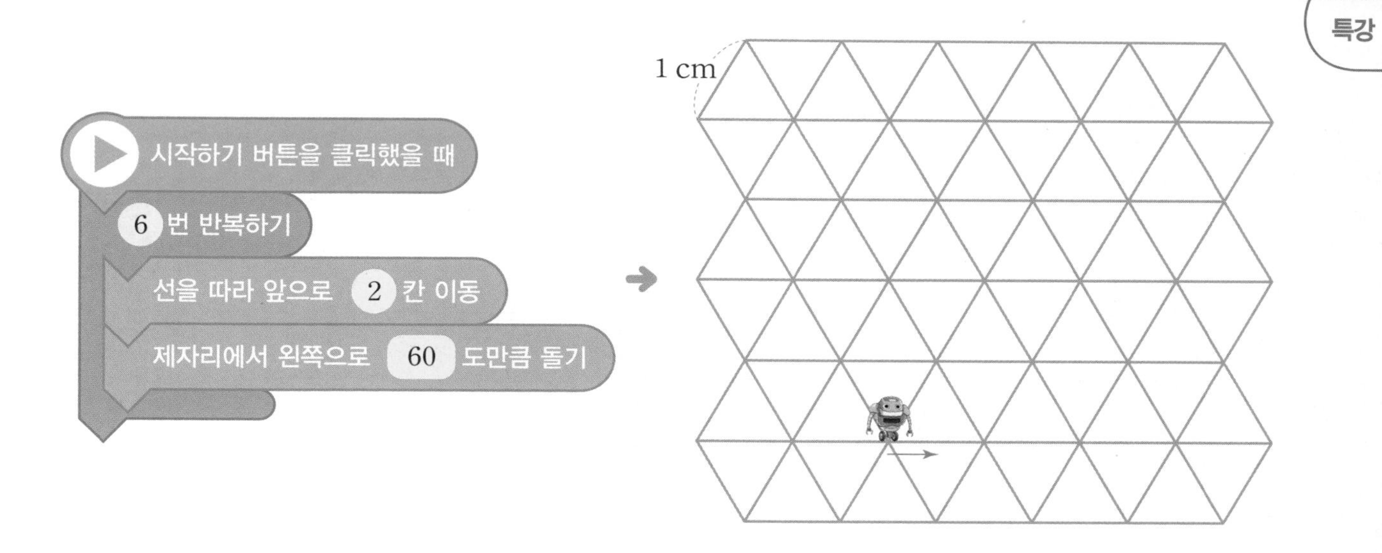


그려진 도형: 한 변의 길이가 ☐ cm인 정☐각형

➜ (도형의 둘레)=☐×☐=☐ (cm)

MEMO

# 정답 및 풀이
# 포인트 3가지

▶ OX 퀴즈로 쉬어가며 개념 확인

▶ 혼자서도 이해할 수 있는 문제 풀이

▶ 참고, 주의 등 자세한 풀이 제시

# 정답 및 풀이

## 1주 자연수의 혼합 계산 ~ 약수와 배수

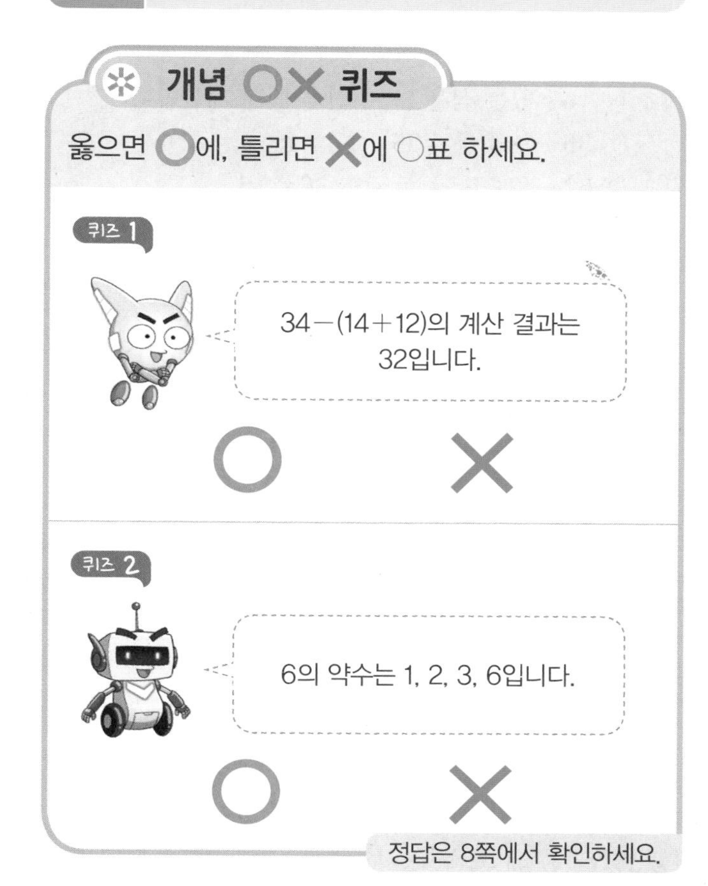


### 6~7쪽 이번 주에는 무엇을 공부할까?②

**1-1** 533 **1-2** 447

**2-1** $\begin{array}{r} 529 \\ +264 \\ \hline 793 \end{array}$ **2-2** $\begin{array}{r} 614 \\ -382 \\ \hline 232 \end{array}$

**3-1** 40 **3-2** 50

**4-1** (선 잇기) **4-2** (선 잇기)

**1-1** $\begin{array}{r} {}^{1\,1}\;\; \\ 186 \\ +347 \\ \hline 533 \end{array}$

**1-2** $706>259$ ➔ $706-259=447$

주의

큰 수에서 작은 수를 뺍니다.

**2-1** 백의 자리에 받아올림이 없는데 백의 자리에 받아올려 계산했습니다.

$\begin{array}{r} {}^{1}\;\;\; \\ 529 \\ +264 \\ \hline 793 \end{array}$

**2-2** 백의 자리에서 받아내림한 수를 빼지 않고 백의 자리를 계산했습니다.

$\begin{array}{r} {}^{5\;10}\; \\ \not{6}14 \\ -382 \\ \hline 232 \end{array}$

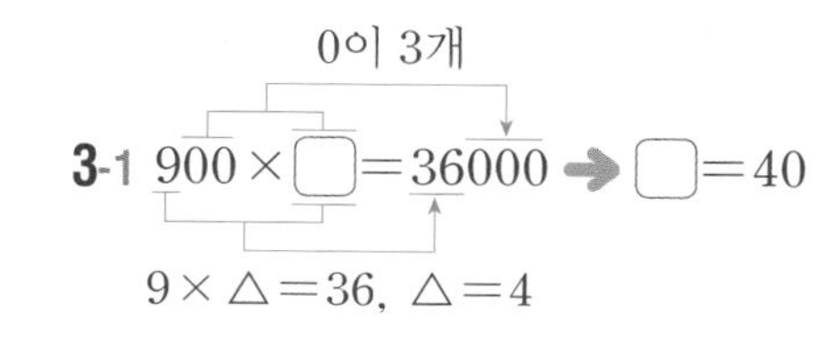


**3-1** $900\times\square=36000$ ➔ $\square=40$

$9\times\triangle=36$, $\triangle=4$

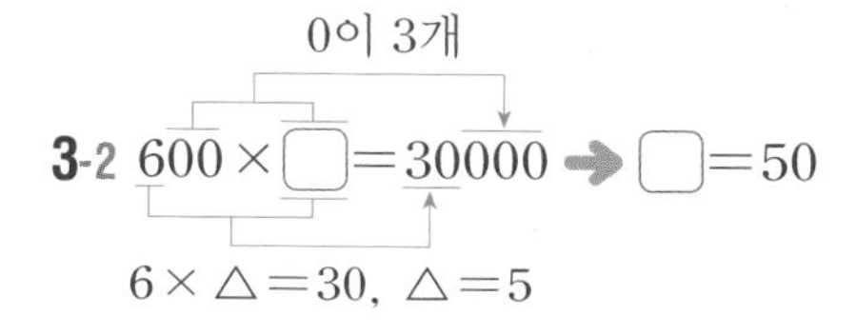


**3-2** $600\times\square=30000$ ➔ $\square=50$

$6\times\triangle=30$, $\triangle=5$

**4-1**
- $240\div30=8$
- $540\div90=6$
- $360\div60=6$
- $400\div50=8$

**4-2**
- $140\div20=7$
- $200\div40=5$
- $350\div70=5$
- $420\div60=7$

### 9쪽 개념·원리 확인

**1-1** (○)( ) **1-2** (○)( )

**2-1** (계산 순서대로) 45, 29, 29 **2-2** (계산 순서대로) 17, 23, 23

**3-1** 46, 61 **3-2** 75, 48

**4-1** $63+15-49=78-49$ $=29$ (① $63+15$, ② $78-49$)

**4-2** $82-34+25=48+25$ $=73$ (① $82-34$, ② $48+25$)

# 정답 및 풀이

**1-1** 덧셈과 뺄셈이 섞여 있는 식은 앞에서부터 차례로 계산합니다.

**2-1** $38+7-16=29$

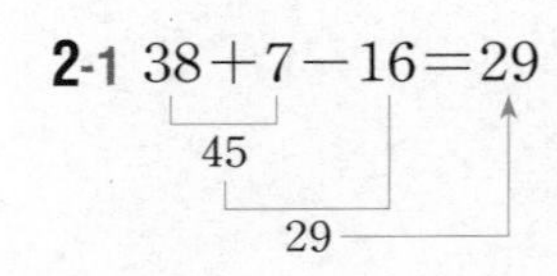


**2-2** $25-8+6=23$

17
23

## 11쪽 개념 · 원리 확인

**1-1** $24+13$에 ○표 **1-2** $10+25$에 ○표

**2-1** ( )(○) **2-2** ( )(○)

**3-1** (계산 순서대로) 69, 4, 4 **3-2** 37, 45

**4-1** $60-(9+12)=60-21$
$=39$
①
②

**4-2** $46-(17+15)=46-32$
$=14$
①
②

**1-1** ( )가 있는 식은 ( ) 안을 먼저 계산합니다.

**2-1** $42-(15+24)$

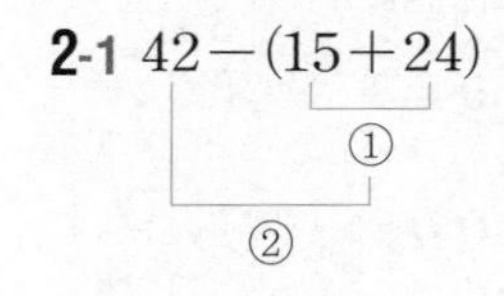


**2-2** $96-(23+19)$

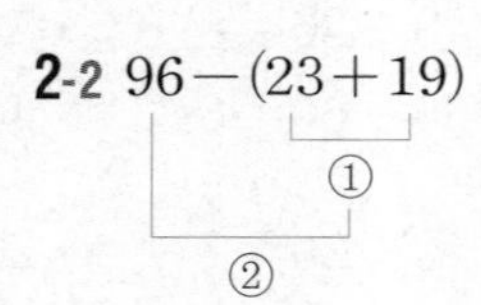


**3-1** $73-(26+43)=4$

69
4

## 12~13쪽 기초 집중 연습

**1-1** (1) 38 (2) 50 **1-2** (1) 19 (2) 15

**2-1** 26 **2-2** 17

**3-1** ㉠ **3-2** ㉡

**4-1** 33, 11 / × **4-2** ×

연산 8 **5-1** $19+15-26=8$, 8명

**5-2** $45-17+9=37$, 37명

**5-3** $81-(23+19)=39$, 39쪽

**1-1** 덧셈과 뺄셈이 섞여 있는 식은 앞에서부터 차례로 계산합니다.
(1) $46+29-37=75-37=38$
(2) $25-13+38=12+38=50$

**1-2** ( )가 있는 식은 ( ) 안을 먼저 계산합니다.
(1) $36-(8+9)=36-17=19$
(2) $51-(21+15)=51-36=15$

**2-1** $35-18+9=17+9=26$

**2-2** $23+39-45=62-45=17$

**3-1** ㉠ $15+18-26=33-26=7$
㉡ $31-(9+11)=31-20=11$

**3-2** ㉠ $68-27+31=41+31=72$
㉡ $42-(15+7)=42-22=20$

**4-1** • $65-43+11=22+11=33$
• $65-(43+11)=65-54=11$

**4-2** • $40-17+15=23+15=38$
• $40-(17+15)=40-32=8$

**5-1** (안경을 낀 학생 수)
=(남학생 수)+(여학생 수)
−(안경을 끼지 않은 학생 수)
$=19+15-26$
$=34-26$
=8(명)

**5-2** (지금 버스에 타고 있는 사람 수)
=(처음에 타고 있던 사람 수)−(내린 사람 수)
+(새로 탄 사람 수)
$=45-17+9$
$=28+9$
=37(명)

**5-3** (오늘까지 읽은 쪽수)=$23+19=42$(쪽)
(오늘까지 읽고 남은 쪽수)
=(전체 동화책 쪽수)−(오늘까지 읽은 쪽수)
$=81-(23+19)$
$=81-42$
=39(쪽)

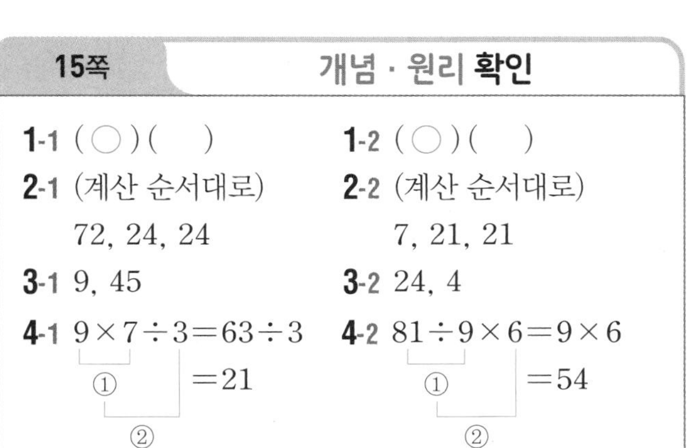

## 15쪽 개념 · 원리 확인

1-1 (◯)(　)　　1-2 (◯)(　)

2-1 (계산 순서대로) 72, 24, 24　　2-2 (계산 순서대로) 7, 21, 21

3-1 9, 45　　3-2 24, 4

4-1 $9\times7\div3=63\div3$ $=21$ (① $9\times7$, ② $63\div3$)

4-2 $81\div9\times6=9\times6$ $=54$ (① $81\div9$, ② $9\times6$)

1-1 곱셈과 나눗셈이 섞여 있는 식은 앞에서부터 차례로 계산합니다.

2-1 $9\times8\div3=24$ (72, 24)

2-2 $56\div8\times3=21$ (7, 21)

3-1 $36\div4\times5=9\times5$ $=45$ (①, ②)

3-2 $3\times8\div6=24\div6$ $=4$ (①, ②)

## 17쪽 개념 · 원리 확인

1-1 $2\times3$에 ◯표　　1-2 $4\times5$에 ◯표

2-1 (　)(◯)　　2-2 (　)(◯)

3-1 (계산 순서대로) 15, 5, 5　　3-2 12, 4

4-1 $64\div(8\times2)=64\div16$ $=4$ (① $8\times2$, ② $64\div16$)

4-2 $96\div(4\times8)=96\div32$ $=3$ (① $4\times8$, ② $96\div32$)

1-1 (　)가 있는 식은 (　) 안을 먼저 계산합니다.

3-1 $75\div(5\times3)=5$ (15, 5)

3-2 $48\div(2\times6)=48\div12$ $=4$ (①, ②)

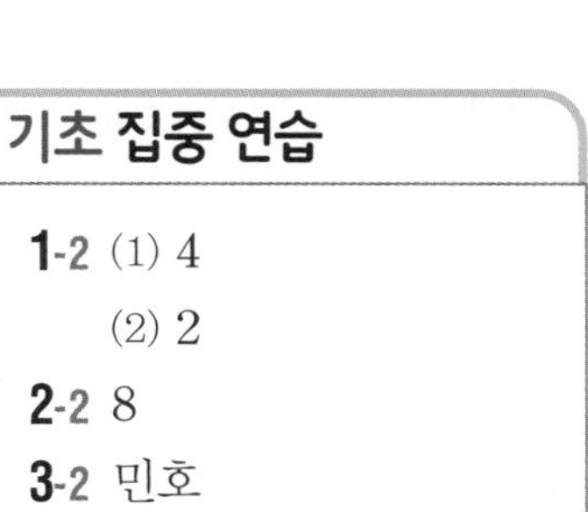

## 18~19쪽 기초 집중 연습

1-1 (1) 9 (2) 48　　1-2 (1) 4 (2) 2

2-1 64　　2-2 8

3-1 우석　　3-2 민호

4-1 27, 3 / ×　　4-2 ×

연산 54　　5-1 $90\div5\times3=54$, 54개

5-2 $15\times4\div6=10$, 10개

5-3 $54\div(6\times3)=3$, 3판

3-1 $56\div7\times2=8\times2=16$

3-2 $72\div(8\times3)=72\div24=3$

4-1 • $81\div9\times3=9\times3=27$
• $81\div(9\times3)=81\div27=3$

4-2 • $54\div(3\times2)=54\div6=9$
• $54\div3\times2=18\times2=36$

5-1 $90\div5\times3=18\times3=54$(개)

5-2 $15\times4\div6=60\div6=10$(개)

5-3 한 판에 구울 수 있는 과자의 수를 먼저 계산해야 하므로 $6\times3$을 (　)로 묶어야 합니다.
$54\div(6\times3)=54\div18=3$(판)

## 21쪽 개념 · 원리 확인

1-1 $3\times7$에 ◯표　　1-2 $13-9$에 ◯표

2-1 (　) (◯)　　2-2 (◯) (　)

3-1 (위에서부터) 25, 31, 6, 25　　3-2 10, 90, 97

4-1 $63-9\times4+25=63-36+25$
$=27+25$
$=52$ (① $9\times4$, ② $63-36$, ③ $27+25$)

4-2 $50-(19+3)\times2=50-22\times2$
$=50-44$
$=6$ (① $19+3$, ② $22\times2$, ③ $50-44$)

정답 / 풀이

1-1 $15+3\times7-4$

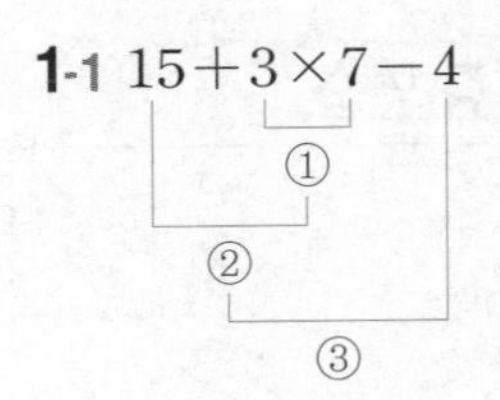

1-2 $8\times(13-9)+12$

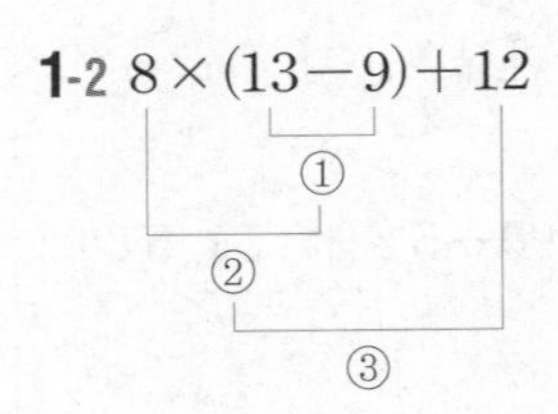

2-1 덧셈, 뺄셈, 곱셈이 섞여 있는 식은 곱셈을 먼저 계산하고 앞에서부터 차례로 계산합니다.

2-2 (　) 안을 가장 먼저 계산하고 곱셈을 계산합니다.

## 23쪽 개념 · 원리 확인

1-1 $64\div8$에 ◯표　　1-2 $19-4$에 ◯표

2-1 (1) 2, 1, 3　　2-2 (1) 3, 1, 2, 4

(2) 3, 2, 1　　(2) 4, 1, 2, 3

3-1 9, 26, 20　　3-2 7, 9, 18

4-1 $84\div7+(9-3)=84\div7+6$

$=12+6$

$=18$

4-2 $50-42\div7\times4=50-6\times4$

$=50-24$

$=26$

2-1 (1) $10-54\div6+8$　(2) $18+28\div(13-6)$

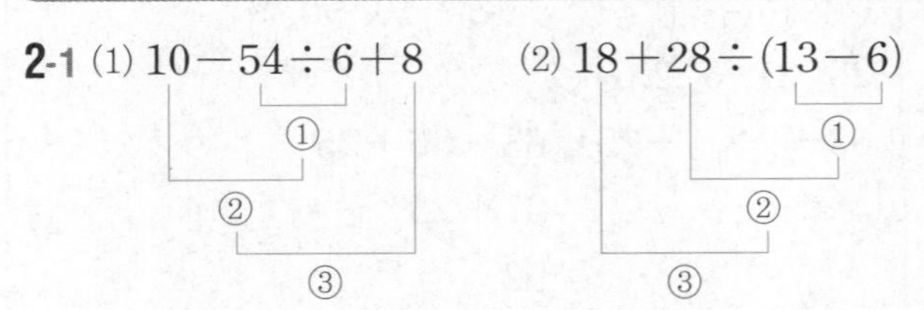

2-2 (1) $85-81\div9\times5+2$　(2) $10+(45-35)\div5\times2$

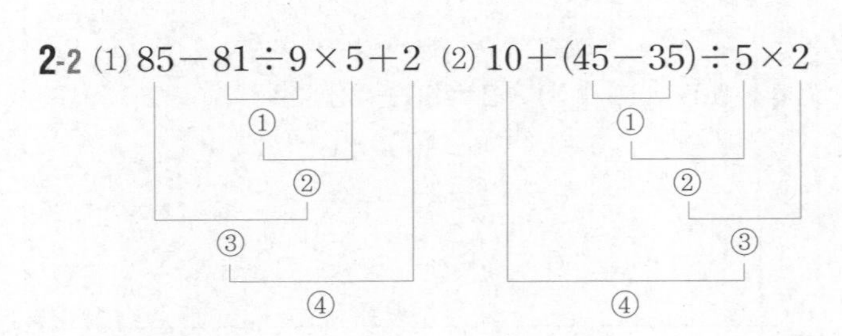

## 24~25쪽 기초 집중 연습

1-1 47　　1-2 36

2-1 ×　　2-2 ×

3-1 $90-25\times3+36$　　3-2 ㉠, 10

$=90-75+36$

$=15+36$

$=51$

4-1 >　　4-2 >

연산 400

5-1 $4000-1200\times3=400$, 400원

5-2 $2000-3600\div3=800$, 800원

5-3 $5000-(2500+500\times2)=1500$, 1500원

2-1 $3\times(25-17)+16=3\times8+16$

$=24+16$

$=40$

2-2 $37-(16+4)\div5\times6=37-20\div5\times6$

$=37-4\times6$

$=37-24$

$=13$

3-1 덧셈, 뺄셈, 곱셈이 섞여 있는 식은 곱셈을 먼저 계산합니다.

3-2 $6+42\div6-3=6+7-3=13-3=10$

4-1 $8+(27-9)\div3=8+18\div3=8+6=14$

➔ $14>5$

4-2 $11+43-36\div3\times4=11+43-12\times4$

$=11+43-48$

$=54-48$

$=6$

➔ $6>4$

연산 $4000-1200\times3=4000-3600=400$

5-2 $2000-3600\div3=2000-1200=800$(원)

5-3 $5000-(2500+500\times2)$

$=5000-(2500+1000)$

$=5000-3500$

$=1500$(원)

## 27쪽 개념 · 원리 확인

**1-1** (1) 1, 2, 3, 6
(2) 1, 2, 3, 6

**1-2** (1) 1, 3, 7, 21
(2) 1, 3, 7, 21

**2-1** 1, 3, 5, 15
/ 1, 3, 5, 15

**2-2** 1, 2, 3, 4, 6, 12
/ 1, 2, 3, 4, 6, 12

**3-1** 1, 2, 5, 10에 ○표

**3-2** 1, 2, 7, 14에 ○표

**4-1** (1) 1, 2, 4
(2) 1, 5, 7, 35

**4-2** (1) 1, 2, 4, 8, 16
(2) 1, 2, 4, 5, 10, 20

**2-1** $15 \div 1 = 15$, $15 \div 3 = 5$, $15 \div 5 = 3$, $15 \div 15 = 1$이므로 15의 약수는 1, 3, 5, 15입니다.

**2-2** $12 \div 1 = 12$, $12 \div 2 = 6$, $12 \div 3 = 4$, $12 \div 4 = 3$, $12 \div 6 = 2$, $12 \div 12 = 1$이므로 12의 약수는 1, 2, 3, 4, 6, 12입니다.

**3-1** 10의 약수 : 1, 2, 5, 10

**3-2** 14의 약수 : 1, 2, 7, 14

**4-1** (1) $4 \div 1 = 4$, $4 \div 2 = 2$, $4 \div 4 = 1$이므로 4의 약수는 1, 2, 4입니다.
(2) $35 \div 1 = 35$, $35 \div 5 = 7$, $35 \div 7 = 5$, $35 \div 35 = 1$이므로 35의 약수는 1, 5, 7, 35입니다.

**4-2** (1) $16 \div 1 = 16$, $16 \div 2 = 8$, $16 \div 4 = 4$, $16 \div 8 = 2$, $16 \div 16 = 1$이므로 16의 약수는 1, 2, 4, 8, 16입니다.
(2) $20 \div 1 = 20$, $20 \div 2 = 10$, $20 \div 4 = 5$, $20 \div 5 = 4$, $20 \div 10 = 2$, $20 \div 20 = 1$이므로 20의 약수는 1, 2, 4, 5, 10, 20입니다.

## 29쪽 개념 · 원리 확인

**1-1** 5, 10, 15, 20
/ 10, 15, 20

**1-2** 4, 8, 12, 16
/ 8, 12, 16

**2-1** 9, 18, 27, 36
/ 18, 27, 36

**2-2** 11, 22, 33, 44
/ 22, 33, 44

**3-1** 6, 12, 18, 24

**3-2** 8, 16, 24, 32

**4-1** (1) 2, 4, 6, 8
(2) 12, 24, 36, 48

**4-2** (1) 10, 20, 30, 40
(2) 15, 30, 45, 60

**1-1** 5의 배수는 5를 1배, 2배, 3배, 4배…… 한 수입니다.

**1-2** 4의 배수는 4를 1배, 2배, 3배, 4배…… 한 수입니다.

**2-1** $9 \times 1 = 9$, $9 \times 2 = 18$, $9 \times 3 = 27$, $9 \times 4 = 36$……

**2-2** $11 \times 1 = 11$, $11 \times 2 = 22$, $11 \times 3 = 33$, $11 \times 4 = 44$……

**3-1** $6 \times 1 = 6$, $6 \times 2 = 12$, $6 \times 3 = 18$, $6 \times 4 = 24$

참고
배수를 구할 때는 곱셈식을 이용합니다.

**3-2** $8 \times 1 = 8$, $8 \times 2 = 16$, $8 \times 3 = 24$, $8 \times 4 = 32$

**4-1** (1) $2 \times 1 = 2$, $2 \times 2 = 4$, $2 \times 3 = 6$, $2 \times 4 = 8$
➡ 2의 배수 : 2, 4, 6, 8
(2) $12 \times 1 = 12$, $12 \times 2 = 24$, $12 \times 3 = 36$, $12 \times 4 = 48$
➡ 12의 배수 : 12, 24, 36, 48

**4-2** (1) $10 \times 1 = 10$, $10 \times 2 = 20$, $10 \times 3 = 30$, $10 \times 4 = 40$
➡ 10의 배수 : 10, 20, 30, 40
(2) $15 \times 1 = 15$, $15 \times 2 = 30$, $15 \times 3 = 45$, $15 \times 4 = 60$
➡ 15의 배수 : 15, 30, 45, 60

## 30~31쪽 기초 집중 연습

**1-1** 1, 2, 3, 6, 7, 14, 21, 42

**1-2** 7, 14, 21, 28, 35

**2-1** 15, 20, 25, 30, 35, 40에 ○표

**2-2** 45, 54, 63에 ○표

**3-1** ( ○ ) ( × )

**3-2** ( ○ ) ( × )

**4-1** 2개

**4-2** 3개

기초 8개

**5-1** 8개

**5-2** 9개

기초 9, 18, 27

**6-1** 9시 18분

**6-2** 10시 33분

정답 풀이

**3-1** • $21\div7=3$이므로 7은 21의 약수입니다.
• $39\div9=4\cdots3$이므로 9는 39의 약수가 아닙니다.

**3-2** • $10\times2=20$이므로 20은 10의 배수입니다.
• $11\times1=11$, $11\times2=22$, $11\times3=33$……이므로 11의 배수는 11, 22, 33……입니다.

**4-1** $3\times6=18$, $3\times11=33$
3의 배수 : 18, 33 ➔ 2개

**4-2** $6\times6=36$, $6\times7=42$, $6\times10=60$
6의 배수 : 36, 42, 60 ➔ 3개

**5-1** 24를 나누어떨어지게 하는 수는 24의 약수입니다.
24의 약수 : 1, 2, 3, 4, 6, 8, 12, 24 ➔ 8개

**5-2** 36을 나누어떨어지게 하는 수는 36의 약수입니다.
36의 약수 : 1, 2, 3, 4, 6, 9, 12, 18, 36 ➔ 9개

**6-1** 9분 간격으로 출발하므로 9의 배수를 구합니다.
9의 배수 : 9, 18, 27……
➔ 오전 9시, 오전 9시 9분, 오전 9시 18분(세 번째 출발 시각), 오전 9시 27분……

**6-2** 11분 간격으로 출발하므로 11의 배수를 구합니다.
11의 배수 : 11, 22, 33……
➔ 오전 10시, 오전 10시 11분, 오전 10시 22분, 오전 10시 33분(네 번째 출발 시각)……

### 33쪽 개념 · 원리 확인

**1-1** (1) 1, 2에 ○표 / 1, 2에 ○표 (2) 2
**1-2** (1) 1, 2, 3, 6에 ○표 / 1, 2, 3, 6에 ○표 (2) 6
**2-1** (1) 2, 4 (2) 4 (3) 2, 4 (4) 4
**2-2** (1) 3, 9 (2) 9 (3) 3, 9 (4) 9
**3-1** 2, 5 / 5, 25 / (1) 1, 5 (2) 5
**3-2** 2, 4, 5 / 3, 4, 6, 8, 12 / (1) 1, 2, 4 (2) 4

**1-1** (1) 6과 8의 공통된 약수는 1, 2입니다.
(2) 공통된 약수 중에서 가장 큰 수는 2입니다.

**1-2** (1) 12와 18의 공통된 약수는 1, 2, 3, 6입니다.
(2) 공통된 약수 중에서 가장 큰 수는 6입니다.

**2-1** (1) 8과 20의 공통된 약수는 1, 2, 4입니다.
(2) 8과 20의 공통된 약수 중에서 가장 큰 수는 4입니다.

**2-2** (1) 27과 45의 공통된 약수는 1, 3, 9입니다.
(2) 27과 45의 공통된 약수 중에서 가장 큰 수는 9입니다.

**3-1** 10과 25의 공약수는 1, 5이므로 최대공약수는 5입니다.

**3-2** 20과 24의 공약수는 1, 2, 4이므로 최대공약수는 4입니다.

### 35쪽 개념 · 원리 확인

**1-1** (1) 7, 7 (2) 7
**1-2** (1) 4, 5 (2) 4
**2-1** 10
**2-2** 2, 7, 14
**3-1** 3
**3-2** 15
**4-1** 2, 2, 5 / 2
**4-2** 3, 12, 21, 4, 7 / 3, 9

**1-1** (1) 공통으로 가장 큰 수가 들어 있는 식은 $14=2\times7$, $21=3\times7$입니다.
(2) 두 수의 곱으로 나타낸 곱셈식에 공통으로 들어 있는 가장 큰 수는 7이므로 14와 21의 최대공약수는 7입니다.

**2-2** 28과 42의 최대공약수는 두 곱셈식에 공통으로 들어 있는 수의 곱입니다. ➔ $2\times7=14$

**3-1** 6과 9의 최대공약수는 두 수를 나눈 공약수 3입니다.

**3-2** 15와 45의 최대공약수는 두 수를 나눈 공약수들의 곱인 $3\times5=15$입니다.

**4-1** 4와 10의 최대공약수는 두 수를 나눈 공약수 2입니다.

**4-2** 36과 63의 최대공약수는 두 수를 나눈 공약수들의 곱입니다. ➔ $3\times3=9$

## 36~37쪽 기초 집중 연습

1-1 1, 5 / 5　　1-2 1, 3 / 3
2-1 12　　2-2 6
3-1 2) 10 18 / 2
　　　5 9
3-2 예 2) 40 70 / 10
　　5) 20 35
　　　4 7
4-1 14 / 1, 2, 7, 14　　4-2 6 / 1, 2, 3, 6
기초 1, 2, 4, 8, 16, 32 / 1, 2, 4, 5, 8, 10, 20, 40 / 1, 2, 4, 8 / 8
5-1 8　　5-2 6
5-3 21

1-1 10의 약수 : 1, 2, 5, 10
15의 약수 : 1, 3, 5, 15
➔ 10과 15의 공약수 : 1, 5
10과 15의 최대공약수 : 5

1-2 9의 약수 : 1, 3, 9
21의 약수 : 1, 3, 7, 21
➔ 9와 21의 공약수 : 1, 3
9와 21의 최대공약수 : 3

2-1 36과 60의 최대공약수는 두 곱셈식에 공통으로 들어 있는 수의 곱인 $3\times4=12$입니다.

3-2 2) 40 70
5) 20 35
　4 7 ➔ 40과 70의 최대공약수 : $2\times5=10$

다른 풀이
10) 40 70
　4 7 ➔ 40과 70의 최대공약수 : 10

4-1 2) 14 28
7) 7 14
　1 2 ➔ 14와 28의 최대공약수 : $2\times7=14$
(14와 28의 공약수)=(14의 약수)=1, 2, 7, 14

4-2 2) 42 66
3) 21 33
　7 11 ➔ 42와 66의 최대공약수 : $2\times3=6$
(42와 66의 공약수)=(6의 약수)=1, 2, 3, 6

5-1 32의 약수 : 1, 2, 4, 8, 16, 32
40의 약수 : 1, 2, 4, 5, 8, 10, 20, 40
두 수를 모두 나누어떨어지게 하는 수는 32와 40의 공약수인 1, 2, 4, 8입니다.
따라서 최대공약수인 8이 가장 큰 수입니다.

참고
어떤 수가 될 수 있는 수 중에서 가장 큰 수는 32와 40의 최대공약수입니다.

5-2 42의 약수 : 1, 2, 3, 6, 7, 14, 21, 42
54의 약수 : 1, 2, 3, 6, 9, 18, 27, 54
두 수를 모두 나누어떨어지게 하는 수는 42와 54의 공약수인 1, 2, 3, 6입니다.
따라서 최대공약수인 6이 가장 큰 수입니다.

5-3 21의 약수 : 1, 3, 7, 21
63의 약수 : 1, 3, 7, 9, 21, 63
두 수를 모두 나누어떨어지게 하는 수는 21과 63의 공약수인 1, 3, 7, 21입니다.
따라서 최대공약수인 21이 가장 큰 수입니다.

## 38~39쪽 누구나 100점 맞는 테스트

1 26, 63　　2 1, 3, 9
3 8, 16, 24, 32, 40
4 3, 4, 6 / 3, 6, 9 / 1, 2, 3, 6 / 6
5 $39-3\times8+16=39-24+16$
$=15+16$
$=31$
①　②　③
6 6　　7 7
8 20　　9
10 $1000+3000\div5=1600$, 1600원

2 9는 1, 3, 9로 나누어떨어지므로 9의 약수는 1, 3, 9입니다.

3 $8\times1=8$, $8\times2=16$, $8\times3=24$, $8\times4=32$, $8\times5=40$ ➔ 8의 배수 : 8, 16, 24, 32, 40

정답
풀이

**4** • 12와 18의 공통된 약수는 1, 2, 3, 6입니다.
• 12와 18의 공약수 중에서 가장 큰 수는 6입니다.

**5** 덧셈, 뺄셈, 곱셈이 섞여 있는 식은 곱셈을 먼저 계산한 다음, 앞에서부터 차례로 계산합니다.

**6** 2) 42 54
3) 21 27
7 9 ➔ 42와 54의 최대공약수 : $2\times3=6$

**7** $63\div(5+4)=63\div9=7$

**8** $(54-18)\div9\times5=36\div9\times5=4\times5=20$

**9** $56-72\div8\times3+11=56-9\times3+11$
$=56-27+11$
$=29+11=40$

**10** $\underset{\text{공책 한 권 값}}{\underline{1000}}+\underset{\text{연필 한 자루 값}}{\underline{3000\div5}}=1000+600=1600$(원)

**40~45쪽 특강 창의 · 융합 · 코딩**

창의 1 미술 학원, 피아노 학원, 태권도 학원 / 태권도 학원
창의 2 10월, 4월, 6월 / 유리
코딩 3 40
코딩 4 있습니다.
융합 5 $304+31\times2+136=502$, 502 킬로칼로리
창의 6 $500+3500\div10\times3+700=2250$, 2250원
창의 7 4, 8
융합 8 24, 48, 72
융합 9 정우
창의 10 3칸

창의 1

| | 태권도 학원 | 피아노 학원 | 미술 학원 |
|---|---|---|---|
| 민하 | × | × | ○ |
| 지현 | × | ○ | × |
| 수진 | ○ | × | × |

창의 2

| | 4월 | 6월 | 10월 |
|---|---|---|---|
| 예진 | × | × | ○ |
| 유리 | ○ | × | × |
| 호연 | × | ○ | × |

코딩 3 이동 방향으로 8만큼 5번 반복하여 움직이는 코드입니다. 따라서 이동 방향으로 8의 5배인 40만큼 움직이게 됩니다.

코딩 4 ㉠에 10을 넣으면 계산 결과는
$10\times2+20\div5=20+20\div5=20+4=24$입니다.
24는 짝수이므로 선물을 받을 수 있습니다.

융합 5 $304+31\times2+136=304+62+136$
$=366+136$
$=502$ (킬로칼로리)

창의 6 (공책 3권의 값)$=3500\div10\times3=1050$(원)
(소희가 산 학용품 값)
$=500+3500\div10\times3+700$
$=500+1050+700$
$=1550+700=2250$(원)

창의 7 8의 약수 : 1, 2, 4, 8

융합 8 ∩∩||||가 나타내는 수는 24입니다.
$24\times1=24$, $24\times2=48$, $24\times3=72$……
➔ 24의 배수 : 24, 48, 72……

융합 9 20의 약수 : 1, 2, 4, 5, 10, 20
➔ $1+2+4+5+10=22$(×)
28의 약수 : 1, 2, 4, 7, 14, 28
➔ $1+2+4+7+14=28$(◯)

창의 10 그릴 수 있는 가장 큰 정사각형의 한 변의 길이는 모눈종이의 가로 칸의 수와 세로 칸의 수의 최대공약수입니다.
가로는 12칸, 세로는 9칸이므로 정사각형의 한 변의 길이는 12와 9의 최대공약수인 3칸입니다.

**개념 OX 퀴즈 정답**

퀴즈 1 
퀴즈 2 

퀴즈 1 $34-(14+12)=34-26=8$

퀴즈 2 6의 약수 : 1, 2, 3, 6

## 2주 약수와 배수 ~ 약분과 통분

### 개념 ○× 퀴즈

옳으면 ○에, 틀리면 ×에 ○표 하세요.

퀴즈 1

12와 6의 최소공배수는 6입니다.

퀴즈 2

$\frac{6}{8}$을 약분하면 $\frac{3}{4}$입니다.

정답은 16쪽에서 확인하세요.

### 48~49쪽 이번 주에는 무엇을 공부할까?②

**1-1** 501　　**1-2** 3540

**2-1** $6\times100005=600030$

**2-2** $3200+900=4100$

**3-1** 4752　　**3-2** 9144

**4-1**
```
      2 3
13)2 9 9
   2 6
   ----
     3 9
     3 9
     ---
       0
```

**4-2**
```
      3 2
18)5 7 6
   5 4
   ----
     3 6
     3 6
     ---
       0
```

**1-1** 수의 배열은 201부터 시작하여 오른쪽으로 100씩 커집니다.
➔ 201－301－401－501

**1-2** 수의 배열은 3240부터 시작하여 오른쪽으로 100씩 커집니다.
➔ 3240－3340－3440－3540

**2-1** 계산 결과의 가운데 0의 개수가 1개씩 늘어나는 규칙입니다.

**2-2** 1000씩 커지는 수에 900을 더하면 계산 결과도 1000씩 커집니다.

**3-1**
```
    1 9 8
  ×   2 4
  -------
    7 9 2
  3 9 6
  -------
  4 7 5 2
```

**3-2**
```
    2 5 4
  ×   3 6
  -------
  1 5 2 4
  7 6 2
  -------
  9 1 4 4
```

### 51쪽 개념 · 원리 확인

**1-1** 공배수　　**1-2** 최소공배수

**2-1** (1) 12, 24
(2) 12

**2-2** (1)~(2)

| 1 | 2 | 3 | 4 | 5 | 6 | 7 | 8 | 9 | 10 |
|---|---|---|---|---|---|---|---|---|---|
| 11 | 12 | 13 | 14 | 15 | 16 | 17 | 18 | 19…… | |

(3) 6, 12, 18
(4) 6

**3-1** ⑤　　**3-2** ③

**1-1** 4와 5의 공통된 배수를 4와 5의 공배수라고 합니다.

**2-1** (2) 4와 3의 공배수 중에서 가장 작은 수는 12이므로 최소공배수는 12입니다.

**2-2** (3) ○표와 △표가 모두 표시된 수 : 6, 12, 18
(4) 3과 2의 공배수 중에서 가장 작은 수는 6이므로 최소공배수는 6입니다.

**3-1** 8의 배수 : 8, 16, 24, 32, 40, 48……
6의 배수 : 6, 12, 18, 24, 30, 36, 42, 48……
➔ 8과 6의 공배수 : 24, 48……

**3-2** 5의 배수 : 5, 10, 15, 20, 25, 30, 35, 40, 45, 50, 55, 60……

6의 배수 : 6, 12, 18, 24, 30, 36, 42, 48, 54, 60……

➔ 5와 6의 공배수 : 30, 60……

**53쪽** **개념 · 원리 확인**

**1-1** 3, 45 **1-2** 2, 5, 60

**2-1** 3, 2 / 3, 2, 54 **2-2** 2, 4 / 2, 4, 40

**3-1** 2) 40 70
5) 20 35
4 7 / 280

**3-2** 2) 12 42
3) 6 21
2 7 / 84

**2-1** 27과 6의 공약수인 3으로 나눕니다.

**2-2** 8과 10의 공약수인 2로 나눕니다.

**3-1** 40과 70의 공약수 → 2) 40 70
20과 35의 공약수 → 5) 20 35
4 7

➔ 40과 70의 최소공배수 : $2\times5\times4\times7=280$

**3-2** 12와 42의 공약수 → 2) 12 42
6과 21의 공약수 → 3) 6 21
2 7

➔ 12와 42의 최소공배수 : $2\times3\times2\times7=84$

**54~55쪽** **기초 집중 연습**

**1-1** 30 **1-2** 84

**2-1** $3\times4\times5=60$(곱하는 순서는 바뀌어도 됨)

**2-2** $5\times7\times9=315$(곱하는 순서는 바뀌어도 됨)

**2-3** $2\times5\times7=70$(곱하는 순서는 바뀌어도 됨)

**3-1** 10, 20, 30 **3-2** 8, 16, 24

기초 5) 10 15
2 3 / 30

**4-1** 30분

**4-2** 60분 **4-3** 12일

**1-1** 2) 6 10
3 5

➔ 6과 10의 최소공배수 : $2\times3\times5=30$

**1-2** 2) 12 28
2) 6 14
3 7

➔ 12와 28의 최소공배수 : $2\times2\times3\times7=84$

**2-1** ㉠$=3\times4$

㉡$=4\times5$

➔ ㉠과 ㉡의 최소공배수 : $3\times4\times5=60$

**2-2** ㉠$=5\times7$

㉡$=5\times9$

➔ ㉠과 ㉡의 최소공배수 : $5\times7\times9=315$

**2-3** ㉠$=2\times5$

㉡$=2\times7$

➔ ㉠과 ㉡의 최소공배수 : $2\times5\times7=70$

**3-1** 두 수의 공배수는 최소공배수의 배수이므로 10, 20, 30……입니다.

**3-2** 가와 나의 공배수는 최소공배수의 배수이므로 8, 16, 24……입니다.

기초 5) 10 15
2 3

➔ 최소공배수 : $5\times2\times3=30$

**4-1** 10과 15의 최소공배수 : $5\times2\times3=30$

10과 15의 최소공배수는 30이므로 두 버스는 30분마다 동시에 출발합니다.

**4-2** 20과 12의 최소공배수 : 60

➔ 두 버스는 60분마다 동시에 출발합니다.

참고

2) 20 12
2) 10 6
5 3

➔ 20과 12의 최소공배수 : $2\times2\times5\times3=60$

**4-3** 4와 3의 최소공배수 : 12

따라서 정예는 두 학원을 12일마다 같은 날에 가게 됩니다.

## 57쪽 개념 · 원리 확인

1-1 2　　1-2 1

2-1

| 탁자의 수(개) | 1 | 2 | 3 | 4 | …… |
|---|---|---|---|---|---|
| 의자의 수(개) | 2 | 4 | 6 | 8 | …… |

2-2

| 문어의 수(마리) | 1 | 2 | 3 | 4 | …… |
|---|---|---|---|---|---|
| 다리의 수(개) | 8 | 16 | 24 | 32 | …… |

3-1 4배　　3-2 2배

1-1 사각형이 1개일 때 원은 2개,
사각형이 2개일 때 원은 4개,
사각형이 3개일 때 원은 6개……

1-2 삼각형이 2개일 때 원은 1개,
삼각형이 4개일 때 원은 2개,
삼각형이 6개일 때 원은 3개……

3-1 원이 1개일 때 삼각형은 4개,
원이 2개일 때 삼각형은 8개,
원이 3개일 때 삼각형은 12개……
➡ 삼각형의 수는 원의 수의 4배입니다.

3-2 삼각형이 1개일 때 사각형은 2개,
삼각형이 2개일 때 사각형은 4개,
삼각형이 3개일 때 사각형은 6개……
➡ 사각형의 수는 삼각형의 수의 2배입니다.

## 59쪽 개념 · 원리 확인

1-1 1　　1-2 1

2-1

| 철봉 기둥의 수(개) | 2 | 3 | 4 | 5 | …… |
|---|---|---|---|---|---|
| 철봉 대의 수(개) | 1 | 2 | 3 | 4 | …… |

2-2

| 의자의 수(개) | 1 | 2 | 3 | 4 | …… |
|---|---|---|---|---|---|
| 팔걸이의 수(개) | 2 | 3 | 4 | 5 | …… |

3-1 예 그 오른쪽에 있는 파란색 사각판과 노란색 삼각판의 수가 각각 1개씩 늘어납니다.

3-2 예 그 오른쪽에 있는 파란색 사각판과 빨간색 사각판의 수가 각각 1개씩 늘어납니다.

1-1 변하지 않는 부분과 변하는 부분으로 나누어서 규칙을 알아봅니다.

1-2 위에 있는 빨간색 사각판 1개는 변하지 않고 그 아래에 있는 초록색 사각판과 빨간색 사각판의 수가 각각 1개씩 늘어나므로 빨간색 사각판의 수는 초록색 사각판의 수보다 1개 많습니다.

2-1 철봉 대의 수는 철봉 기둥의 수보다 1개 적습니다.

2-2 팔걸이의 수는 의자의 수보다 1개 많습니다.

## 60~61쪽 기초 집중 연습

1-1

| 자전거의 수(대) | 1 | 2 | 3 | 4 | …… |
|---|---|---|---|---|---|
| 바퀴의 수(개) | 2 | 4 | 6 | 8 | …… |

1-2

| 종이의 수(장) | 1 | 2 | 3 | 4 | …… |
|---|---|---|---|---|---|
| 누름 못의 수(개) | 2 | 3 | 4 | 5 | …… |

2-1　　2-2

3-1 ㉠　　3-2 ㉡

기초 8　　4-1 8개

4-2 20개

4-3 6대

1-1 바퀴의 수는 자전거의 수의 2배입니다.

1-2 누름 못의 수는 종이의 수보다 1 큽니다.

2-1 사각형의 수가 1개씩 늘어날 때 원의 수는 2개씩 늘어납니다.

2-2 변하는 부분과 변하지 않는 부분을 살펴봅니다.

3-1 ㉡ 꽃잎의 수는 꽃의 수의 5배입니다.

3-2 ㉠ 겹치는 부분의 수는 종이테이프의 수보다 1 적습니다.

4-1 사각형이 1개일 때 원은 2개, 사각형이 2개일 때 원은 4개, 사각형이 3개일 때 원은 6개이므로 사각형이 4개일 때 원은 8개 필요합니다.

4-2

| 자동차의 수(대) | 1 | 2 | 3 | 4 | 5 | …… |
|---|---|---|---|---|---|---|
| 바퀴의 수(개) | 4 | 8 | 12 | 16 | 20 | …… |

➜ 자동차가 5대일 때 바퀴는 20개입니다.

4-3

| 바퀴의 수(개) | 3 | 6 | 9 | 12 | 15 | 18 | …… |
|---|---|---|---|---|---|---|---|
| 세발 자전거의 수(대) | 1 | 2 | 3 | 4 | 5 | 6 | …… |

➜ 세발 자전거의 바퀴가 18개일 때 세발 자전거는 6대입니다.

**63쪽 개념 · 원리 확인**

1-1 10 / 10　　1-2 2 / 2
2-1 ×, 3, 학생의 수　　2-2 꽃의 수, ÷, 2
3-1 (시간)×30=(그림의 수)
3-2 (시간)×45=(그림의 수)

2-1 모둠의 수의 3배는 학생의 수입니다.
➜ (모둠의 수)×3=(학생의 수)

2-2 꽃이 2송이 있으면 꽃병이 1개 필요합니다.
➜ (꽃의 수)÷2=(꽃병의 수)

3-1 만화 영화를 상영하는 시간의 30배는 그림의 수입니다.

**65쪽 개념 · 원리 확인**

1-1 □×4=△　　1-2 ○÷4=☆
2-1 10, 11 / △−3=○
2-2 13, 14 / □−2009=△
3-1 □×15=○ / ○÷15=□　　3-2 ☆×30=□ / □÷30=☆

1-1 곰의 수를 □, 곰 다리의 수를 △로 하여 식으로 나타냅니다. ➜ □×4=△

1-2 나비 날개의 수를 ○, 나비의 수를 ☆이라 하여 식으로 나타냅니다. ➜ ○÷4=☆

2-1 주희의 나이에서 3을 빼면 동생의 나이와 같습니다.
➜ △−3=○

2-2 연도에서 2009를 빼면 민수의 나이와 같습니다.
➜ □−2009=△

3-1 • 상자 수의 15배는 귤의 수와 같습니다.
➜ □×15=○
• 귤의 수를 15로 나누면 상자의 수와 같습니다.
➜ ○÷15=□

3-2 • 달린 시간의 30배는 달린 거리와 같습니다.
➜ ☆×30=□
• 달린 거리를 30으로 나누면 달린 시간과 같습니다.
➜ □÷30=☆

**66~67쪽 기초 집중 연습**

1-1 예 (창문의 수)×3=(화분의 수)
1-2 예 ○×3=□
2-1 예 △, ☆×5000=△
2-2 예 △, ○+1=△
3-1 예 ☆+4=△
3-2 예 ○÷3=□
기초 예 ○−2=□　　4-1 예 ○−2=□
4-2 예 △÷2=☆　　4-3 예 △×4=□

1-1 창문의 수의 3배는 화분의 수입니다.
➜ (창문의 수)×3=(화분의 수)

1-2 (창문의 수)×3=(화분의 수)
➜ ○×3=□

2-1 저금을 한 달수의 5000배는 저금액입니다.
➜ 예 저금액을 △라 하면 ☆×5000=△입니다.

2-2 색종이의 수보다 1 큰 수는 누름 못의 수입니다.
➜ 예 누름 못의 수를 △라 하면 ○+1=△입니다.

3-1 (지우의 나이)+4=(언니의 나이)
➜ ☆+4=△

3-2 (의자의 수)÷3=(탁자의 수)
➜ ○÷3=□

기초 4−2=2, 5−2=3, 6−2=4
➜ ○−2=□

**4-2** $8\div2=4$, $10\div2=5$, $12\div2=6$, $14\div2=7$
➔ △÷2=☆

**4-3** $4\times4=16$, $5\times4=20$, $6\times4=24$
➔ △×4=□

| 69쪽 | 개념 · 원리 확인 |
|---|---|
| **1-1** 2, 2 | **1-2** 2, 3 |
| **2-1** 4, $\frac{6}{9}$ | **2-2** 2, 3 |
| **3-1** ㉠ | **3-2** (  )(○)(  ) |
| **4-1** 6, 15, 12 | **4-2** 14, 6, 8 |

**1-1** $\frac{1}{6}$의 분모와 분자에 각각 2를 곱해 크기가 같은 분수를 만듭니다.

**1-2** $\frac{1}{2}$의 분모와 분자에 각각 2, 3을 곱해 크기가 같은 분수를 만듭니다.

**2-1** $\frac{2}{3}$의 분모와 분자에 각각 2, 3을 곱해 크기가 같은 분수를 만듭니다.

**2-2** $\frac{1}{5}$의 분모와 분자에 각각 2, 3을 곱해 크기가 같은 분수를 만듭니다.

**3-1** 주의
크기가 같은 분수를 만들 때 분모와 분자에 각각 0을 곱하면 안 됩니다.

**4-1** $\frac{3}{5}=\frac{6}{10}=\frac{9}{15}=\frac{12}{20}$ (×2, ×3, ×4)

**4-2** $\frac{2}{7}=\frac{4}{14}=\frac{6}{21}=\frac{8}{28}$ (×2, ×3, ×4)

| 71쪽 | 개념 · 원리 확인 |
|---|---|
| **1-1** 2, 12 | **1-2** 2, 4 |
| **2-1** 5, $\frac{3}{6}$ | **2-2** 4, $\frac{4}{10}$ |
| **3-1** $\frac{3}{4}$ | **3-2** (위에서부터) 4, 8 |
| **4-1** $\frac{5}{7}$에 ○표 | **4-2** $\frac{3}{4}$에 ○표 |

**1-1** $\frac{12}{16}$의 분모와 분자를 각각 2, 4로 나누어 크기가 같은 분수를 만듭니다.

**1-2** $\frac{4}{8}$의 분모와 분자를 각각 2, 4로 나누어 크기가 같은 분수를 만듭니다.

**2-1** $\frac{15}{30}$의 분모와 분자를 각각 5로 나누어 크기가 같은 분수를 만듭니다.

**2-2** $\frac{16}{40}$의 분모와 분자를 각각 4로 나누어 크기가 같은 분수를 만듭니다.

**4-1** $\frac{25}{35}=\frac{25\div5}{35\div5}=\frac{5}{7}$

**4-2** $\frac{12}{16}=\frac{12\div4}{16\div4}=\frac{3}{4}$

| 72~73쪽 | 기초 집중 연습 |
|---|---|
| **1-1** 예 $\frac{6}{10}$ | **1-2** $\frac{4}{5}$ |
| **2-1** (  )(○) | **2-2** ㉠ |
| **3-1** (선 잇기) | **3-2** (선 잇기) |
| 기초 10 | **4-1** $\frac{10}{12}$ |
| **4-2** $\frac{20}{35}$ | **4-3** $\frac{2}{5}$ |

**1-1** 예 $\frac{3}{5}=\frac{3\times2}{5\times2}=\frac{6}{10}$

정답
풀이

**1-2** $\frac{8}{10}=\frac{8\div2}{10\div2}=\frac{4}{5}$

**2-1** $\frac{3}{6}=\frac{3\div3}{6\div3}=\frac{1}{2}$, $\frac{1}{2}=\frac{1\times5}{2\times5}=\frac{5}{10}$

**2-2** ㉠ $\frac{8}{12}=\frac{8\div4}{12\div4}=\frac{2}{3}$, ㉡ $\frac{4}{9}=\frac{4\times2}{9\times2}=\frac{8}{18}$

**3-1** $\frac{1}{2}=\frac{1\times9}{2\times9}=\frac{9}{18}$, $\frac{1}{3}=\frac{1\times6}{3\times6}=\frac{6}{18}$

**3-2** $\frac{10}{15}=\frac{10\div5}{15\div5}=\frac{2}{3}$, $\frac{12}{15}=\frac{12\div3}{15\div3}=\frac{4}{5}$

**4-2** $\frac{4}{7}=\frac{\square}{35}$ (분자 ×5, 분모 ×5)

$4\times5=20$이므로 설명하는 분수는 $\frac{20}{35}$입니다.

**4-3** $\frac{16}{40}=\frac{\square}{5}$ (분자 ÷8, 분모 ÷8)

$16\div8=2$이므로 모두 만족하는 분수는 $\frac{2}{5}$입니다.

| 75쪽 | 개념 · 원리 확인 |
|---|---|
| **1-1** 약분한다 | **1-2** 공약수 |
| **2-1** 6, $\frac{2}{6}$ | **2-2** 7, $\frac{5}{6}$ |
| **3-1** 6 | **3-2** (1) 4 (2) 9 |
| **4-1** 예 $\frac{4}{10}$ | **4-2** 예 $\frac{12}{24}$ |

**3-1** $\frac{\overset{6}{\cancel{12}}}{\underset{10}{\cancel{20}}}=\frac{6}{10}$

**3-2** (1) $\frac{\overset{4}{\cancel{20}}}{\underset{6}{\cancel{30}}}=\frac{4}{6}$ (2) $\frac{\overset{6}{\cancel{12}}}{\underset{9}{\cancel{18}}}=\frac{6}{9}$

**4-1** 예 $\frac{16}{40}=\frac{16\div4}{40\div4}=\frac{4}{10}$

**4-2** 예 $\frac{24}{48}=\frac{24\div2}{48\div2}=\frac{12}{24}$

| 77쪽 | 개념 · 원리 확인 |
|---|---|
| **1-1** 7, $\frac{3}{4}$ | **1-2** 8, $\frac{3}{5}$ |
| **2-1** 4 / 4, 4, $\frac{5}{6}$ | **2-2** 12 / 12, 12, $\frac{3}{4}$ |
| **3-1** $\frac{4}{5}$ | **3-2** $\frac{2}{5}$ |
| **4-1** ( )(○) | **4-2** $\frac{7}{9}$에 ○표 |

**1-1** 21과 28의 최대공약수는 7이므로 분모와 분자를 각각 7로 나눕니다.

**2-1**
2 ) 20 24
2 ) 10 12
5 6 → 20과 24의 최대공약수 : $2\times2=4$

**2-2**
2 ) 36 48
2 ) 18 24
3 ) 9 12 → 36과 48의 최대공약수 :
3 4 $2\times2\times3=12$

**3-1** $\frac{\overset{8}{\cancel{16}}}{\underset{10}{\cancel{20}}}=\frac{\overset{4}{\cancel{8}}}{\underset{5}{\cancel{10}}}=\frac{4}{5}$

다른 풀이

20과 16의 최대공약수 : 4 → $\frac{\overset{4}{\cancel{16}}}{\underset{5}{\cancel{20}}}=\frac{4}{5}$

**3-2** $\frac{\overset{6}{\cancel{12}}}{\underset{15}{\cancel{30}}}=\frac{\overset{2}{\cancel{6}}}{\underset{5}{\cancel{15}}}=\frac{2}{5}$

**4-1** $\frac{\overset{3}{\cancel{9}}}{\underset{6}{\cancel{18}}}=\frac{\overset{1}{\cancel{3}}}{\underset{2}{\cancel{6}}}=\frac{1}{2}$

**4-2** $\frac{\overset{3}{\cancel{6}}}{\underset{5}{\cancel{10}}}=\frac{3}{5}$, $\frac{\overset{4}{\cancel{8}}}{\underset{6}{\cancel{12}}}=\frac{\overset{2}{\cancel{4}}}{\underset{3}{\cancel{6}}}=\frac{2}{3}$

## 78~79쪽 기초 집중 연습

**1-1** $\frac{4}{6}$, $\frac{2}{3}$ **1-2** $\frac{6}{19}$

**2-1** $\frac{\overset{1}{\cancel{8}}}{\underset{5}{\cancel{40}}}=\frac{1}{5}$

**2-2** (1) $\frac{\overset{1}{\cancel{18}}}{\underset{2}{\cancel{36}}}=\frac{1}{2}$ (2) $\frac{\overset{2}{\cancel{20}}}{\underset{5}{\cancel{50}}}=\frac{2}{5}$

**3-1** $\frac{4}{12}$, $\frac{3}{9}$에 ○표 **3-2** ㉡, ㉣

기초 $\frac{9}{10}$ **4-1** $\frac{9}{10}$ kg

**4-2** $\frac{15}{16}$ kg **4-3** $\frac{4}{7}$ m

**1-1** $\frac{8}{12}=\frac{8\div2}{12\div2}=\frac{4}{6}$, $\frac{8}{12}=\frac{8\div4}{12\div4}=\frac{2}{3}$

**2-1** 참고

기약분수로 나타낼 때 분모와 분자의 최대공약수로 나누면 편리합니다.

**2-2** (1) $\frac{18}{36}$의 분모와 분자를 각각 두 수의 최대공약수인 18로 나눕니다.

(2) $\frac{20}{50}$의 분모와 분자를 각각 두 수의 최대공약수인 10으로 나눕니다.

**3-1** $\frac{12}{36}=\frac{12\div3}{36\div3}=\frac{4}{12}$, $\frac{12}{36}=\frac{12\div4}{36\div4}=\frac{3}{9}$

**3-2** ㉠ $\frac{18}{24}=\frac{18\div3}{24\div3}=\frac{6}{8}$

㉢ $\frac{18}{24}=\frac{18\div6}{24\div6}=\frac{3}{4}$

**4-1** $\frac{\overset{9}{\cancel{36}}}{\underset{10}{\cancel{40}}}=\frac{9}{10}$ ➜ $\frac{9}{10}$ kg

**4-2** $\frac{\overset{15}{\cancel{60}}}{\underset{16}{\cancel{64}}}=\frac{15}{16}$ ➜ $\frac{15}{16}$ kg

**4-3** $\frac{\overset{4}{\cancel{28}}}{\underset{7}{\cancel{49}}}=\frac{4}{7}$ ➜ $\frac{4}{7}$ m

## 80~81쪽 누구나 100점 맞는 테스트

**1** 2, 3 **2** 6

**3** 40에 ○표 **4** 8, 12, 16

**5** 6, 12, 18, 24

**6** $\frac{7}{10}$, $\frac{8}{15}$에 ○표

**7** 예 탁자의 수의 3배입니다.

**8** 예 ○×3=△

**9** $\frac{10}{45}$

**10** 30분

**1** 분모와 분자를 각각 0이 아닌 같은 수로 나누면 크기가 같은 분수가 됩니다.

➜ $\frac{6}{12}=\frac{6\div2}{12\div2}=\frac{6\div3}{12\div3}$

**2** $\frac{12}{18}=\frac{12\div2}{18\div2}=\frac{6}{9}$

**3** 8의 배수 : 8, 16, 24, 32, 40, 48, 56, 64, 72, 80……

10의 배수 : 10, 20, 30, 40, 50, 60, 70, 80, 90, 100……

➜ 8과 10의 공배수 : 40, 80……

**4** 삼각형이 1개일 때 사각형이 4개,
삼각형이 2개일 때 사각형이 8개,
삼각형이 3개일 때 사각형이 12개,
삼각형이 4개일 때 사각형이 16개……

**6** $\frac{\overset{2}{\cancel{6}}}{\underset{3}{\cancel{9}}}=\frac{2}{3}$, $\frac{\overset{3}{\cancel{9}}}{\underset{4}{\cancel{12}}}=\frac{3}{4}$

**7** 탁자의 수가 1개씩 늘어날 때, 의자의 수는 3개씩 늘어납니다.

**8** (탁자의 수)×3=(의자의 수) ➜ ○×3=△
(의자의 수)÷3=(탁자의 수) ➜ △÷3=○

**9** $\frac{2}{9}=\frac{2\times5}{9\times5}=\frac{10}{45}$

**10** 6과 5의 최소공배수는 30이므로 두 사람이 처음으로 다시 만나는 때는 30분 후입니다.

정답
풀이

**82~87쪽 특강 창의 · 융합 · 코딩**

창의 1 수희, 정아, 윤수

창의 2

| 반려동물 \ 이름 | 창수 | 민희 | 희지 |
|---|---|---|---|
| 고양이 | ○ | × | × |
| 검정색 강아지 | × | ○ | × |
| 흰색 강아지 | × | × | ○ |

/ 고양이

융합 3 30장

창의 4 9285

융합 5 예 ○×2=△

코딩 6

8, 7, 6, 5, 4, 3
1 2 3 4 5 6 6 5 4 3 2 1

창의 7 7개

창의 8 (왼쪽부터) $\frac{3}{5}$, $\frac{3}{4}$

코딩 9 $\frac{4}{5}$, $\frac{16}{20}$

코딩 10 $\frac{2}{3}$, $\frac{8}{12}$, $\frac{32}{48}$

창의 1 윤수는 운동장 쪽에 앉습니다.

→ [ ] [ ] [윤수] 〈운동장〉

윤수는 정아 옆에 앉습니다.

→ [ ] [정아] [윤수] 〈운동장〉

↓

[수희] [정아] [윤수] 〈운동장〉

창의 2 창수의 반려동물은 흰색 강아지가 아니므로 고양이이거나 검정색 강아지입니다.
민희의 반려동물은 검정색 강아지입니다.
따라서 창수의 반려 동물은 고양이이고, 희지의 반려동물은 흰색 강아지입니다.

융합 3

| 장면 수(장면) | 1 | 2 | 3 | 4 | 5 | …… |
|---|---|---|---|---|---|---|
| 그림 수(장) | 6 | 12 | 18 | 24 | 30 | …… |

➜ 만화 5장면을 만들려면 그림 30장이 필요합니다.

창의 4 56과 28의 최대공약수 : 28 ➜ 9285

융합 5 씨앗의 수의 2배는 떡잎의 수입니다.

➜ ○×2=△

코딩 6

| 가로의 점에 쓰인 수 | 1 | 2 | 3 | 4 | 5 | 6 |
|---|---|---|---|---|---|---|
| 세로의 점에 쓰인 수 | 3 | 4 | 5 | 6 | 7 | 8 |

창의 7 (배에 넣은 초콜릿의 수)+1=(나오는 초콜릿의 수)

➜ 6+1=7(개)

창의 8 $\frac{\cancel{9}^{3}}{\cancel{15}_{5}}=\frac{3}{5}$, $\frac{\cancel{12}^{3}}{\cancel{16}_{4}}=\frac{3}{4}$

코딩 9

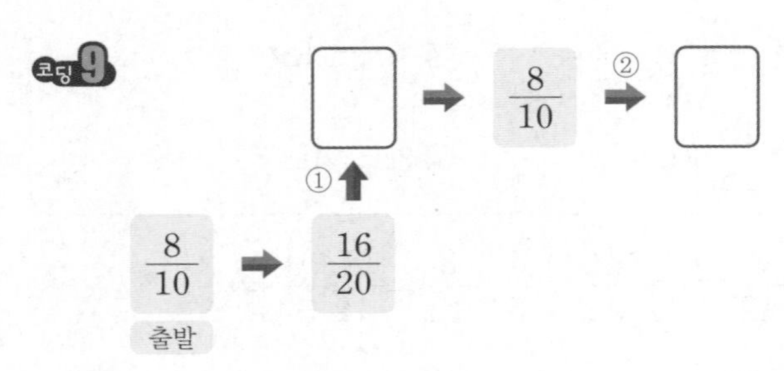


① $\frac{16}{20}=\frac{16 \div 4}{20 \div 4}=\frac{4}{5}$

② $\frac{8}{10}=\frac{8 \times 2}{10 \times 2}=\frac{16}{20}$

코딩 10

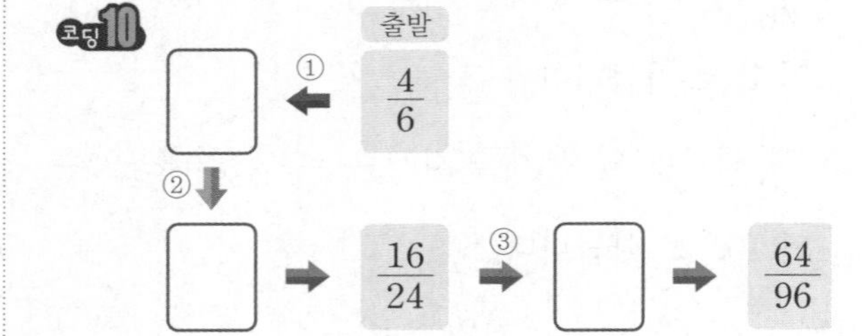


① $\frac{4}{6}=\frac{4 \div 2}{6 \div 2}=\frac{2}{3}$

② $\frac{2}{3}=\frac{2 \times 4}{3 \times 4}=\frac{8}{12}$

③ $\frac{16}{24}=\frac{16 \times 2}{24 \times 2}=\frac{32}{48}$

퀴즈 1 12와 6의 최소공배수는 12이므로 틀린 말입니다.

퀴즈 2 $\frac{\cancel{6}^{3}}{\cancel{8}_{4}}=\frac{3}{4}$이므로 옳은 말입니다.

## 3주 · 약분과 통분 ~분수의 덧셈과 뺄셈

### 개념 OX 퀴즈

옳으면 ◯에, 틀리면 ✕에 ○표 하세요.

퀴즈 1

$\left(\frac{1}{3}, \frac{2}{7}\right)$를 통분하면 $\left(\frac{7}{21}, \frac{6}{21}\right)$입니다.

퀴즈 2

$\frac{1}{6}+\frac{3}{8}=\frac{15}{24}$

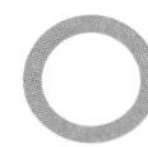 

정답은 24쪽에서 확인하세요.

### 90~91쪽 이번 주에는 무엇을 공부할까?②

**1-1** < **1-2** >

**2-1** $\frac{1}{3}$ **2-2** $\frac{1}{10}$

**3-1** 25, 34, 3.4 **3-2** 63, 68, 6.3

**4-1** ㉡ **4-2** ㉡

**1-1~1-2** 분모가 같은 분수이므로 분자의 크기를 비교합니다.

**2-1** 단위분수이므로 분모의 크기가 가장 작은 분수가 가장 큰 분수입니다.

**2-2** 단위분수이므로 분모의 크기가 가장 큰 분수가 가장 작은 분수입니다.

**4-1** ㉠은 0.4이므로 0.4<0.7입니다.

**4-2** ㉠은 1.5이므로 1.5>1.2입니다.

### 93쪽 개념 · 원리 확인

**1-1** 예) $\frac{4}{12}$

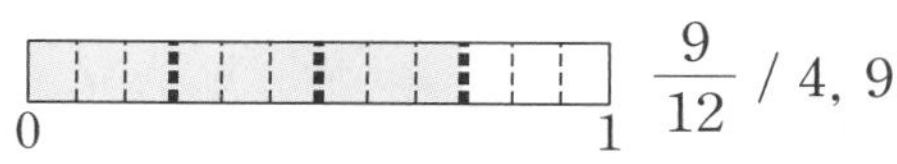

$\frac{9}{12}$ / 4, 9

**1-2** 예) $\frac{5}{10}$, $\frac{6}{10}$ / 5, 6

**2-1** 6, 12, 15 **2-2** 8, 16, 5, 15

**3-1** $\frac{7}{28}, \frac{8}{28}$ **3-2** $\frac{42}{54}, \frac{45}{54}$

**4-1** ( ○ )(  ) **4-2** (  )( ○ )

**1-1** $\frac{1}{3}=\frac{1\times4}{3\times4}=\frac{4}{12}, \frac{3}{4}=\frac{3\times3}{4\times3}=\frac{9}{12}$

**1-2** $\frac{1}{2}=\frac{1\times5}{2\times5}=\frac{5}{10}, \frac{3}{5}=\frac{3\times2}{5\times2}=\frac{6}{10}$

**3-1** $\frac{1}{4}=\frac{1\times7}{4\times7}=\frac{7}{28}, \frac{2}{7}=\frac{2\times4}{7\times4}=\frac{8}{28}$

**3-2** $\frac{7}{9}=\frac{7\times6}{9\times6}=\frac{42}{54}, \frac{5}{6}=\frac{5\times9}{6\times9}=\frac{45}{54}$

**4-1** $\frac{3}{5}=\frac{3\times8}{5\times8}=\frac{24}{40}, \frac{5}{8}=\frac{5\times5}{8\times5}=\frac{25}{40}$

**4-2** $\frac{1}{6}=\frac{1\times10}{6\times10}=\frac{10}{60}, \frac{3}{10}=\frac{3\times6}{10\times6}=\frac{18}{60}$

### 95쪽 개념 · 원리 확인

**1-1** 예) , 4 / 4 **1-2** 예), 6 / 6

**2-1** 3, 3, 2, 8 **2-2** 5, 5, 2, 6

**3-1** 24 **3-2** 48

**4-1** $\frac{9}{24}, \frac{10}{24}$ **4-2** $\frac{10}{45}, \frac{12}{45}$

**1-1** $\frac{1}{2}=\frac{1\times3}{2\times3}=\frac{3}{6}, \frac{2}{3}=\frac{2\times2}{3\times2}=\frac{4}{6}$

**1-2** $\frac{3}{4}=\frac{3\times2}{4\times2}=\frac{6}{8}$

**2-1** $\frac{1}{6}=\frac{1\times3}{6\times3}=\frac{3}{18}$, $\frac{4}{9}=\frac{4\times2}{9\times2}=\frac{8}{18}$

**2-2** $\frac{1}{8}=\frac{1\times5}{8\times5}=\frac{5}{40}$, $\frac{3}{20}=\frac{3\times2}{20\times2}=\frac{6}{40}$

**3-1** 공통분모가 될 수 있는 수 중에서 가장 작은 수는 두 분모의 최소공배수입니다.
➜ 6과 8의 최소공배수: 24

**3-2** 12와 16의 최소공배수: 48

**4-1** $\frac{3}{8}=\frac{3\times3}{8\times3}=\frac{9}{24}$, $\frac{5}{12}=\frac{5\times2}{12\times2}=\frac{10}{24}$

**4-2** $\frac{2}{9}=\frac{2\times5}{9\times5}=\frac{10}{45}$, $\frac{4}{15}=\frac{4\times3}{15\times3}=\frac{12}{45}$

## 96~97쪽 기초 집중 연습

**1-1** $\frac{12}{15}$, $\frac{10}{15}$ **1-2** $\frac{15}{20}$, $\frac{11}{20}$
**2-1** 35에 △표 **2-2** 18에 △표
**3-1** 27 **3-2** 4
**4-1** 10, 20, 30, 40 **4-2** 40, 80
**기초** $\frac{9}{27}$, $\frac{12}{27}$ **5-1** $\frac{9}{27}$, $\frac{12}{27}$
**5-2** $\frac{10}{12}$, $\frac{9}{12}$ **5-3** $\frac{30}{80}$, $\frac{56}{80}$ / $\frac{15}{40}$, $\frac{28}{40}$

**1-1** $\frac{4}{5}=\frac{4\times3}{5\times3}=\frac{12}{15}$, $\frac{2}{3}=\frac{2\times5}{3\times5}=\frac{10}{15}$

**1-2** $\frac{3}{4}=\frac{3\times5}{4\times5}=\frac{15}{20}$

**2-1** 3과 7의 공배수인 21, 42, 63……이 공통분모가 될 수 있습니다.

**2-2** 4와 6의 공배수인 12, 24, 36……이 공통분모가 될 수 있습니다.

참고
통분할 때 공통분모가 될 수 있는 수는 두 분모의 공배수입니다.

**3-1** $\frac{3}{4}$이 $\frac{㉠}{36}$이 되려면 $\frac{3}{4}$의 분모, 분자에 각각 9를 곱해야 하므로 ㉠은 $3\times9=27$입니다.

**3-2** $\frac{2}{15}$가 $\frac{㉠}{30}$이 되려면 분모, 분자에 각각 2를 곱해야 하므로 ㉠은 $2\times2=4$입니다.

**4-1** 공통분모가 될 수 있는 수는 2와 5의 공배수인 10, 20, 30, 40, 50……이고 이 중에서 50보다 작은 수를 모두 찾으면 10, 20, 30, 40입니다.

**4-2** 공통분모가 될 수 있는 수는 8과 10의 공배수인 40, 80, 120……이고 이 중에서 100보다 작은 수를 모두 찾으면 40, 80입니다.

**기초** $\frac{1}{3}=\frac{1\times9}{3\times9}=\frac{9}{27}$, $\frac{4}{9}=\frac{4\times3}{9\times3}=\frac{12}{27}$

**5-2** 지우: $\frac{5}{6}=\frac{5\times2}{6\times2}=\frac{10}{12}$
승기: $\frac{3}{4}=\frac{3\times3}{4\times3}=\frac{9}{12}$

**5-3** 윤수: $\frac{3}{8}=\frac{3\times10}{8\times10}=\frac{30}{80}$, $\frac{7}{10}=\frac{7\times8}{10\times8}=\frac{56}{80}$
아라: $\frac{3}{8}=\frac{3\times5}{8\times5}=\frac{15}{40}$, $\frac{7}{10}=\frac{7\times4}{10\times4}=\frac{28}{40}$

## 99쪽 개념 · 원리 확인

**1-1** $<$ **1-2** $>$
**2-1** 14, 5, 15 / $<$ **2-2** 5, 5, 3, 9 / $<$
**3-1** $\frac{45}{54}$, $\frac{42}{54}$ / $>$ **3-2** $\frac{6}{15}$, $\frac{7}{15}$ / $<$
**4-1** $\frac{5}{16}$ **4-2** $\frac{3}{8}$

**1-1** $\frac{1}{3}=\frac{1\times3}{3\times3}=\frac{3}{9}$ ➜ $\frac{1}{3}<\frac{4}{9}$

**1-2** $\frac{3}{4}=\frac{3\times2}{4\times2}=\frac{6}{8}$ ➜ $\frac{3}{4}>\frac{5}{8}$

**2-1** $\frac{2}{5}=\frac{2\times7}{5\times7}=\frac{14}{35}$, $\frac{3}{7}=\frac{3\times5}{7\times5}=\frac{15}{35}$
➜ $\frac{2}{5}<\frac{3}{7}$

**2-2** $\frac{1}{6}=\frac{1\times5}{6\times5}=\frac{5}{30}$, $\frac{3}{10}=\frac{3\times3}{10\times3}=\frac{9}{30}$
➜ $\frac{1}{6}<\frac{3}{10}$

**3-1** $\frac{5}{6}=\frac{5\times9}{6\times9}=\frac{45}{54}$, $\frac{7}{9}=\frac{7\times6}{9\times6}=\frac{42}{54}$ ➜ $\frac{5}{6}>\frac{7}{9}$

**3-2** $\frac{2}{5}=\frac{2\times3}{5\times3}=\frac{6}{15}$ ➜ $\frac{2}{5}<\frac{7}{15}$

**4-1** $\frac{1}{4}=\frac{4}{16}$ ➜ $\frac{1}{4}<\frac{5}{16}$

**4-2** $\frac{5}{12}=\frac{10}{24}$, $\frac{3}{8}=\frac{9}{24}$ ➜ $\frac{5}{12}>\frac{3}{8}$

**101쪽** 개념 · 원리 **확인**

| | |
|---|---|
| **1-1** $\frac{4}{10}$, 0.7 | **1-2** (왼쪽부터) 0.2, $\frac{8}{10}$ |
| **2-1** 2, 0.2 / 0.2, <, < | |
| **2-2** 75, 0.75 / 0.75, >, > | |
| **3-1** 8 / <, 8, < | **3-2** 12 / >, 12, > |
| **4-1** > | **4-2** = |

**1-1~1-2** 0과 1 사이를 10칸으로 나누었으므로 한 칸은 $\frac{1}{10}$ 또는 0.1을 나타냅니다.

**4-1** $\frac{9}{20}=\frac{45}{100}=0.45$ ➜ $0.5>\frac{9}{20}$

**4-2** $1\frac{3}{5}=1\frac{6}{10}=1.6$

**102~103쪽** 기초 집중 연습

| | |
|---|---|
| **1-1** (1) > (2) < | **1-2** (1) < (2) > |
| **2-1** ( )( ○ ) | **2-2** ( )( ○ ) |
| **3-1** ㉠ | **3-2** ㉡ |
| **4-1** $\frac{9}{10}$ | **4-2** $\frac{13}{30}$ |
| 기초 ( )( ○ ) | **5-1** 콜라 |
| **5-2** 멜론 | **5-3** 우석 |

**1-1** (1) $\frac{5}{8}=\frac{15}{24}$ ⓩ> $\frac{7}{12}=\frac{14}{24}$

(2) $\frac{6}{25}=\frac{24}{100}=0.24$ ⓩ< 0.3

**1-2** (1) $1\frac{4}{9}=1\frac{8}{18}$ ⓩ< $1\frac{11}{18}$

(2) 0.85 ⓩ> $\frac{3}{5}=\frac{6}{10}=0.6$

**2-1** $\frac{8}{25}=\frac{32}{100}=0.32$
0.32<0.4이므로 더 큰 수는 0.4입니다.

**2-2** $\frac{13}{20}=\frac{65}{100}=0.65$
0.7>0.65이므로 더 작은 수는 $\frac{13}{20}$입니다.

**3-1** ㉠ $\frac{1}{4}=\frac{5}{20}<\frac{7}{20}$
㉡ $1\frac{3}{4}=1\frac{75}{100}=1.75>1.6$

**3-2** ㉠ $\frac{1}{5}=\frac{2}{10}=0.2<0.25$
㉡ $3\frac{1}{6}=3\frac{3}{18}$, $3\frac{2}{9}=3\frac{4}{18}$ ➜ $3\frac{1}{6}<3\frac{2}{9}$

**4-1** $\left(\frac{3}{4}, \frac{9}{10}\right)$ ➜ $\left(\frac{15}{20}, \frac{18}{20}\right)$ ➜ $\frac{3}{4}<\frac{9}{10}$
$\left(\frac{9}{10}, \frac{17}{20}\right)$ ➜ $\left(\frac{18}{20}, \frac{17}{20}\right)$ ➜ $\frac{9}{10}>\frac{17}{20}$
따라서 $\frac{9}{10}$가 가장 큽니다.

**4-2** $\left(\frac{3}{5}, \frac{11}{25}\right)$ ➜ $\left(\frac{15}{25}, \frac{11}{25}\right)$ ➜ $\frac{3}{5}>\frac{11}{25}$
$\left(\frac{11}{25}, \frac{13}{30}\right)$ ➜ $\left(\frac{66}{150}, \frac{65}{150}\right)$ ➜ $\frac{11}{25}>\frac{13}{30}$
따라서 $\frac{13}{30}$이 가장 작습니다.

기초 $1\frac{3}{8}=1\frac{6}{16}$ ➜ $1\frac{3}{8}<1\frac{7}{16}$

**5-2** $2\frac{1}{4}=2\frac{7}{28}$, $2\frac{2}{7}=2\frac{8}{28}$
➜ $2\frac{7}{28}<2\frac{8}{28}$이므로 더 무거운 것은 멜론입니다.

**5-3** $\frac{17}{20}=\frac{85}{100}=0.85$
➜ 0.8<0.85이므로 우석이가 책을 더 오래 읽었습니다.

정답
풀이

## 105쪽 개념 · 원리 확인

1-1 예 $\frac{5}{10}$

$\frac{2}{10}$ / 2, 7

1-2 예 $\frac{4}{6}$

$\frac{1}{6}$ / 4, 5

2-1 3, 9, 14　　2-2 2, 6, 11

3-1 $\frac{9}{14}$　　3-2 $\frac{11}{24}$

4-1 $\frac{13}{18}$　　4-2 $\frac{34}{35}$

3-1 $\frac{2}{7}+\frac{5}{14}=\frac{2\times2}{7\times2}+\frac{5}{14}=\frac{4}{14}+\frac{5}{14}=\frac{9}{14}$

4-1 $\frac{5}{9}+\frac{1}{6}=\frac{10}{18}+\frac{3}{18}=\frac{13}{18}$

## 107쪽 개념 · 원리 확인

1-1 예 / 7, 1　　1-2 예 / 6, 13, 3

2-1 16, 31, $1\frac{7}{24}$　　2-2 2, 10, 13, $1\frac{1}{12}$

3-1 $1\frac{2}{15}$　　3-2 $1\frac{1}{36}$

4-1 $1\frac{11}{36}$　　4-2 $1\frac{3}{40}$

3-1 $\frac{3}{5}+\frac{8}{15}=\frac{9}{15}+\frac{8}{15}=\frac{17}{15}=1\frac{2}{15}$

3-2 $\frac{4}{9}+\frac{7}{12}=\frac{16}{36}+\frac{21}{36}=\frac{37}{36}=1\frac{1}{36}$

4-1 $\frac{3}{4}+\frac{5}{9}=\frac{27}{36}+\frac{20}{36}=\frac{47}{36}=1\frac{11}{36}$

4-2 $\frac{3}{8}+\frac{7}{10}=\frac{15}{40}+\frac{28}{40}=\frac{43}{40}=1\frac{3}{40}$

## 108~109쪽 기초 집중 연습

1-1 $\frac{13}{21}$　　1-2 $1\frac{5}{36}$

2-1 $\frac{13}{18}$　　2-2 $1\frac{1}{20}$

3-1 $\frac{11}{20}$　　3-2 $1\frac{5}{18}$

4-1 $\frac{2}{7}+\frac{3}{4}$에 ○표　　4-2 $\frac{3}{8}+\frac{3}{5}$에 ○표

연산 $\frac{19}{20}$　　5-1 $\frac{3}{4}+\frac{1}{5}=\frac{19}{20}$, $\frac{19}{20}$ L

5-2 $\frac{5}{8}+\frac{11}{12}=1\frac{13}{24}$, $1\frac{13}{24}$ kg

5-3 $\frac{7}{15}+\frac{1}{6}=\frac{19}{30}$, $\frac{19}{30}$ m

1-1 $\frac{1}{3}+\frac{2}{7}=\frac{7}{21}+\frac{6}{21}=\frac{13}{21}$

1-2 $\frac{5}{12}+\frac{13}{18}=\frac{15}{36}+\frac{26}{36}=\frac{41}{36}=1\frac{5}{36}$

2-1 $\frac{1}{2}+\frac{2}{9}=\frac{9}{18}+\frac{4}{18}=\frac{13}{18}$

2-2 $\frac{2}{5}+\frac{13}{20}=\frac{8}{20}+\frac{13}{20}=\frac{21}{20}=1\frac{1}{20}$

3-1 $\frac{1}{4}+\frac{3}{10}=\frac{5}{20}+\frac{6}{20}=\frac{11}{20}$

3-2 $\frac{5}{6}+\frac{4}{9}=\frac{15}{18}+\frac{8}{18}=\frac{23}{18}=1\frac{5}{18}$

4-1 $\frac{2}{3}+\frac{5}{18}=\frac{12}{18}+\frac{5}{18}=\frac{17}{18}$

$\frac{2}{7}+\frac{3}{4}=\frac{8}{28}+\frac{21}{28}=\frac{29}{28}=1\frac{1}{28}$

4-2 $\frac{3}{8}+\frac{3}{5}=\frac{15}{40}+\frac{24}{40}=\frac{39}{40}$

$\frac{1}{12}+\frac{15}{16}=\frac{4}{48}+\frac{45}{48}=\frac{49}{48}=1\frac{1}{48}$

연산 $\frac{3}{4}+\frac{1}{5}=\frac{15}{20}+\frac{4}{20}=\frac{19}{20}$

5-2 (도토리의 무게)+(밤의 무게)

$=\frac{5}{8}+\frac{11}{12}=\frac{15}{24}+\frac{22}{24}=\frac{37}{24}=1\frac{13}{24}$ (kg)

**5-3** (빨간색 리본의 길이)

$=$(노란색 리본의 길이)$+\frac{1}{6}$

$=\frac{7}{15}+\frac{1}{6}=\frac{14}{30}+\frac{5}{30}=\frac{19}{30}$ (m)

**111쪽** 개념 · 원리 **확인**

**1-1** $3\frac{3}{10}$ **1-2** $3\frac{1}{8}$

**2-1** 21, 21, 41, 1, 11, 3, 11

**2-2** 16, 16, 19, 1, 1, 4, 1

**3-1** $2\frac{1}{3}+1\frac{3}{4}=\frac{7}{3}+\frac{7}{4}=\frac{28}{12}+\frac{21}{12}=\frac{49}{12}=4\frac{1}{12}$

**3-2** $2\frac{3}{5}+2\frac{7}{10}=\frac{13}{5}+\frac{27}{10}=\frac{26}{10}+\frac{27}{10}$
$=\frac{53}{10}=5\frac{3}{10}$

**1-1** $1\frac{4}{5}+1\frac{1}{2}=1\frac{8}{10}+1\frac{5}{10}=2\frac{13}{10}=3\frac{3}{10}$

**1-2** $1\frac{3}{4}+1\frac{3}{8}=1\frac{6}{8}+1\frac{3}{8}=2\frac{9}{8}=3\frac{1}{8}$

**3-1~3-2** 대분수를 가분수로 나타내어 계산합니다.

**113쪽** 개념 · 원리 **확인**

**1-1** 예 / 5, 4, 1

**1-2** 예 / 8, 3, 5

**2-1** 10, 4, 30, 12, 18, 9

**2-2** 2, 5, 22, 5, 17

**3-1** $\frac{9}{20}$ **3-2** $\frac{13}{36}$

**4-1** $\frac{6}{7}-\frac{2}{5}=\frac{30}{35}-\frac{14}{35}=\frac{16}{35}$

**4-2** $\frac{1}{4}-\frac{3}{14}=\frac{7}{28}-\frac{6}{28}=\frac{1}{28}$

**3-1** $\frac{13}{20}-\frac{1}{5}=\frac{13}{20}-\frac{4}{20}=\frac{9}{20}$

**3-2** $\frac{7}{9}-\frac{5}{12}=\frac{28}{36}-\frac{15}{36}=\frac{13}{36}$

**114~115쪽** 기초 집중 연습

**1-1** (1) $3\frac{2}{9}$ (2) $4\frac{1}{20}$ **1-2** (1) $\frac{1}{14}$ (2) $\frac{5}{24}$

**2-1** $5\frac{3}{16}$ **2-2** $\frac{11}{28}$

**3-1** $4\frac{7}{40}$ **3-2** $\frac{1}{12}$

**4-1** $>$ **4-2** $<$

연산 $\frac{7}{15}$ **5-1** $\frac{2}{3}-\frac{1}{5}=\frac{7}{15}$, $\frac{7}{15}$ m

**5-2** $\frac{5}{6}-\frac{2}{9}=\frac{11}{18}$, $\frac{11}{18}$ kg

**5-3** $\frac{9}{10}-\frac{1}{4}=\frac{13}{20}$, $\frac{13}{20}$ L

**1-1** (1) $1\frac{2}{3}+1\frac{5}{9}=1\frac{6}{9}+1\frac{5}{9}=2\frac{11}{9}=3\frac{2}{9}$

(2) $2\frac{3}{10}+1\frac{3}{4}=2\frac{6}{20}+1\frac{15}{20}=3\frac{21}{20}=4\frac{1}{20}$

**1-2** (1) $\frac{1}{2}-\frac{3}{7}=\frac{7}{14}-\frac{6}{14}=\frac{1}{14}$

(2) $\frac{3}{8}-\frac{1}{6}=\frac{9}{24}-\frac{4}{24}=\frac{5}{24}$

**2-1** $2\frac{1}{4}+2\frac{15}{16}=2\frac{4}{16}+2\frac{15}{16}=4\frac{19}{16}=5\frac{3}{16}$

**2-2** $\frac{3}{4}-\frac{5}{14}=\frac{21}{28}-\frac{10}{28}=\frac{11}{28}$

**3-1** $1\frac{4}{5}+2\frac{3}{8}=1\frac{32}{40}+2\frac{15}{40}=3\frac{47}{40}=4\frac{7}{40}$

**3-2** $\frac{2}{15}-\frac{1}{20}=\frac{8}{60}-\frac{3}{60}=\frac{5}{60}=\frac{1}{12}$

**4-1** $3\frac{7}{12}+1\frac{4}{9}=3\frac{21}{36}+1\frac{16}{36}=4\frac{37}{36}=5\frac{1}{36}$ ⓖ $>$ $4\frac{1}{36}$

**4-2** $\frac{5}{6}-\frac{2}{15}=\frac{25}{30}-\frac{4}{30}=\frac{21}{30}=\frac{7}{10}$ $<$ $\frac{9}{10}$

연산 $\frac{2}{3}-\frac{1}{5}=\frac{10}{15}-\frac{3}{15}=\frac{7}{15}$

**5-2** (사용하고 남은 밀가루 양)

$=$(처음에 있던 밀가루 양)$-$(사용한 밀가루 양)

$=\frac{5}{6}-\frac{2}{9}=\frac{15}{18}-\frac{4}{18}=\frac{11}{18}$ (kg)

정답 풀이

**5-3** (마시고 남은 우유 양)
=(냉장고에 있던 우유 양)−(마신 우유 양)
$=\frac{9}{10}-\frac{1}{4}=\frac{18}{20}-\frac{5}{20}=\frac{13}{20}$ (L)

**117쪽 개념 · 원리 확인**

**1-1** $1\frac{1}{8}$ **1-2** $1\frac{5}{12}$
**2-1** 3, 3, 7 **2-2** 5, 10, 5, $1\frac{1}{4}$
**3-1** $\frac{17}{36}$에 ○표 **3-2** $3\frac{13}{40}$에 ○표
**4-1** $1\frac{5}{18}$ **4-2** $2\frac{1}{4}$

**1-1** $\frac{3}{8}$만큼 ×로 지우고 남은 부분 ➜ $1\frac{1}{8}$

**1-2** $1\frac{1}{4}\left(=1\frac{3}{12}\right)$만큼 ×로 지우고 남은 부분 ➜ $1\frac{5}{12}$

**3-1** $2\frac{11}{12}-2\frac{4}{9}=2\frac{33}{36}-2\frac{16}{36}$
$=(2-2)+\left(\frac{33}{36}-\frac{16}{36}\right)=\frac{17}{36}$

**3-2** $4\frac{7}{10}-1\frac{3}{8}=4\frac{28}{40}-1\frac{15}{40}$
$=(4-1)+\left(\frac{28}{40}-\frac{15}{40}\right)=3\frac{13}{40}$

**4-1** $2\frac{4}{9}-1\frac{1}{6}=2\frac{8}{18}-1\frac{3}{18}$
$=(2-1)+\left(\frac{8}{18}-\frac{3}{18}\right)=1\frac{5}{18}$

**4-2** $3\frac{2}{3}-1\frac{5}{12}=3\frac{8}{12}-1\frac{5}{12}$
$=(3-1)+\left(\frac{8}{12}-\frac{5}{12}\right)=2\frac{3}{12}=2\frac{1}{4}$

**119쪽 개념 · 원리 확인**

**1-1** 7 **1-2** 3, 1
**2-1** 35, 35, 15 **2-2** 4, 28, 28, 13
**3-1** 17, 19, 51, 38, 13
**3-2** 21, 23, 42, 23, 19, 1, 9

**1-1** $\frac{4}{5}\left(=\frac{8}{10}\right)$만큼 지우고 남은 부분 ➜ $\frac{7}{10}$

**1-2** $1\frac{5}{6}$만큼 지우고 남은 부분 ➜ $\frac{3}{6}=\frac{1}{2}$

**120~121쪽 기초 집중 연습**

**1-1** $1\frac{13}{30}$ **1-2** $2\frac{23}{24}$
**2-1** $3\frac{3}{44}$ **2-2** $2\frac{3}{4}$
**3-1** $4\frac{1}{3}-2\frac{2}{9}=\frac{13}{3}-\frac{20}{9}$
$=\frac{39}{9}-\frac{20}{9}=\frac{19}{9}=2\frac{1}{9}$
**3-2** $7\frac{1}{4}-3\frac{7}{10}=7\frac{5}{20}-3\frac{14}{20}$
$=6\frac{25}{20}-3\frac{14}{20}=3\frac{11}{20}$
**4-1** $2\frac{1}{36}$ **4-2** $1\frac{19}{40}$
연산 $\frac{7}{15}$ **5-1** $1\frac{4}{5}-1\frac{1}{3}=\frac{7}{15}$, $\frac{7}{15}$시간
**5-2** $5\frac{9}{10}-3\frac{5}{8}=2\frac{11}{40}$, $2\frac{11}{40}$장
**5-3** $2\frac{1}{9}-1\frac{5}{12}=\frac{25}{36}$, $\frac{25}{36}$ km

**1-1** $2\frac{3}{5}-1\frac{1}{6}=2\frac{18}{30}-1\frac{5}{30}=1\frac{13}{30}$

**1-2** $5\frac{1}{8}-2\frac{1}{6}=5\frac{3}{24}-2\frac{4}{24}=4\frac{27}{24}-2\frac{4}{24}=2\frac{23}{24}$

**2-1** $6\frac{1}{4}-3\frac{2}{11}=6\frac{11}{44}-3\frac{8}{44}=3\frac{3}{44}$

**2-2** $4\frac{2}{5}-1\frac{13}{20}=4\frac{8}{20}-1\frac{13}{20}$
$=3\frac{28}{20}-1\frac{13}{20}=2\frac{15}{20}=2\frac{3}{4}$

**3-1** 답을 가분수에서 대분수로 나타내는 과정에서 잘못하였습니다.

**3-2** 받아내림하여 가분수로 바꾸는 과정에서 잘못하였습니다.

**4-1** $\square=4\frac{1}{9}-2\frac{1}{12}=4\frac{4}{36}-2\frac{3}{36}=2\frac{1}{36}$

**4-2** $\square=3\frac{3}{8}-1\frac{9}{10}=3\frac{15}{40}-1\frac{36}{40}=2\frac{55}{40}-1\frac{36}{40}$
$=1\frac{19}{40}$

**5-1** (시윤이가 공부한 시간)−(혜림이가 공부한 시간)
$=1\frac{4}{5}-1\frac{1}{3}=1\frac{12}{15}-1\frac{5}{15}=\frac{7}{15}$(시간)

**5-2** (지수가 사용한 색종이 양)
−(여원이가 사용한 색종이 양)
$=5\frac{9}{10}-3\frac{5}{8}=5\frac{36}{40}-3\frac{25}{40}=2\frac{11}{40}$(장)

**5-3** (집에서 도서관까지의 거리)
−(집에서 우체국까지의 거리)
$=2\frac{1}{9}-1\frac{5}{12}=2\frac{4}{36}-1\frac{15}{36}$
$=1\frac{40}{36}-1\frac{15}{36}=\frac{25}{36}$ (km)

## 122~123쪽 누구나 100점 맞는 테스트

**1** 6, 6 / 4, $\frac{20}{24}$

**2** $1\frac{8}{45}$

**3** $\frac{9}{24}$, $\frac{14}{24}$

**4** $3\frac{1}{8}$

**5** 우석

**6** $2\frac{13}{18}$

**7** 병원, $\frac{1}{10}$ km

**8** ( ○ )(   )

**9** $\frac{2}{5}+\frac{1}{3}=\frac{11}{15}$, $\frac{11}{15}$ L

**10** $3\frac{3}{8}-1\frac{3}{4}=1\frac{5}{8}$, $1\frac{5}{8}$ m

**2** $\frac{4}{9}+\frac{11}{15}=\frac{20}{45}+\frac{33}{45}=\frac{53}{45}=1\frac{8}{45}$

**3** 8과 12의 최소공배수: 24
$\frac{3}{8}=\frac{3\times3}{8\times3}=\frac{9}{24}$, $\frac{7}{12}=\frac{7\times2}{12\times2}=\frac{14}{24}$

**4** $1\frac{1}{2}+1\frac{5}{8}=1\frac{4}{8}+1\frac{5}{8}=2\frac{9}{8}=3\frac{1}{8}$

**5** $2\frac{3}{5}=2\frac{6}{10}=2.6$ ➜ $2.6<2.7$

**6** $4\frac{5}{6}-2\frac{1}{9}=4\frac{15}{18}-2\frac{2}{18}=2\frac{13}{18}$

**7** $\left(\frac{9}{10}, \frac{4}{5}\right)$ ➜ $\left(\frac{9}{10}, \frac{8}{10}\right)$ ➜ $\frac{9}{10}>\frac{4}{5}$
따라서 현주네 집에서 더 가까운 곳은 병원이고
$\frac{9}{10}-\frac{8}{10}=\frac{1}{10}$ (km) 더 가깝습니다.

**8** • $\frac{1}{3}+\frac{3}{4}=\frac{4}{12}+\frac{9}{12}=\frac{13}{12}=1\frac{1}{12}$
• $\frac{4}{9}+\frac{5}{12}=\frac{16}{36}+\frac{15}{36}=\frac{31}{36}$

**9** (어제와 오늘 마신 우유의 양)
=(어제 마신 우유의 양)+(오늘 마신 우유의 양)
$=\frac{2}{5}+\frac{1}{3}=\frac{6}{15}+\frac{5}{15}=\frac{11}{15}$ (L)

**10** (빨간색 끈의 길이)−(파란색 끈의 길이)
$=3\frac{3}{8}-1\frac{3}{4}=3\frac{3}{8}-1\frac{6}{8}=2\frac{11}{8}-1\frac{6}{8}=1\frac{5}{8}$ (m)

## 124~129쪽 특강 창의 · 융합 · 코딩

**융합 1** $\frac{3}{4}$

**코딩 2** 1.6

**융합 3** $\frac{11}{15}$

**융합 4** $\frac{3}{4}$

**융합 5** 리본

**융합 6** ㉢

**창의 7** (1) 2개

(2) $\frac{1}{2}$ ➜

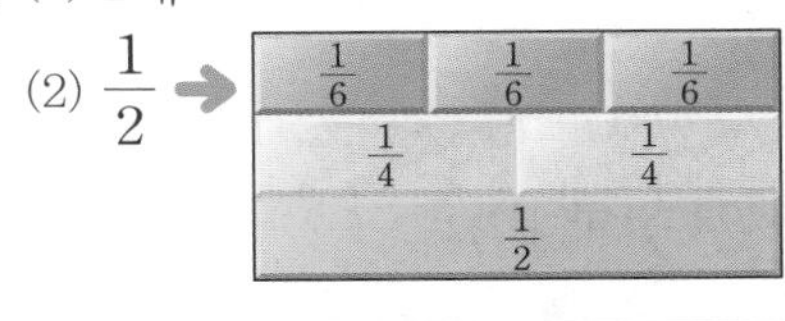


$\frac{2}{3}$ ➜

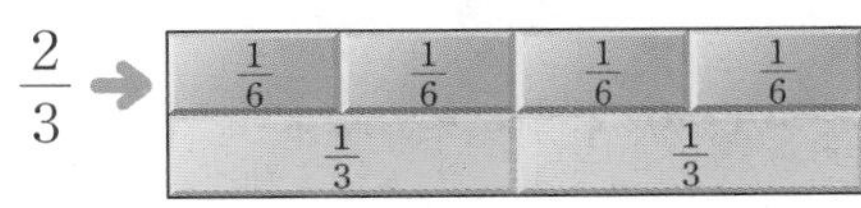


(3) 7개 (4) $3\frac{1}{6}$

**창의 8** $4\frac{1}{12}$점

**코딩 9** $\frac{1}{10}$

**창의 10** (1) $4\frac{1}{3}-1\frac{1}{8}=3\frac{5}{24}$
(2) $5\frac{1}{4}-2\frac{1}{6}=3\frac{1}{12}$
(3) 아름

정답 풀이

**융합 1** 버터와 오일의 양을 더하면
$\frac{1}{2}+\frac{1}{4}=\frac{2}{4}+\frac{1}{4}=\frac{3}{4}$ (tsp)입니다.

**코딩 2** $1\frac{2}{5}=1\frac{4}{10}=1.4$ ➔ $1.4<1.6$
더 큰 수인 1.6이 나옵니다.

**융합 3** 수민이와 동생이 먹은 만두는 전체 만두의
$\frac{2}{5}+\frac{1}{3}=\frac{6}{15}+\frac{5}{15}=\frac{11}{15}$입니다.

**융합 4** 사용한 배터리 양은 전체 배터리 양의
$1-\frac{1}{4}=\frac{4}{4}-\frac{1}{4}=\frac{3}{4}$입니다.

**융합 5** 곤봉과 리본의 점수를 통분하면
$17\frac{2}{3}=17\frac{20}{30}$, $17\frac{7}{10}=17\frac{21}{30}$입니다.
따라서 점수가 더 높은 종목은 리본입니다.

**융합 6** 두 번째 마디에서 음표 ♩는 1박자를 나타내고, 한 마디에 3박자가 되어야 하므로 □ 안에 들어갈 수 있는 음표의 박자를 합하면 $3-1=2$(박자)입니다.
㉠ $\frac{1}{2}+\frac{3}{4}=\frac{2}{4}+\frac{3}{4}=\frac{5}{4}=1\frac{1}{4}$(박자)
㉡ $1\frac{1}{2}+\frac{1}{4}=1\frac{2}{4}+\frac{1}{4}=1\frac{3}{4}$(박자)
㉢ $\frac{1}{2}+\frac{1}{2}+1=1+1=2$(박자)

**창의 7** (2) $\frac{1}{2}=\frac{2}{4}=\frac{3}{6}$
➔ $\frac{1}{2}$은 $\frac{1}{4}$ 막대 2개, $\frac{1}{6}$ 막대 3개와 같습니다.
$\frac{2}{3}=\frac{4}{6}$
➔ $\frac{2}{3}$는 $\frac{1}{3}$ 막대 2개, $\frac{1}{6}$ 막대 4개와 같습니다.
(4) (3)에서 $\frac{1}{2}$과 $\frac{2}{3}$를 합하면 $\frac{1}{6}$ 막대 7개이므로 1 막대 1개, $\frac{1}{6}$ 막대 1개와 같습니다. 따라서 $1\frac{1}{2}+1\frac{2}{3}$는 1 막대 3개, $\frac{1}{6}$ 막대 1개이므로 $3\frac{1}{6}$입니다.

**창의 8** 생쥐가 가장 빠른 길로 목적지까지 가는 동안 과자 1개와 치즈 1개를 먹습니다.
➔ (생쥐가 얻는 점수)
$=1\frac{3}{4}+2\frac{1}{3}=1\frac{9}{12}+2\frac{4}{12}$
$=3\frac{13}{12}=4\frac{1}{12}$(점)

**코딩 9** $3\frac{3}{10}-1\frac{3}{5}=3\frac{3}{10}-1\frac{6}{10}=2\frac{13}{10}-1\frac{6}{10}=1\frac{7}{10}$
1보다 크므로 $1\frac{7}{10}-1\frac{3}{5}=1\frac{7}{10}-1\frac{6}{10}=\frac{1}{10}$
1보다 작으므로 나오는 수는 $\frac{1}{10}$입니다.

**창의 10** 차를 가장 크게 하려면 만들 수 있는 가장 큰 대분수에서 가장 작은 대분수를 빼야 합니다.
(1) $4\frac{1}{3}-1\frac{1}{8}=4\frac{8}{24}-1\frac{3}{24}=3\frac{5}{24}$
(2) $5\frac{1}{4}-2\frac{1}{6}=5\frac{3}{12}-2\frac{2}{12}=3\frac{1}{12}$
(3) 두 대분수의 차가 더 큰 사람이 카드 게임에서 이기므로 $3\frac{5}{24}$와 $3\frac{1}{12}$의 크기를 비교합니다.
$3\frac{1}{12}=3\frac{2}{24}$이고 $3\frac{5}{24}>3\frac{2}{24}$이므로 카드 게임에서 이긴 사람은 아름입니다.

**참고**
뺄셈식에서 계산 결과가 가장 크려면 가장 큰 수에서 가장 작은 수를 빼야 합니다.

### 개념 OX 퀴즈 정답

퀴즈 1 ◎ ✕
퀴즈 2 ○ ⓧ

**퀴즈 1** $\frac{1}{3}=\frac{1\times7}{3\times7}=\frac{7}{21}$, $\frac{2}{7}=\frac{2\times3}{7\times3}=\frac{6}{21}$이므로 옳은 말입니다.

**퀴즈 2** $\frac{1}{6}+\frac{3}{8}=\frac{4}{24}+\frac{9}{24}=\frac{13}{24}$이므로 틀린 말입니다.

# 4주 다각형의 둘레와 넓이

## 개념 OX 퀴즈

옳으면 ○에, 틀리면 ✕에 ○표 하세요.

퀴즈 1

직사각형의 둘레를 구하는 식은 ((가로)+(세로))×2입니다.

퀴즈 2

삼각형의 넓이를 구하는 식은 (밑변의 길이)×(높이)×2입니다.

정답은 32쪽에서 확인하세요.

## 132~133쪽 이번 주에는 무엇을 공부할까?②

| | |
|---|---|
| **1**-1 (　　)( ○ ) | **1**-2 다, 라 |
| **2**-1 10 | **2**-2 8 |
| **3**-1 5, 오 | **3**-2 6, 육 |
| **4**-1 8 | **4**-2 4, 4 |

**1**-1 왼쪽 사각형에는 평행한 변이 없습니다.

**2**-1 평행사변형에서 마주 보는 두 변의 길이는 같습니다.
➔ □=10

**2**-2 평행사변형에서 마주 보는 두 변의 길이는 같습니다.
➔ □=8

**4**-1 정삼각형은 3개의 변의 길이가 모두 같습니다.
➔ □=8

**4**-2 정팔각형은 8개의 변의 길이가 모두 같습니다.
➔ □=4

## 135쪽 개념 · 원리 확인

| | |
|---|---|
| **1**-1 5, 5, 15 | **1**-2 6, 6, 6, 6, 30 |
| **2**-1 4, 6, 24 | **2**-2 9, 4, 36 |
| **3**-1 27 cm | **3**-2 72 cm |
| **4**-1 40 cm | **4**-2 56 cm |

**1**-1 3개의 변의 길이가 모두 같으므로 한 변의 길이를 3번 더합니다.

**1**-2 5개의 변의 길이가 모두 같으므로 한 변의 길이를 5번 더합니다.

**2**-1 (정육각형의 둘레)
=(한 변의 길이)×(변의 수)
=4×6=24 (cm)

**2**-2 (정사각형의 둘레)
=(한 변의 길이)×(변의 수)
=9×4=36 (cm)

**3**-1 (정구각형의 둘레)=3×9=27 (cm)

**3**-2 (정육각형의 둘레)=12×6=72 (cm)

**4**-1 한 변의 길이가 8 cm인 정오각형입니다.
(정오각형의 둘레)=8×5=40 (cm)

**4**-2 한 변의 길이가 7 cm인 정팔각형입니다.
(정팔각형의 둘레)=7×8=56 (cm)

## 137쪽 개념 · 원리 확인

| | |
|---|---|
| **1**-1 오른쪽에 ○표 | **1**-2 오른쪽에 ○표 |
| **2**-1 (1) 2, 2, 36 | **2**-2 (1) 12, 2, 42 |
| (2) 2, 2, 38 | (2) 15, 2, 40 |
| **3**-1 20 cm | **3**-2 26 cm |

**2**-1 (1) (직사각형의 둘레)
=7×2+11×2
=14+22=36 (cm)
(2) (직사각형의 둘레)
=10×2+9×2
=20+18=38 (cm)

**2-2** (1) (직사각형의 둘레)
$=(9+12)\times 2$
$=21\times 2=42$ (cm)
(2) (직사각형의 둘레)
$=(15+5)\times 2$
$=20\times 2=40$ (cm)

**3-1** (가로)$=6$ cm, (세로)$=4$ cm
➔ (직사각형의 둘레)$=(6+4)\times 2$
$=10\times 2=20$ (cm)

**3-2** (가로)$=10$ cm, (세로)$=3$ cm
➔ (직사각형의 둘레)$=(10+3)\times 2$
$=13\times 2=26$ (cm)

**4-1** (가로)+(세로)=(직사각형의 둘레)$\div 2$
$=28\div 2=14$ (cm)
(가로)$=14-5=9$ (cm)

참고
직사각형의 둘레에는 가로가 2개, 세로가 2개 있으므로 (가로)+(세로)는 직사각형 둘레의 반입니다.

**4-2** (가로)+(세로)=(직사각형의 둘레)$\div 2$
$=36\div 2=18$ (cm)
(세로)$=18-10=8$ (cm)

기초 (직사각형의 둘레)=((가로)+(세로))$\times 2$
$=(25+15)\times 2$
$=40\times 2=80$ (cm)

**5-1** (액자의 둘레)=((가로)+(세로))$\times 2$
$=(25+15)\times 2$
$=40\times 2=80$ (cm)

**5-2** (사진의 둘레)=((가로)+(세로))$\times 2$
$=(3+4)\times 2$
$=7\times 2=14$ (cm)

**5-3** (텃밭의 둘레)=((가로)+(세로))$\times 2$
$=(8+6)\times 2$
$=14\times 2=28$ (m)

## 138~139쪽 기초 집중 연습

**1-1** 18 cm　**1-2** 30 cm
**2-1** 25 cm　**2-2** 32 cm
**3-1** 7　**3-2** 4
**4-1** 9　**4-2** 8
기초 80 cm
**5-1** $(25+15)\times 2=80$, 80 cm
**5-2** $(3+4)\times 2=14$, 14 cm
**5-3** $(8+6)\times 2=28$, 28 m

**1-1** (직사각형의 둘레)=(가로)$\times 2$+(세로)$\times 2$
$=5\times 2+4\times 2$
$=10+8=18$ (cm)

**1-2** (직사각형의 둘레)=((가로)+(세로))$\times 2$
$=(7+8)\times 2$
$=15\times 2=30$ (cm)

**2-1** (정오각형의 둘레)$=5\times 5=25$ (cm)

**2-2** (정사각형의 둘레)$=8\times 4=32$ (cm)

**3-1** (한 변의 길이)
=(정삼각형의 둘레)$\div$(변의 수)
$=21\div 3=7$ (cm)

**3-2** (한 변의 길이)
=(정육각형의 둘레)$\div$(변의 수)
$=24\div 6=4$ (cm)

## 141쪽 개념 · 원리 확인

**1-1** 2, 2, 32　**1-2** 8, 2, 40
**2-1** 7, 28　**2-2** 4, 56
**3-1** (1) 44 (2) 46　**3-2** (1) 36 (2) 48

**1-1** (평행사변형의 둘레)
=(한 변의 길이)$\times 2$+(다른 한 변의 길이)$\times 2$
$=7\times 2+9\times 2$
$=14+18=32$ (cm)

**1-2** (평행사변형의 둘레)
=((한 변의 길이)+(다른 한 변의 길이))$\times 2$
$=(12+8)\times 2$
$=20\times 2=40$ (cm)

2-1 (마름모의 둘레)
$=$(한 변의 길이)$\times 4$
$=7\times 4=28$ (cm)

2-2 (마름모의 둘레)
$=$(한 변의 길이)$\times 4$
$=14\times 4=56$ (cm)

3-1 (1) (평행사변형의 둘레)
$=(13+9)\times 2$
$=22\times 2=44$ (cm)
(2) (평행사변형의 둘레)
$=(11+12)\times 2$
$=23\times 2=46$ (cm)

3-2 (1) (마름모의 둘레)
$=9\times 4=36$ (cm)
(2) (마름모의 둘레)
$=12\times 4=48$ (cm)

## 143쪽 개념 · 원리 확인

1-1 1 $\text{cm}^2$, 1 제곱센티미터
1-2 1 $\text{m}^2$, 1 제곱미터
2-1 3 $\text{m}^2$, 3 제곱미터
2-2 5 $\text{km}^2$, 5 제곱킬로미터
3-1 (1) 30000 (2) 8
3-2 (1) 4000000 (2) 9
4-1 10
4-2 14

3-1 (1) 1 $\text{m}^2=10000$ $\text{cm}^2$ ➔ 3 $\text{m}^2=30000$ $\text{cm}^2$
(2) 10000 $\text{cm}^2=1$ $\text{m}^2$ ➔ 80000 $\text{cm}^2=8$ $\text{m}^2$

3-2 (1) 1 $\text{km}^2=1000000$ $\text{m}^2$
➔ 4 $\text{km}^2=4000000$ $\text{m}^2$
(2) 1000000 $\text{m}^2=1$ $\text{km}^2$
➔ 9000000 $\text{m}^2=9$ $\text{km}^2$

4-1 도형의 넓이는 1 $\text{cm}^2$가 10개이므로 10 $\text{cm}^2$입니다.

4-2 도형의 넓이는 1 $\text{cm}^2$가 14개이므로 14 $\text{cm}^2$입니다.

## 144~145쪽 기초 집중 연습

1-1 34 cm
1-2 32 cm
2-1 (1) 60000 (2) 30
2-2 (1) 26000 (2) 5400000
3-1 9
3-2 11
4-1 정우
4-2 (1) $\text{km}^2$ (2) $\text{m}^2$
기초 8 $\text{cm}^2$
5-1 다
5-2 나
5-3 다

1-1 (평행사변형의 둘레)
$=(12+5)\times 2$
$=17\times 2=34$ (cm)

1-2 (평행사변형의 둘레)
$=(10+6)\times 2$
$=16\times 2=32$ (cm)

2-1 (1) 1 $\text{m}^2=10000$ $\text{cm}^2$
➔ 6 $\text{m}^2=60000$ $\text{cm}^2$
(2) 1000000 $\text{m}^2=1$ $\text{km}^2$
➔ 30000000 $\text{m}^2=30$ $\text{km}^2$

2-2 (1) 1 $\text{m}^2=10000$ $\text{cm}^2$
➔ 2.6 $\text{m}^2=26000$ $\text{cm}^2$
(2) 1 $\text{km}^2=1000000$ $\text{m}^2$
➔ 5.4 $\text{km}^2=5400000$ $\text{m}^2$

3-1 (한 변의 길이)
$=$(마름모의 둘레)$\div 4$
$=36\div 4=9$ (cm)

3-2 (한 변의 길이)
$=$(마름모의 둘레)$\div 4$
$=44\div 4=11$ (cm)

4-1 휴대전화 화면은 가로와 세로가 1 m보다 짧으므로 넓이를 나타낼 때는 $\text{cm}^2$로 나타내는 것이 좋습니다.

기초 [1 $\text{cm}^2$]가 8개이므로 도형의 넓이는 8 $\text{cm}^2$입니다.

5-1 가: [1 $\text{cm}^2$]가 7개이므로 넓이는 7 $\text{cm}^2$
나: [1 $\text{cm}^2$]가 6개이므로 넓이는 6 $\text{cm}^2$
다: [1 $\text{cm}^2$]가 8개이므로 넓이는 8 $\text{cm}^2$
➔ 넓이가 8 $\text{cm}^2$인 도형은 다입니다.

정답
풀이

**5-2** 가: 1 $cm^2$가 14개이므로 넓이는 14 $cm^2$
나: 1 $cm^2$가 13개이므로 넓이는 13 $cm^2$
다: 1 $cm^2$가 12개이므로 넓이는 12 $cm^2$
➔ 넓이가 13 $cm^2$인 도형은 나입니다.

**5-3** 가: 1 $cm^2$가 12개이므로 넓이는 12 $cm^2$
나: 1 $cm^2$가 12개이므로 넓이는 12 $cm^2$
다: 1 $cm^2$가 11개이므로 넓이는 11 $cm^2$
➔ 넓이가 다른 도형은 다입니다.

**147쪽** 개념 · 원리 확인

**1-1** 5, 5, 15 **1-2** 8, 2, 8, 2, 16
**2-1** 오른쪽에 ○표 **2-2** 왼쪽에 ○표
**3-1** (1) 8, 6, 48 (2) 5, 7, 35 **3-2** (1) 11, 5, 55 (2) 8, 3, 24

**3-1** (1) (직사각형의 넓이)
$=$(가로)$\times$(세로)
$=8\times6=48$ ($cm^2$)
(2) (직사각형의 넓이)
$=5\times7=35$ ($cm^2$)

**3-2** (1) (직사각형의 넓이)
$=$(가로)$\times$(세로)
$=11\times5=55$ ($cm^2$)
(2) (직사각형의 넓이)
$=8\times3=24$ ($cm^2$)

**149쪽** 개념 · 원리 확인

**1-1** 4, 4, 4, 16 **1-2** 5, 5, 5, 25
**2-1** (1) 3, 3, 9 (2) 8, 8, 64 **2-2** (1) 7, 7, 49 (2) 6, 6, 36
**3-1** 81 $cm^2$ **3-2** 144 $cm^2$

**1-1** 참고
1 $cm^2$가 모두 $4\times4=16$(개) 있으므로 정사각형의 넓이는 16 $cm^2$입니다.

**2-1** (1) (정사각형의 넓이)
$=$(한 변의 길이)$\times$(한 변의 길이)
$=3\times3=9$ ($cm^2$)
(2) (정사각형의 넓이)
$=8\times8=64$ ($cm^2$)

**2-2** (1) (정사각형의 넓이)
$=$(한 변의 길이)$\times$(한 변의 길이)
$=7\times7=49$ ($cm^2$)
(2) (정사각형의 넓이)
$=6\times6=36$ ($cm^2$)

**3-1** (정사각형의 넓이)
$=9\times9=81$ ($cm^2$)

**3-2** (정사각형의 넓이)
$=12\times12=144$ ($cm^2$)

**150~151쪽** 기초 집중 연습

**1-1** 108 **1-2** 104
**2-1** 4 $m^2$ **2-2** 9 $m^2$
**3-1** 70 $cm^2$ **3-2** 55 $m^2$
**4-1** 10 **4-2** 7
기초 8 **5-1** $80\div10=8$, 8 cm
**5-2** $360\div18=20$, 20 cm
**5-3** $12\div4=3$, 3 m

**1-1** (직사각형의 넓이)
$=9\times12=108$ ($cm^2$)

**1-2** (직사각형의 넓이)
$=13\times8=104$ ($cm^2$)

**2-1** (나무판의 넓이)
$=2\times2=4$ ($m^2$)

**2-2** (벽의 넓이)
$=3\times3=9$ ($m^2$)

**3-1** (직사각형의 넓이)
$=7\times10=70$ ($cm^2$)

**3-2** (직사각형의 넓이)
$=11\times5=55$ ($m^2$)

**4-1** (한 변의 길이)×(한 변의 길이)=100 ($cm^2$)

➡ 10×10=100이므로 (한 변의 길이)=10 cm

참고

두 번 곱해서 100이 되는 수가 정사각형의 한 변의 길이가 됩니다.

**4-2** (한 변의 길이)×(한 변의 길이)=49 ($cm^2$)

➡ 7×7=49이므로 (한 변의 길이)=7 cm

참고

두 번 곱해서 49가 되는 수가 정사각형의 한 변의 길이가 됩니다.

**기초** (직사각형의 세로)=(넓이)÷(가로)
=80÷10=8 (cm)

**5-1** (도화지의 세로)=(넓이)÷(가로)
=80÷10=8 (cm)

**5-2** (달력의 세로)=(넓이)÷(가로)
=360÷18=20 (cm)

**5-3** (방의 세로)=(넓이)÷(가로)
=12÷4=3 (m)

**153쪽 개념 · 원리 확인**

**1-1** 예

높이
밑변

**1-2** 6

**2-1** 9, 99 **2-2** 8, 104

**3-1** (1) 9, 81 (2) 12, 7, 84

**3-2** (1) 7, 13, 91 (2) 20, 6, 120

**1-2** 두 밑변 사이에 모눈 한 칸의 길이가 1 cm인 모눈이 6칸이므로 높이는 6 cm입니다.

**2-1** 평행사변형의 넓이는 직사각형의 넓이와 같습니다.
➡ 11×9=99 ($cm^2$)

**2-2** 평행사변형의 넓이는 직사각형의 넓이와 같습니다.
➡ 13×8=104 ($cm^2$)

**3-1** (1) (평행사변형의 넓이)
=9×9=81 ($cm^2$)
(2) (평행사변형의 넓이)
=12×7=84 ($cm^2$)

**3-2** (1) (평행사변형의 넓이)
=7×13=91 ($cm^2$)
(2) (평행사변형의 넓이)
=20×6=120 ($cm^2$)

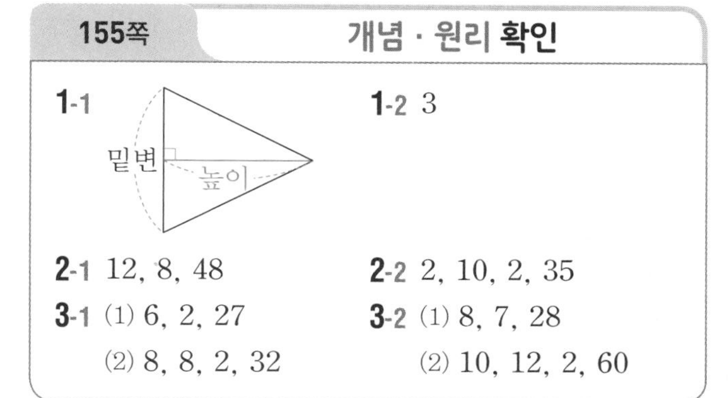

**155쪽 개념 · 원리 확인**

**1-1**



**1-2** 3

**2-1** 12, 8, 48 **2-2** 2, 10, 2, 35

**3-1** (1) 6, 2, 27 (2) 8, 8, 2, 32

**3-2** (1) 8, 7, 28 (2) 10, 12, 2, 60

**1-1** 밑변과 마주 보는 꼭짓점에서 밑변에 수직인 선분을 긋습니다.

참고

밑변은 고정된 변이 아니라 기준이 되는 변이므로 높이는 밑변에 따라 정해집니다.

**1-2** 밑변과 마주 보는 꼭짓점에서 밑변에 수직인 선분을 긋고 그 길이를 잽니다.

**2-1** 삼각형의 넓이는 평행사변형 넓이의 반입니다.
➡ 12×8÷2=48 ($cm^2$)

**2-2** 삼각형의 넓이는 평행사변형 넓이의 반입니다.
➡ 7×10÷2=35 ($cm^2$)

**3-1** (1) (삼각형의 넓이)
=9×6÷2=27 ($cm^2$)
(2) (삼각형의 넓이)
=8×8÷2=32 ($cm^2$)

**3-2** (1) (삼각형의 넓이)
=8×7÷2=28 ($cm^2$)
(2) (삼각형의 넓이)
=10×12÷2=60 ($cm^2$)

**156~157쪽** **기초 집중 연습**

| | |
|---|---|
| **1-1** 48 $cm^2$ | **1-2** 165 $cm^2$ |
| **2-1** 50 $cm^2$ | **2-2** 120 $cm^2$ |
| **3-1** 24 | **3-2** 16 |
| **4-1** 8 | **4-2** 10 |
| 기초 $8\times6\div2=24$, 24 $cm^2$ | **5-1** 6 cm |
| **5-2** 10 cm | |
| **5-3** 9 cm | |

**1-1** (평행사변형의 넓이)
$=6\times8=48$ ($cm^2$)

**1-2** (평행사변형의 넓이)
$=15\times11=165$ ($cm^2$)

**2-1** (삼각형의 넓이)
$=10\times10\div2=50$ ($cm^2$)

**2-2** (삼각형의 넓이)
$=16\times15\div2=120$ ($cm^2$)

**3-1** (밑변의 길이)=6 cm, (높이)=4 cm
➔ (평행사변형의 넓이)
$=6\times4=24$ ($cm^2$)

**3-2** (밑변의 길이)=8 cm, (높이)=4 cm
➔ (삼각형의 넓이)
$=8\times4\div2=16$ ($cm^2$)

**4-1** (평행사변형의 밑변의 길이)
=(넓이)÷(높이)
$=72\div9=8$ (cm)

**4-2** (평행사변형의 높이)
=(넓이)÷(밑변의 길이)
$=120\div12=10$ (cm)

기초 (삼각형의 넓이)
$=8\times6\div2=24$ ($cm^2$)

**5-1** 높이를 □ cm라고 하면 8×□÷2=24
➔ 8×□=48, □=6이므로 높이는 6 cm입니다.

**5-2** 높이를 □ cm라고 하면 16×□÷2=80
➔ 16×□=160, □=10이므로 높이는 10 cm 입니다.

**5-3** 밑변의 길이를 □ cm라고 하면 □×8÷2=36
➔ □×8=72, □=9이므로 밑변의 길이는 9 cm 입니다.

**159쪽** **개념 · 원리 확인**

**1-1** **1-2**

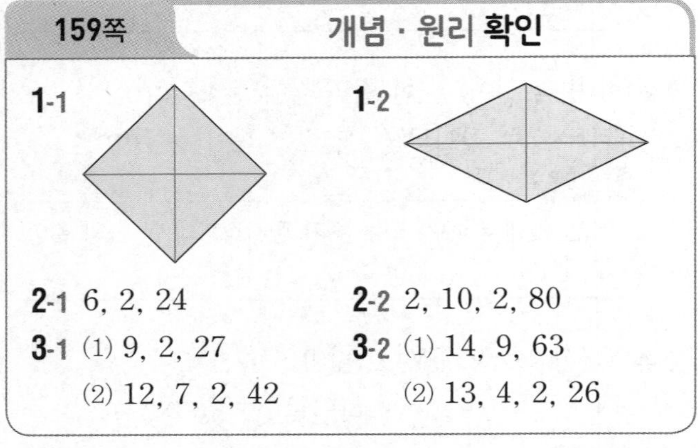

| | |
|---|---|
| **2-1** 6, 2, 24 | **2-2** 2, 10, 2, 80 |
| **3-1** (1) 9, 2, 27 | **3-2** (1) 14, 9, 63 |
| (2) 12, 7, 2, 42 | (2) 13, 4, 2, 26 |

**2-1** 마름모의 넓이는 평행사변형의 넓이와 같습니다.
➔ $8\times6\div2=24$ ($cm^2$)

**2-2** 마름모의 넓이는 직사각형 넓이의 반입니다.
➔ $16\times10\div2=80$ ($cm^2$)

**3-1** (1) (마름모의 넓이)
=(한 대각선의 길이)×(다른 대각선의 길이)÷2
$=6\times9\div2=27$ ($cm^2$)
(2) (마름모의 넓이)
$=12\times7\div2=42$ ($cm^2$)

**3-2** (1) (마름모의 넓이)
$=14\times9\div2=63$ ($cm^2$)
(2) (마름모의 넓이)
$=13\times4\div2=26$ ($cm^2$)

**161쪽** **개념 · 원리 확인**

| | |
|---|---|
| **1-1** (위에서부터) 윗변, 높이 | **1-2** 1, 3 |
| **2-1** 3, 4, 18 | **2-2** 5, 2, 39 |
| **3-1** 12, 6, 2, 66 | **3-2** 10, 8, 2, 76 |

**1-1** 밑변을 위치에 따라 윗변, 아랫변이라 하고 두 밑변 사이의 거리를 높이라고 합니다.

**2-1** 색칠한 사다리꼴의 넓이는 평행사변형 넓이의 반입니다.
➔ $(6+3)\times4\div2$
$=9\times4\div2=18$ ($cm^2$)

**2-2** $(8+5)\times 6\div 2$
$=13\times 6\div 2=39\ (cm^2)$

**3-1** (사다리꼴의 넓이)
=((윗변의 길이)+(아랫변의 길이))×(높이)÷2
$=(12+10)\times 6\div 2$
$=22\times 6\div 2=66\ (cm^2)$

**3-2** (사다리꼴의 넓이)
=((윗변의 길이)+(아랫변의 길이))×(높이)÷2
$=(9+10)\times 8\div 2$
$=19\times 8\div 2=76\ (cm^2)$

**162~163쪽 기초 집중 연습**

| | |
|---|---|
| **1-1** 9 cm | **1-2** 15 cm, 9 cm |
| **2-1** 80 $cm^2$ | **2-2** 96 $cm^2$ |
| **3-1** 63 $cm^2$ | **3-2** 42 $cm^2$ |
| **4-1** 10 | **4-2** 14 |
| 기초 30 $cm^2$ | **5-1** 30 $cm^2$ |
| **5-2** 112 $cm^2$ | |
| **5-3** 162 $cm^2$ | |

**1-2** 사다리꼴의 밑변은 평행한 두 변이므로
그 길이는 15 cm, 9 cm입니다.

**2-1** (마름모의 넓이)=(색칠한 부분의 넓이)×2
$=40\times 2=80\ (cm^2)$

**2-2** (마름모의 넓이)=(색칠한 부분의 넓이)×2
$=48\times 2=96\ (cm^2)$

**3-1** (사다리꼴의 넓이)
$=(8+10)\times 7\div 2=63\ (cm^2)$

**3-2** (사다리꼴의 넓이)
$=(5+9)\times 6\div 2=42\ (cm^2)$

**4-1** $10\times\square\div 2=50$
➔ $10\times\square=100$, $\square=10$

**4-2** $\square\times 12\div 2=84$
➔ $\square\times 12=168$, $\square=14$

기초 (마름모의 넓이)=(직사각형의 넓이)÷2
$=10\times 6\div 2=30\ (cm^2)$

**5-1** (마름모의 넓이)=(직사각형의 넓이)÷2
$=10\times 6\div 2=30\ (cm^2)$

**5-2** (마름모의 넓이)=(직사각형의 넓이)÷2
$=16\times 14\div 2=112\ (cm^2)$

**5-3** (마름모의 넓이)=(정사각형의 넓이)÷2
$=18\times 18\div 2=162\ (cm^2)$

**164~165쪽 누구나 100점 맞는 테스트**

**1** 4 cm
**2** (위에서부터) 높이, 아랫변
**3** $(8+10)\times 2=36$, 36 cm
**4** 80 $cm^2$
**5** 10, 50, 50 m
**6** (1) 70000 (2) 3000000
**7** 16 $m^2$ **8** 42 $cm^2$
**9** 135 $cm^2$ **10** 51 $cm^2$

**4** (평행사변형의 넓이)
=(밑변의 길이)×(높이)
$=16\times 5=80\ (cm^2)$

**5** 꽃밭은 한 변의 길이가 10 m인 정오각형입니다.
(꽃밭의 둘레)$=10\times 5=50$ (m)

**7** (나무판의 넓이)
=(한 변의 길이)×(한 변의 길이)
$=4\times 4=16\ (m^2)$

**8** (삼각형의 넓이)
=(밑변의 길이)×(높이)÷2
$=12\times 7\div 2=42\ (cm^2)$

**9** (마름모의 넓이)=(직사각형의 넓이)÷2
$=18\times 15\div 2=135\ (cm^2)$

**10** (사다리꼴의 넓이)
=((윗변의 길이)+(아랫변의 길이))×(높이)÷2
$=(7+10)\times 6\div 2=51\ (cm^2)$

166~171쪽 특강 창의 · 융합 · 코딩

창의 1 봄, 겨울, 가을, 여름

창의 2 정오각형, 150 cm

융합 3 260 m  융합 4 144 $m^2$

창의 5 20 $cm^2$  창의 6 28 $cm^2$

융합 7 225 $cm^2$  창의 8 450 $cm^2$

코딩 9 1 cm

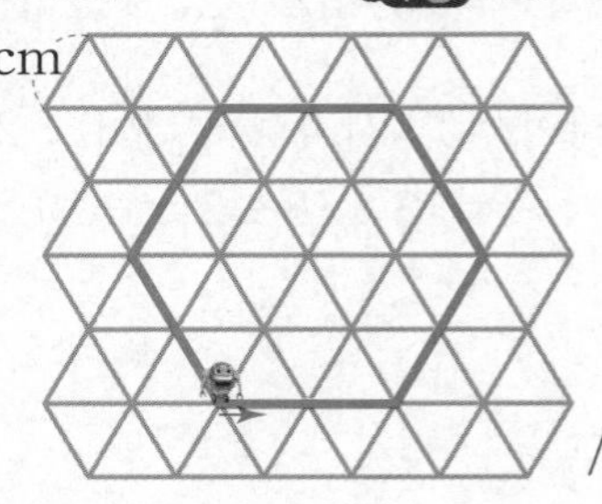

2, 육, 2, 6, 12

창의 1 네 사람이 모두 거짓말을 하고 있으므로 말한 것을 반대로 생각해야 합니다.

- 은서: 여름을 좋아합니다.
  ➜ 여름을 좋아하지 않습니다.
- 재호: 겨울을 좋아하지 않습니다.
  ➜ 겨울을 좋아합니다.
- 연수: 봄을 좋아합니다.
  ➜ 봄을 좋아하지 않습니다.
- 윤호: 여름을 좋아하지 않습니다.
  ➜ 여름을 좋아합니다.

| | 은서 | 재호 | 연수 | 윤호 |
|---|---|---|---|---|
| 봄 | ○ | × | × | × |
| 여름 | × | × | × | ○ |
| 가을 | × | × | ○ | × |
| 겨울 | × | ○ | × | × |

창의 2
- 4개의 그림은 모두 정다각형 모양입니다.
- 정사각형 옆에 걸려 있는 그림의 모양은 정오각형, 정삼각형입니다.
- 정오각형과 정삼각형은 모두 정육각형의 왼쪽에 걸려 있습니다.
- 정오각형과 정삼각형 중에서 변의 수가 4개보다 많은 것은 정오각형입니다.

➜ (정오각형 그림의 둘레)
=(한 변의 길이)×(변의 수)
=30×5=150 (cm)

융합 3 (축구 경기장의 둘레)
=((가로)+(세로))×2
=(80+50)×2=260 (m)

융합 4 (레슬링 경기장의 넓이)
=(한 변의 길이)×(한 변의 길이)
=12×12=144 ($m^2$)

창의 5 게임 화면에서 블록이 채워진 부분은 블록 20칸이므로 넓이는 모두 20 $cm^2$입니다.

다른 풀이
하나의 블록은 4칸으로 이루어져 있으므로 4 $cm^2$이고, 블록이 5개이므로 넓이는 모두 4×5=20 ($cm^2$)입니다.

창의 6 게임 화면에서 블록이 채워진 부분은 블록 28칸이므로 넓이는 모두 28 $cm^2$입니다.

다른 풀이
하나의 블록은 4칸으로 이루어져 있으므로 4 $cm^2$이고, 블록이 7개이므로 넓이는 모두 4×7=28 ($cm^2$)입니다.

융합 7 노란색으로 칠한 부분은 한 변의 길이가 15 cm인 정사각형입니다.
(노란색으로 칠한 부분의 넓이)
=(한 변의 길이)×(한 변의 길이)
=15×15=225 ($cm^2$)

창의 8 체커 보드에서 64개의 칸이 검은색 칸과 흰색 칸으로 반씩 나누어져 있습니다.
(체커 보드의 넓이)=(한 변의 길이)×(한 변의 길이)
=30×30=900 ($cm^2$)
(검은색 칸의 넓이)=(체커 보드의 넓이)÷2
=900÷2=450 ($cm^2$)

코딩 9 한 변의 길이가 2 cm인 정육각형의 둘레
➜ 2×6=12 (cm)

개념 OX 퀴즈 정답

퀴즈 1 ◎ ×

퀴즈 2 ○ ⊗

퀴즈 2 (삼각형의 넓이)
=(밑변의 길이)×(높이)÷2입니다.

정답은
이안에
있어!

## 수학 전문 교재

●연산 학습

| | |
|---|---|
| 빅터연산 | 예비초~6학년, 총 20권 |
| 창의융합 빅터연산 | 예비초~4학년, 총 16권 |

●개념 학습

| | |
|---|---|
| 개념클릭 해법수학 | 1~6학년, 학기용 |

●수준별 수학 전문서

| | |
|---|---|
| 해결의법칙(개념/유형/응용) | 1~6학년, 학기용 |

●단원평가 대비

| | |
|---|---|
| 수학 단원평가 | 1~6학년, 학기용 |
| 일등전략 초등 수학 | 1~6학년, 학기용 |

●단기완성 학습

| | |
|---|---|
| 초등 수학전략 | 1~6학년, 학기용 |

●상위권 학습

| | |
|---|---|
| 최고수준 S 수학 | 1~6학년, 학기용 |
| 최고수준 수학 | 1~6학년, 학기용 |
| 최강 TOT 수학 | 1~6학년, 학년용 |

●경시대회 대비

| | |
|---|---|
| 해법 수학경시대회 기출문제 | 1~6학년, 학기용 |

## 예비 중등 교재

| | |
|---|---|
| ●해법 반편성 배치고사 예상문제 | 6학년 |
| ●해법 신입생 시리즈(수학/명어) | 6학년 |

## 맞춤형 학교 시험대비 교재

| | |
|---|---|
| ●열공 전과목 단원평가 | 1~6학년, 학기용(1학기 2~6년) |

## 한자 교재

| | |
|---|---|
| ●한자능력검정시험 자격증 한번에 따기 | 8~3급, 총 9권 |
| ●씽씽 한자 자격시험 | 8~5급, 총 4권 |
| ●한자 전략 | 8~5급Ⅱ, 총 12권 |

이쯤에서
실력
체크